JULIAN
SIRRI

Pegasus Yayınları: 163
Bestseller Roman: 15

JULIAN SIRRI
GREGG LOOMIS
Özgün Adı: THE JULIAN SECRET

Yayın Yönetmeni: İbrahim Şener
Son Okuma: Fahrettin Levent
Bilgisayar Uygulama: Meral Gök
Kapak Uygulama: Yunus Bora Ülke
Film-Grafik: Mat Grafik
Baskı-Cilt: Kilim Matbaası

1. Baskı: Kasım 2008
ISBN: 978-605-5943-41-7

Yayıncı Sertifika No: 12177

PEGASUS YAYINLARI
Gümüşsuyu Mah. Osmanlı Sk. Alara Han
No: 27/9 Taksim / İSTANBUL
Tel: 0212 244 23 50 (pbx) Faks: 0212 244 23 46
www.pegasusyayinlari.com / info@pegasusyayinlari.com

GREGG LOOMIS

JULIAN
SIRRI

İngilizce'den Çeviren:
ENVER GÜNSEL

PEGASUS YAYINLARI

ÖNSÖZ
ÇEŞİTLİ OLAYLAR

Roma

Tiber'in Güneyi, Şehir Surları dışında

Julius ayı

M. S. 362

Demetrius gece vakti ölüler arasında olmaktan hoşlanmadı. Eğer buraya gelmenin amacı bir mezarı ziyaret etmek ve belki de ölmüş birinin mezarına yiyecek bir şeyler bırakmaksa, tanrıların bunu görmesi ve atalara karşı nasıl davranıldığını anlaması için, bu ziyaret aslında gün ışığında yapılmalıydı. Bir cenaze töreni için de aynı şey geçerli olmalıydı. Gece vakti, kötülük ve yeraltı dünyasının, Pluto'nun, ya da Romalıların Hades efendisine ne isim veriyorlarsa, onun zamanıydı.

Ama Demetrius Yunanlıydı, sadece bir köleydi ve yapması gereken işlerin yerini ve zamanını kendisi seçemezdi.

İmparatorun bir emrini yerine getirmesine rağmen, efendisi Sextinus'un da hayatından memnun olmadığı meşalelerin soluk ışığında bile belli oluyordu. Küçük bir itaatsizlik yüzünden dili kesilmiş olan diğer köle Galyalı da Demetrius kadar mutsuzdu. Mezarlar arasındaki geçitler tamamen karanlıktı ama bu yetmezmiş gibi, Tiber bataklıklarından çıkan yılanların da yeni cesetleri yemek için buraya geldikleri söylenirdi.

Demetrius özellikle insanı bütün olarak yutacak kadar büyük olduğu söylenen bu yılanlardan çok korkuyordu.

Önlerindeki koca şekil yıldızları bile görmelerini engelliyordu. Sextinus küfürler fısıldayarak iki köleye, taşıdıkları yükü tapınağın temeline kadar götürmelerini söyledi.

En azından Demetrius orayı bir tapınak sanıyordu. Aslında orası İmparator Constantine'in yaklaşık kırk yıl önce kabul ettiği bir dinin başrahibine ait bir saraydı. Bu dinde adı bilinmeyen ve bir oğlu olan bir tanrı vardı, bu oğul çarmıha gerilmiş ve öldükten sonra gökyüzüne çıkmıştı.

Demetrius'a göre, tanrıların ve tanrıçaların gökyüzüne yükselmeleri çok duyulmuş bir oyundu. Mısırlıların İsis adlı tanrısı her baharda Nil'in taşmasıyla beraber gökyüzüne çıkardı. Orpheus da bugünlerde popüler olan Mitrinizm dinini kabul etmiş olan karısını geri alabilmek için Hades'e gitmişti. Pers tanrıları da bir faninin uykudan uyanması gibi mezarlarından fırlıyorlardı.

Fakat adı Hıristiyanlık olan bu yeni dinde farklı bir şeyler vardı. Bu fark her ne ise İmparatoru kızdırmış ve yıllardan beri görülmemiş temizlik hareketlerine başlanmıştı.

Demetrius kendisiyle diğer iki adamın bu gece buraya bu din yüzünden geldiklerine emindi; tapınak / saray dediği bu yerin temeline bir çukur kazıp oraya iki amfora yerleştirecekler ve aynı zamanda temel desteklerinden birinin altını da kazacaklardı ki, amforaları çalmak isteyenler çöken yapının altında kalsınlardı.

Bu çamurdan yapılmış küplerin içinde neler vardı acaba? Zeytinyağı ya da şarap olmadığı kesindi, çünkü amforaların ikisi de çok hafifti. Bunun bir anlamı yok gibiydi ama bunu İmparator istediğine göre bir anlamı olmalıydı.

BÖLÜM BİR

Vatikan

Nisan 1939

İki aydan daha az bir zaman önce Papa Pius XII olarak seçilen Eugenio Pacelli, St. Peter Kilisesinin espri olsun diye mağara denen loş alt kat koridorlarında hızlı adımlarla yürüyordu. Onun önünde yürüyen Peder Emilio Sargenti bir süre sonra durdu ve yaşlı adamın kendisine yetişmesi için bekledi.

Pius zorlukla nefes almaya çalışarak, "Yavaş ol, Emilio," dedi. "Söylediğin gerçek olsa bile merak etme, nasıl olsa kaçamaz."

Genç rahip onu beklerken sabırsızlığını gizlemeye çalıştı. "Elbette, Kutsal Efendimiz."

Adımlarını biraz daha ağırlaştırarak eski papaların heykelleri ve lahitleri arasından ilerlemeye devam ettiler. İnsanların çoğu mezarlar arasında dolaşmaktan hoşlanmasa da, Pius çoğu zaman dua etmek için yalnız başına gelirdi buraya.

Bir yıl kadar önce Papalık Büyükelçisi olarak Berlin'e gönderildiği zaman Adolph Hitler'in ruhunda şeytanlar olduğuna inanmış ve bunları kovmak için yalnız başına dua etmesi gerektiğini düşünmüştü. Bu adam büyük kötülükler yapabilecek bir kişilikti. Yahudi düşmanıydı, yabancı toprakları ele geçirmek istiyordu ve eğer Peder Sargenti, Pius'un kuşkulandığı şeyi bulmuşsa, kiliseye de büyük kötülükler yapmak istiyordu.

Genç rahip eğilip elindeki feneri karanlık bir köşeye doğrulturken, "İşte orada! Duvarın dibinde!" deyince, Pius o anda Hitler'i unutuverdi.

Pius uzun beyaz elbisesinin eteklerini topladı ve gösterileni daha iyi görebilmek için hafifçe eğildi. Bu oyuk bir önceki Papa XI'in mezar olarak seçtiği yerdi. Mezarın yeri hazırlanırken bunu bulmuşlardı.

Peder Sargenti sabırsızlıkla, "Görebiliyor musunuz onu, efendim?" diye sordu. "Bu katın altındaki kubbenin çatı kemerine, tuğlalarına bakın."

Pius onu rahatça görebiliyordu ve yere çömeldi. "Bunda fazla şaşıracak bir şey yok, Emilio," diye konuştu. "Constantine ilk papa sarayını, burada, Vatikan Tepesinde inşa etmeden önce bu bölge yüzyıllardan beri bir mezarlıktı, önce dinsiz Romalıların, sonra da Hıristiyanların mezarlığı olarak kullanıldı bu yerler. Burada mezarlar arasında dolaşan bir sürü dehliz, ya da sokak vardı. Sen onlardan sadece birinin tepesine rastladın, hepsi bu."

Ama aslında papanın dediği gibi hepsi bu değildi ve bunu ikisi de biliyorlardı.

BÖLÜM İKİ

Werfen Yakınları, Avusturya
16 Mayıs, 1945

Tiroller'de bahar yavaşça ve büyük dikkatle gelir. Trenin lokomotifinde bulunan makinist bu bölgelerde tepelerdeki karların çam ve benzeri ağaçlar tarafından tutulduğunu, frenlendiğini iyi biliyordu. Camsız pencerelerden içeriye giren sert ve buz gibi rüzgâr, adamın uzun zaman kokladığı ölüm ve barut kokusundan ziyade orman kokusu getiriyordu burnuna.

Hava o kadar soğuktu ki, makinistin ciğerleri yanıyordu.

Adam gülümsedi. Burada uzun süre kalamayacaktı ama fırtınalı son yıllarda uzak kaldığı evine, memleketine dönmek yine de güzeldi. Yeşillikler arasındaki tepelerden aşağıya akan buz gibi suları seyretmek büyük mutluluktu onun için. İlerde bir ağacın altında durmuş, şiş karnından gebe olduğu anlaşılan bir geyik tren geçerken başını kaldırıp ona baktı. Ağaçların üzerinde de bir kartal daireler çizip duruyordu.

Bu tepelerde hiçbir şey değişmemişti. Dağlar, ağaçlar, şarıl şarıl akan buz gibi dereler, o adamın buralara son gelişinden bu yana meydana gelen değişikliklerin farkında bile değillerdi. Adama göre, yaşanan değişiklikler hiç de iyi yönde olmamıştı.

Normal olarak Budapeşte - Viyana arası yaklaşık üç yüz kilometre kadardı ve trenle yine yaklaşık olarak yarım gün kadar sürüyordu. Ama o günün dünyasında bu yolculuk hiç de kolay değildi, hatta olanaksız gibiydi, çünkü iki Doğu Avrupa başkenti arasındaki köprülerin, tünellerin ve demiryollarının çoğu bombalanmış, çelik ve taş yığınları haline gelmişti. Macaristan'ın başkentine gitmek için yolu iki kat uzatan bir köye gitmenin nedeni de buydu.

En azından ona böyle söylemişlerdi ama o buna inanmıyordu.

İnanmadığı şey çok geçmeden doğrulandı. Hafif bir dönemeci tamamlayınca demiryolunda rayların üzerinde iki Amerikan kamyonu ve üzerlerinde savaşın en iyi otomatik silahları olan elli kalibrelik Browning M1 ağır makineli tüfekler gördü. Silahlar ateşe hazırdı ve güneş ışınları sarı mermi kovanları üzerinde parlıyordu. Demiryolunun kenarında duran bir Sherman tankı da topunu trene doğrultmuştu. Daha geride, içindekilerin görünmemesi için üzerleri brandalarla örtülmüş olan askeri kamyonlar duruyordu. Bazıları kaput giymiş olan yaklaşık bir düzine Amerikan askeri de ellerinde silahlar treni bekliyorlardı. Makinist onlara yaklaşırken omuzlarındaki 15. Piyade Alayı omuz amblemlerimi görebildi.

Tren yokuş yıkarı tırmandığı için zaten düşük hızla gidiyordu ve durması kolay oldu.

Makinist, *"Herr Sturmbahnfuhrer...?"* diye sordu.

Yanındaki adam gözlerini Amerikalı askerlerden almadan, Almanca konuşarak makiniste, "Bana böyle hitap etmemelisin," dedi. "Sadece Herr Schmidt diye hitap et bana."

Lokomotif buz gibi havaya buhar salarak durunca adam yere atladı. Üzerinde deri pantolon, yün çoraplar ve tüylü fötr şapka olmak üzere Tirol kıyafeti vardı. Gömleği kısa kollu olmasına rağmen ceketini çıkarıp koluna almış ve silahsız olduğunu göstermek için ellerini hafifçe yana açmıştı. Rayların yanında kısa mesafeyi kararlı adımlarla ve bir asker gibi dimdik yürüdü. Kamyonlardan birinden aşağı atlayan bir subayın omzundaki apoletlerde ve yakalarında görülen iki yıldız onun tümgeneral olduğunu gösteriyordu. General trenden inen adamın yanına kadar gelmesini sakin bir ifadeyle bekledi, yüksek rütbeli bir Müttefik subayı olduğunu her hareketiyle belli ediyordu.

Trenden inen adam Amerikalıya birkaç adım yaklaşınca durdu, selam verir gibi elini kaldırıp şapkasının kenarına değdirdi ve "Herr General!" dedi.

General onun selamına karşılık verme gereğini hissetmedi ve "Tam zamanında geldiniz Bay Smith," dedi.

Diğer adam hafifçe gülümserken yanağındaki yara izi daha çok açığa çıktı. "Her şeyi tam zamanında yapmak halkımın özelliklerinden biridir," derken aksanı çok az belli oluyordu.

General, "Öyle olsun bakalım," diye homurdandı. "Liste geldi mi?"

Diğer adam kısa pantolonunun cebinden bir tomar kâğıt çıkarıp Amerikalı generale uzattı. "Bu sadece tam bir döküm değil, General, bütün arabalar var bu listede."

General ona cevap vermedi ve kolunda çavuş sırmaları olan bir askeri yanına çağırdı. Çavuş onların yanına koşarak gitti ve adama kuşkulu gözlerle baktı, sekiz gün önce burada bütün Alman birliklerinin teslim olduğuna inanmıyor gibi bir hali vardı. Çavuş yanındaki iki askere bir şeyler söyledi ve üçü birlikte lokomotifi gözden geçirdiler.

Amerikalı askerler yaşlı adamlar gibi hafif kamburlaşarak lokomotifin çevresinde yürürken makinist de meraklı gözlerle onları izliyordu. Askerler üzerlerindeki üniforma ve botlarına pek aldırmaz gibi davranıyorlardı, kendilerine pek bakmadıkları belliydi. Böyle gevşek, düzensiz adamlar nasıl oluyor da bu kadar iyi savaşçılar olabiliyorlardı, anlamak zordu. Birisi beş yıl önce ona, Amerikalı oto tamircileri ve ayakkabı satıcılarının eğitim görüp asker olduktan sonra dünyanın en iyi ordusunu yeneceklerini söyleseydi asla inanmaz, ona deli derdi.

General de üç Amerikalı askerin arkasından yürümeye başladı. Amerikalı çavuş ve yandaki iki asker ilk yük vagonunun kapısını gıcırdatarak açtılar. Buz gibi soğuk hava bile vagonun içinden dışarıya yayılan hafif ekşi kokuyu gizleyemedi.

General yüzünü buruşturdu ve bir an düşündükten sonra, "Burnuma gelen kokunun ne olduğunu sormaya korkuyorum," dedi.

Diğer adam hiç beklemedi ve özür dilemeden, "Bu tren yaklaşık üç aydan beri dolaşarak içindeki hazineleri Ruslara kaptırmak istemeyen Macar ve Avusturya müzelerinin sanat eserlerini topladı," diye konuştu. "Bu işte çalışan adamlar bu vagonlarda su ve sabun kullanma olanağından yoksun olarak yaşadılar. Bu vagonların bazıları aynı zamanda Macar Yahudilerinin kamplara taşınmasında kullanıldı."

General yaramaz bir çocuğa bakar gibi baktı adama.

Trenden inen adam ona aldırmadan devam etti: "Anlaştığımız gibi ben de bulabildiğim ilk vagonları aldım, *Herr General*. Bu vagonlarda bulunan eşyaların çoğu da bu sınır dışı edilenlere ait elbette ve sizin bu konu üzerinde bu kadar hassasiyetle duracağınızı düşünemedim."

General derin bir nefes aldı, bunu belki vagonlardan gelen kokuyu temiz havayla karıştırmak, belki de adama verecek bir cevap bulamadığı için yapmıştı. İlk vagondan içeriye bakınca üst üste yığılmış bir sürü halıya benzer şeyler gördü. "Halı mı bunlar?"

"Halılar, kilimler ve biraz da masa örtüsü gibi şeyler var."

Vagonda gümüş takımlar, porselen kaplar, antika eşyalar, para koleksiyonları ve hatta kutular dolusu altın alyans yüzükler, nişan yüzükleri vardı ki bunlar eski sahiplerinin başlarına neler geldiğini diğer eşyalardan daha açıkça gösteriyorlardı.

Diğer vagonları ve trenin son vagonunu da gördükten sonra general Amerikalı çavuşla askerleri geriye gönderdi ve trenden inen adamla beraber demiryolunun kenarında bir süre yürüdü. Bir ara elindeki listeyi adama gösterdi ve "Bu döküm tamam mı?" diye sordu.

Adam elleri arkasında kenetlenmiş olarak yürürken birden durdu ve "Oh, hayır, *Herr General,*" diyerek başını iki yana salladı.

General o kadar ani durdu ki, uzaktan görenler onun görünmez bir duvara çarptığını düşünebilirdi. "Hayır mı? Ne demek istiyorsun sen be baş belası? Yapılan anlaşmada her şey dahil denmiyor muydu?"

Adam dostça bir ifadeyle, "Elbette, *Herr General,*" diye cevap verdi. "Yahudilerden alınan ve Alman depolarında bulunan her şeyin alınmasını istediniz. Talebiniz gayet açıktı."

Generalin iyice sinirlendiği açıkça görülüyordu. Verdiği talimatlara uyulmamasına alışık bir adam olmadığı belliydi. "O halde neden...?"

O sırada oldukça uzaklaştıkları trenin arka taraflarından silah sesleri duyuldu. Sivil kıyafetli adam silah seslerine alışık olduğunu gösteren sakin bir ifadeyle, "Tren makinisti ve ekibi gibi fakir kalmamak için kendimi garantiye aldım," dedi.

General o kadar kızmıştı ki, "Tam olarak ne kadar...?" dedi ama cümlesini tamamlayamadı.

Trenden inen adam sakin bir ifadeyle, "Yeterince bir şeyler aldım," diyerek geriye doğru yürümeye başladı. "Michelangelo'nun Bakiresi, bir Van Eyck, birkaç ufak tefek işte. Ev eşyası almadım, taşıması zor oluyor. Toplasak hepsi yaklaşık on beş, yirmi milyon dolar tutabilir."

General, "Seni orospu çocuğu!" diye patladı. "Senin gibi lanet bir Kraut'tan kazık yiyeceğimizi bilmeliydim!"

Diğer adam ona hiç aldırmadı ve "Size hatırlatırım, General," diye konuştu. "Bana kalırsa bazı üstleriniz de sizin yaptıklarınızı merak ediyorlardır herhalde. Size karargâhlarda kullanılmak üzere ev eşyaları bulmanız için yetki verdiler elbette, ama on yedinci yüzyıl yazı masaları ve Felemenk halıları toplamanızı söylemediler herhalde, değil mi? Yaklaşık yarım ton kadar altın yüzük ve mücevherden söz etmiyorum bile."

Generalin eli belindeki tabancanın kabzasına gitti, dişlerini gıcırdatarak, "Senin gibi..." diye homurdandı ama sustu, kendini kontrol etmeye çalıştı. Sonra, "Sana bilgi olsun diye söylüyorum," diye konuştu. "Bu vagonlardaki her şey Salzburg'da bir depoya konacak ve sahipleri ortaya çıkana kadar orada kalacaklar."

Diğer adam buz gibi mavi gözlerini generalin yüzüne dikerek, "Elbette *Herr General,*" dedi. "Silah seslerinden anladığım kadarıyla askerleriniz kaçmaya çalışan silahsız makinisti ve iki tren görevlisini vurdular. Siz sadece anlaşmaya uyun ve gerisi sizin olsun."

"Nasıl bileceğim bunu?"

Sivil adam buz gibi bir gülümsemeyle generalin yüzüne baktı. "Bunu bilemezsiniz. Ama ben olmazsam hiçbir şey göremeyeceğinizi de bilirsiniz." Sustu, başını kaldırıp tepeye baktı ve sonra elini generalin omzuna koydu. "Artık askerlerinizin yanına gidelim mi, General?"

BÖLÜM ÜÇ

Batı Berlin, Almanya
Templehof Flughof (Havaalanı)
Aralık 1988

Beech Kingair A300 tipi uçağın askeri modeli bir boğa gibi sarsıldı, zıpladı. Rütbesi binbaşı olan kaptan pilot telsizle kuleye bir şeyler söylerken, sağında oturan üsteğmen rütbesindeki yardımcı pilot da kucağına açtığı Jeppison yaklaşma kitabının sayfalarında inecekleri meydanı buldu ve iniş manevrasını inceledi.

Binbaşı karlı gökyüzüne bakarak, "Şuraya bak hele," dedi. "Lanet bir beyaz çarşaf içinde uçuyoruz sanki, bu yağışlı bölgeyi çabuk geçebilirsek şansımız var demektir."

Üsteğmen başını salladı. Meydanın çevresinde yüksek apartmanlar vardı ve pistler de oldukça kısaydı. Templehof havaalanında inemeyerek pas geçmek ve yeni bir meydan turu atarak tekrar alçalmaya başlamak hiç de kolay bir iş olmayacaktı. Özellikle bu kar yağışı içinde pas geçmeden inmeleri gerekiyordu.

Üsteğmen kucağındaki yaklaşma kitabına baktı ve "Beş yüz, efendim," dedi.

Binbaşı uçak irtifasıyla pas geçme noktası bilgilerinin kendisine okunmasından hoşlanıyordu. Böylece kendisi pist başı ışıklarına ya da son yaklaşmayla ilgili belirli nirengi noktalarına rahatça bakabiliyordu.

"Dört yüz, efendim."

Binbaşı gözlerini pist başına dikmiş sürekli olarak önüne bakıyordu. "Yolcumuzu kontrol ettin mi?"

Üsteğmen başını salladı. "Evet, efendim. Kule frekansına geçmeden hemen önce baktım, mışıl mışıl uyuyordu."

"Uyuyor muydu? Bu türbülansta mı? Ya korkmamak için uykuya daldı, ya da sarhoş veya böyle havalara aldırmayan bir adam."

"Evet efendim, üç yüz."

Binbaşı başına takılı kulaklığın mikrofonuna, "Berlin Yaklaşma, pist üç altıya yaklaşıyoruz," diye konuştu.

Üsteğmen otuz saniye kadar sonra pist kenarına dizili olan beyaz ışıkları rahatça gördü ve "Kumandalar sizde, efendim," dedi.

"Evet, Üsteğmen. Hatve kontrolü ve flapları tam aç. Gaz kontrolü bende."

Üsteğmen terfi ettiği zaman, Templehof'un faşist yapısını gördüğü zaman sevindiğinden ancak biraz daha fazla sevinmişti. Müttefikler Berlin'in batısına daha büyük, modern ve ortak bir havaalanı inşa etmişlerdi ama Templehof şehrin merkezine çok daha yakındı. Üsteğmene göre eski meydan hâlâ açıktı, çünkü 1948-49 yıllarında gece gündüz, iyi kötü hava demeden her altmış üç saniyede bir uçak indiren ve kuşatılmış şehre gıda ve yakıt taşınmasına yardım eden bu yaşayan anıtı hiç kimse kapatmak istememişti. Üsteğmen kar yağışından göremiyordu ama pistin kenarında üç uçlu bir çatal şeklinde ve "Açlık Parmağı" denen modern bir anıt olduğunu biliyordu. Üsteğmene göre Templehof havaalanı, Berlin Hava Tahliye Operasyonu hatırlandığı sürece açık kalacaktı.

Meydandaki binaların onarıma, yenilenmeye, pist ve apronun da yeniden döşenmeye ihtiyacı vardı. Üsteğmen havaalanında etrafa bakınınca, bir an için 1940'lardan kalan ve şimdi Sosyal Güvenlik Kurumundan yardım alarak yaşamaya çalışan eski sinema yıldızlarından birini hatırladı.

Turbo pervaneli uçak pist üzerinde hızla ilerlerken kenar çizgileri zor görünüyordu. Binbaşı motorları susturup kapatma kontrolünü tamamlarken üsteğmen de başını eğerek küçük kokpitten yolcu kompartımanına girdi.

Yolcu uyanmış, gözlerini ovuyordu, pilotların istemeden yaptığı sert inişte, uçağın birkaç kez zıplamasıyla uyanmış olacaktı. Uykulu gözlerle üsteğmene bakarak gülümsedi ve sonra pencereden dışarıya baktı. Üsteğmen de onun baktığı pencereden dışarıya bakınca uçağın yanına yanaşan siyah limuzin otomobili gördü ve şaşırdı.

Yolcu küçük uçağın basık tavanının izin verdiğince dik durmaya çalışarak, "Araba sanırım benim için geldi," dedi. "Beni buraya getirdiğiniz için çok teşekkür ederim."

Üsteğmen onun yanından sıyrılarak geriye doğru geçerken, "Rica ederim, zevk duyduk," diye mırıldandı. Kuyruk kapısının kolunu çevirerek kilidi açtı ve basınçlı havanın boşalmasını bekledi. Kapı açılınca kenara çekilerek yolcunun inmesine izin verdi ve "Berlin'in zevkini çıkarın," dedi.

Yolcu merdiven başında durup ona baktı ve "Teşekkür ederim," dedi. "Ama başka planlarım var, zevk için pek zamanım olmayacak herhalde."

Üsteğmen genç yolcunun boynuna ve yüzünün alt kısmına bir atkı sardığını görünce şaşırdı. Adam bunu soğuktan korunmak için mi, yoksa çoğu zaman gelen yolcuların fotoğraflarını çeken Doğu Alman casuslarından sakınmak için mi yapmıştı?

O sırada binbaşı uçağın kuyruk kısmına geldi ve "Kimdi bu lanet herif?" diye sordu.

Üsteğmen omuzlarını silkti ve "Yolcu listesine göre Langford Reilly adında bir sivil memur, Frankfurt'ta görevliymiş," diye cevap verdi.

Binbaşı eğilip uzaklaşan arabanın arkasından baktı ve "Gizli bir ajan olmalı," diye söylendi.

Üsteğmen adamın geride bıraktığı bir kitabı aldı ve "Olabilir," dedi. "Ama bu *Winnie Ille Pooh* adlı kitabı arkasında bıraktı."

Binbaşı gözlerini kısarak kitaba baktı. "Nedir bu? Yabancı bir dil olmalı."

"Bana kalırsa Latince *Öf Winnie* olabilir."

Langford "Lang" Reilly Berlin'e varmıştı ama kendisini toparlamakta zorluk çeker gibiydi. Bir ara kusmak, işemek ve hatta arabanın kapısını açıp aşağıya atlamak istedi. Bu işe gönüllü olmayı da nerden düşünmüştü bilemiyordu. Üniversiteden mezun olur olmaz teşkilata alındığı zaman, romantik Avrupa şehirlerinde, belki Budapeşte ya da Prag'da, bir elinde tabanca, bir kolunda bir güzel kızla etrafta caka satacağını düşünmüştü. Ama çoğu zaman olduğu gibi, bu kez de gerçekler hayallere pek uymuyordu. Teşkilatın Washington'un güneyindeki, "Çiftlik" denen eğitim merkezinde şifreli yazı, silah, savaş sanatları, psikoloji ve bunlar gibi başka konularda da eğitim almıştı ama henüz acemi sayılırdı.

Eğitimini tamamladığında onu Üçüncü Direktörlüğe, istihbarata atadılar ama bu atama onun için hayal kırıklığı oldu. Onun ve sınıf arkadaşlarının hayali Operasyonlarda görev almaktı. Onu ya casusluk için yeterince zeki görmüşler, ya da Dördüncü Direktörlüğün adam öldürme, yaralama, sakatlama ve benzeri görevlerini yapamayacak kadar yumuşak bulmuşlardı.

Ama o, daha da kötüsü olabilirdi diyerek kendisini teselli etti. Ya birinci direktörlüğe atansa da muhasebe ve benzeri idari görevlerde çalışmak zorunda kalsaydı ne yapardı? Ama matematiği iyi değildi, onu hesap işlerine veremezlerdi. Teknik konularda da pekiyi olmadığı için, onu zehirli iğneli şemsiyeler, kemerlere takılan kameralar, ateş eden sigara çakmakları benzeri oyuncaklar icat eden İkinci Direktörlüğe de vermemişlerdi.

Genç ajan arkasına yaslandı ve karlı geceyi seyretmeye başladı. Peki ama Frankfurt Garı'nı gören ve Doğu Avrupa gazeteleri, TV programları ile oyalandığı oldukça konforlu ofisinden neden ayrılmıştı ki? Daha da kötüsü, bu göreve neden gönüllü olmuştu?

Gözlerini içeriye çevirdi ve kendi kendine, bunun, büyük olasılıkla Soğuk Savaş'ın son gerçek operasyonlarından biri olabileceğini düşündü. Ruslar ve onların Doğu Berlin'deki işçi cenneti büyük bir hızla çöküyordu. Onlar daha üstün silahlar, daha parlak generaller ya da daha iyi ideolojilerle yenilmeyecekler, sadece Batı ile silah yarışına çıktıkları için mahvola-

GREGG LOOMIS

caklardı. Yani NATO ve ABD ile yarışa kalktıkları için çöke-
ceklerdi.

Ama o da sadece torunlarına anlatabileceği bir macera ya-
şayabilmek uğruna almıştı bu görevi, gönüllü olmuştu, ama
bu görev sırasında kolayca öldürülebilirdi de.

Araba Friedrichstrasse'ye döndü ve bir sokağa girmek için
yavaşladı ama Lang sokağın adını göremedi. Koca limuzin di-
ğerlerinden ayırt edilemeyen bir binanın önünde durdu ve
sürgülü garaj kapısının açılmasını bekledi.

Garajda eski bir Opel kamyon ve takım elbiseli iki adam
vardı. Adamlardan biri limuzinin kapısını açtı ve elini uzata-
rak, "Berlin'e hoş geldin, Lang," dedi.

Lang arabadan inerken elini sıktığı adamın daha önce bir
yerde gördüğü yüzünü tam olarak hatırlayamadığı için kendi-
ne kızdı. Onun işinde birini, onu gördüğü ortamı ve zamanı
hemen hatırlamak çok önemliydi. "Teşekkür ederim," diyerek
hafifçe gülümsedi.

İkinci adam, "Hava kötüleşince gorev suya düşecek diye
korktuk," dedi.

Lang ikinci adamı ilk kez görüyordu.

İlk konuşan adam Lang'a askıya konmuş bir takım elbise
verdi ve "Çok geç kaldık," dedi. "Şunları hemen üzerine geçir
de gidelim buradan."

Lang birkaç dakika içinde onun verdiği eski ama temiz ve
ütülenmiş koyu renk takım elbiseyle, yenleri yıpranmış ama
kolalı gömleği giydi ve siyah kravatı taktı. Adam ona bir çift
ayakkabı uzattı ve "Bunları da giyeceksin," dedi.

Lang ayakkabıları alınca boyanmış ve cilalanmış oldukla-
rını gördü, ama eski ayakkabıların tabanları delikti. Adam son
olarak ona bir de eski bir pardösü verdi.

Lang gömleğin kollarını kıvırırken, "Verdikleriniz içinde sadece ayakkabılar uymadı bana," dedi.

İkinci adam, "Batı Berlin'de bile insanlar eski elbiseleri atmayıp giyiyorlar," dedi. "Üzerinde yeni ve terzi elinden çıkmış takım elbise olursa kuşku uyandırırsın, dostum."

Birinci adam, "Pekâlâ, dedi. "Plan şu; buradan doğruca sağa dönüp Friedrichstrasse'ye ve Charlie Kontrol Noktasına gidiyorsun, onu gözden kaçırman mümkün değil..."

Diğeri alaycı bir ifadeyle gülümseyince birinci ajan sinirlendi ve kaşlarını çatarak arkadaşına baktı.

"Pekâlâ, kontrol noktasını geçince soldan ikinci sokağa gireceksin. Sokağın köşesinde bisikletinin zincirini tamir etmekte olan bir adam göreceksin. Seni görünce işini bitirecek ve sen de onu takip edeceksin. Bu adam daha sonra seni yine geriye, geldiğin yere getirecek."

Lang eski ayakkabıları giydi ve bağcıklarının bile ekli olduğunu görünce yüzünü buruşturdu. "Peki ama adamın doğru adam olduğunu nasıl anlayacağım?" diye sordu. "Şifre gibi bir şey yok mu aramızda?"

Birinci adam elini ceket iç cebine atıp bir fotoğraf çıkardı ve Lang'a uzatarak, "Biz daha iyisini yaptık, sana onun resmini veriyoruz," dedi. "Dikkat et, ona iyi bak da yanlış adama gitme sakın."

Lang fotoğrafı alarak dikkatle baktı, bu yüzü çok iyi hatırlaması gerekiyordu, onu asla unutmamalıydı.

Opel arabanın tek cam sileceği ön camda birikmiş olan karları bir yandan diğerine atıyor, orada bırakıyordu. Lang her birkaç dakikada bir yan camı açıyor ve ön camda biriken karları eliyle atıyordu. Arabanın ısıtıcısı da çalışmıyordu. Lang adamların kendisine büyük olsa bile bir pardösü verdiklerine çok memnundu.

Bir süre sonra ikinci ajanın alaycı gülümsemesinin nedenini anladı Lang. Charlie Kontrol Noktasındaki ışıklar o kadar parlaktı ki, bir ameliyat odasının ışıkları bile bunların yanında sönük kalırdı. Kontrol noktasından geçmek isteyen bir sürü araba, üzerinde, "Amerikan Bölgesini terk ediyorsunuz," yazılı koca bir levhanın önünde sıra bekliyorlardı.

Lang'ın sırası gelince geçitteki bariyer havaya kalktı ve üniformalı bir adam ona ilerlemesini işaret etti. Kamyonetin birkaç metre önünde bir başka bariyer ve onun arkasında da, ellerindeki AK-47 silahlarıyla aşağı yukarı yürüyerek ısınmaya çalışan beş altı asker vardı.

Kamyonetin yanına yaklaşan bir subay elini boğazına sürerek ona motoru durdurmasını işaret etti. Lang kontak anahtarını çevirip motoru susturdu ve pencerenin camını indirip buz gibi havayı yiyince hafifçe titredi.

"Ihre Papier, bitte."

Lang kendisine verilmiş olan kimlik belgelerini subaya uzatırken Batı Almanya pasaportunu ve değersiz Doğu Almanya Markı ile değiştirilecek olan belirli miktarda Batı Alman Marklarını da ona verdi. Fazla para değiştirmek istemiyordu, çünkü geriye dönerken elinde kalan Doğu Alman Marklarını batı parasıyla değiştiremeyecekti.

Subay nöbetçi kulübesine girince Lang arabanın içinde titreyerek beklemeye başladı. İki asker kamyonetin etrafında dolaşarak aracı kontrol ederken bir üçüncüsü de ucunda ayna olan bir çubukla kamyonetin altını inceledi. Askerler ve subay onu kapıda kasıtlı olarak bekletiyor, Batıdan gelen ziyaretçileri bu şekilde rahatsız etmekten zevk alıyorlardı.

Uzun bir süre sonra belgelerini ve pasaportunu Lang'a geri verdiler ve bariyeri kaldırıp geçmesi için işaret ettiler. Opel kamyonetin farları da yolu iyi göstermiyor, kar yağışı altında çok sönük kalıyorlardı ama Lang yine de Doğu Berlin'deki binaların ne kadar harap olduklarını rahatça görebiliyordu, buradaki binalar Batı Berlin binaları gibi bakımlı değillerdi. Doğu Almanya Hükümeti belki de harap binaları, yıkıntıları İkinci Dünya Savaşı anıları olarak olduğu gibi muhafaza etmek istiyor olabilirdi.

Lang bisikletli adamın hizasına gelince o da bisikletine atladı ve pedal çevirmeye başladı ve dar bir sokağa sapıncaya kadar hiç arkasına bakmadı. Adam bir süre sonra kapıları açık olan bir hangarın içine girdi ve Lang da kamyoneti oraya sokunca adam hemen uzaklaştı oradan.

Ambarın içi tavandan sarkan bir tek ampulle aydınlatılmıştı. Ambarda kıyafetleri Lang'ın elbisesinden bile daha eski olan iki adam, geniş bir tabutun yanında duruyorlardı ve adamlardan biri, Lang'a resmi verilmiş olan kişiydi.

Gerhardt Fuchs Doğu Alman hükümetinin üst düzey bürokratlarından biriydi ve kızı Gurt Batı Berlin'e kaçmış olmasına rağmen görevine devam ediyordu. Fakat kızının CIA için çalıştığı öğrenilirse şansı tamamen tersine dönebilirdi. O da bir süre bunu düşünmüş ve geleceğinin pek parlak olmayacağını tahmin ederek kızının yanına kaçmaya karar vermişti. Fuch CIA için belki de yararlı olmayabilirdi ama Sovyet bölgesinden kaçanların yakınlarına yardım etmek de CIA'nın politikasıydı, ondan da bir zaman sonra yararlanabilirlerdi.

Lang Almanya'daki operasyon timine dâhil olmadığı için Fuchs'un değerini bilmiyordu. O sadece Gurt'un, babasını batıya kaçırmak istediğini biliyordu ve bu görevi yapacak olan ajan her iki tarafın da tanımadığı biri olmalıydı. Bu durumda bu görev için gönüllüler aranmış ve Lang Gurt'un mavi gözlerine hayran kalarak bu göreve talip olmuştu.

İki adam tabutu kamyonetin açık olan arkasına yüklediler. Lang ölülerin Doğu ve Batı arasındaki sınır hattını kolay geçtiklerini öğrenmişti. Komünistler bile ölenlerin diğer tarafta olan ailelerine verilmeleri gerektiğine inanıyorlardı. Bu nedenle Doğu ve Batı Berlin arasında cenaze alışverişleri çok doğal karşılanıyordu.

Fakat bu sefer olay biraz farklı yaşanacaktı. Operasyon bölümü ajanları belki de bu kez çok daha değişik bir yol düşünmüşlerdi. Fuchs tabuta girmek yerine Lang'a kapıyı açmasını söyledi ve kamyonete binerek onun yanına oturdu. Lang önce şaşırdı ama sonra planı beğendi. Sınır muhafızları bir Doğu Almanın Batıya hiç gizlenmeden geçip gideceğini hiç kuşkusuz asla düşünemezlerdi. Onlar mutlaka aracın arkasındaki cesetten kuşkulanacaklar, tabutta gizli bir kapak ya da kamyonetin altında gizli bir bölme olabileceğini düşüneceklerdi.

Lang kamyoneti caddeye çıkardı ve Fuchs'un talimatına göre sürmeye başladı. Onlar sınıra geldiklerinde, kontrol noktasında doğudan batıya geçen hiçbir araç yoktu. Lang daha önce gördüğü Doğu Alman subayına belgelerini verirken bu kez Fuchs'un kâğıtlarını da uzattı. Subay Lang'ın belgelerini sanki yirmi dakika kadar önce görmemiş gibi yine alıp nöbetçi kulübesine gitti ve diğerinin belgeleriyle birlikte incelemeye başladı. Askerler ise bu kez çok daha gayretli bir çalışma içine girdiler ve kamyoneti yine büyük bir dikkatle aradılar. Komü-

JULIAN SIRRI

nistler hiç kuşkusuz Doğuya girenden ziyade çıkıp Batıya gidenle daha çok ilgileniyorlardı.

İki asker kamyonetin üzerine çıktılar ve demir çubuklar kullanarak tabutun kapağını açtılar ve Lang dikiz aynasında onların yüzlerini buruşturup irkildiklerini gördü. Fuchs tabuta koymak için olgun bir ceset bulmuş olacaktı. Subay Lang ve Fuchs'un belgeleriyle birlikte kulübeden çıkıp kamyonetin yanına gelirken, tabutu açıp cesedi gören askerler de kapağı kapamaya gerek bile görmeden ve yüzlerini buruşturarak aşağıya atladılar.

Subay belgeleri Lang'a verdikten sonra gözlerini Fuchs'a dikti ve bir süre dikkatle ona baktı. Ondan kuşkulandığını saklamıyor, gözlerini kısmış dik dik bakıyordu. Lang elini kapı koluna götürdü ve sabırla bekledi. Subay kuşkulu bir davranışta bulunursa kapıyı aniden açıp Doğu Alman subayı yere düşürecek ve kamyoneti tam gazla Batı Berlin sınırına sürecekti.

O sırada nöbetçi kulübesinin bulunduğu yönden bağırışlar ve Almanca emirler duyuldu. Lang, Fuchs ve Doğu Alman subayı birden irkilerek seslerin geldiği tarafa baktılar. Bir Amerikan subayı küfürler ederek iki Doğu Almanya askeriyle boğuşuyordu. Amerikalı sarhoştu ve belki de Komünist bölgesindeki genelevlerden birine gitmeye çalışıyordu. Doğu Alman hükümeti kendi topraklarında genelevler bulunduğunu kabul etmiyor ama bir yandan da döviz getirmesi için bu ticarete sessizce izin veriyordu.

Beyaz kasklı Amerikalı inzibatlar tabancalarının kılıflarını boşaltıp silahsız olduklarını göstermek için ellerini havaya kaldırarak Doğu Berlin'den geçiyorlardı. Sınırdaki bağırışlara şaşkın bir ifadeyle bakan Lang, Doğu Alman askerlerinin fazla ilgilenmediklerini görünce bu tür olaylara alışık olduklarını anladı. Doğu Alman askerleri Amerikalı subayı tutup Amerikan inzibatlarının sabırla beklediği bariyere doğru götürdüler.

Sarhoş Amerikalı subay birden silkinerek bir kolunu Doğu Alman askerin elinden kurtarınca, kamyonetin yanında duran Doğu Alman subayı elini tabancasına attı, birkaç emir verdi ve kamyonetin yanından ayrıldı. Lang kamyonet motorunun hemen çalışması için dua ederek eski model çalıştırma düğmesine bastı. Kamyonetin motoru çalışınca Doğu Alman subayı bu kez eli tabancasında olduğu halde tekrar kamyonete doğru döndü, ama geç kalmıştı. Lang kamyoneti birden gazladı ve birkaç saniye sonra bariyeri geçip Batı Berlin'e girdi.

Yarım saat sonra küçük bir apartman dairesinde kendisini ilk geldiğinde karşılayan iki ajanla buluşan Lang, önündeki viski bardağından bir yudum alarak görevle ilgili sözlü raporunu verdi. Sınırda neler olduğunu anlatarak, "Charlie Kontrol Noktasındaki Amerikalı subay eğer..." derken kapı vuruldu ve Lang birden sustu.

Lang'ı dinleyen iki Amerikalı ajandan biri, "Şansın varmış ki akşam yemeğine dönebildin," derken diğeri gidip odanın kapısını açtı.

Kapıda üniforması yırtılmış ve kirlenmiş bir Amerikalı subay duruyordu, sağ gözü şişmişti ve alt dudağı hâlâ kanıyordu. Lang onun Charlie Kontrol Noktasında Doğu Almanlarla çatışan subay olduğunu hemen anladı.

Sarhoş subay sanki CIA brifinglerini kesmesi çok doğal bir olaymış gibi, sallanarak girdi odaya. Lang'a baktı ve "Bu adamlar sana karşı nazik davranıyorlar mı, dostum?" diye sordu.

Lang bir an şaşkın gözlerle ona baktı ama çabuk toparlandı ve "Sanırım davranıyorlar," diye cevap verdi.

Amerikalı subay Lang'ın önündeki viski bardağına baktı ve sonra başını hafifçe sallayarak, "Boş bir bardak var mı?" diye sordu, "Yoksa şişeden mi alayım bir yudum?"

İki ajandan biri boş bir bardak almak için mutfağa giderken, diğeri sarhoş subaya elini uzattı ve "Benim adım Don Huff," dedi.

BÖLÜM DÖRT

Seville, İspanya
Calle Colon 27
9.21 (şimdiki zaman)

Veranda yaşanan olay için garip bir yer gibi görünüyordu. Sabah güneşi henüz içeriye nüfuz etmemişti ve ortam oldukça karanlık, daha doğrusu loştu. Polis arabalarının yanıp sönen lambaları on üçüncü yüzyıl Fas çeşmesinden akan sularda yansıyor, telsizlerden duyulan sesler pek net olarak anlaşılmıyordu. Aslında modern görüntüler, hikâyeye göre, Cenova'lı genç bir denizcinin bir kraliçeyi seyahate çıkmak için mücevherlerini sattırdığı olayda bir tarih hatası olduğunu gösteriyordu. Aslında Virgen Los Reyes Meydanındaki büyük katedraldeki sütunlu ve kapaklı lahitte kemikleri yatan denizcinin hikâyesi uydurma değildi. Genç kadın anahtarını binanın süslü demir kapısına sokup açarak günlük çalışması için içeriye girerken, katedralin büyük çanları yüzyıllardan beri yaptıkları gibi yine saat başını çaldılar. Genç kadın hâlâ gecenin serinliğini yansıtan yüksek duvarlı avludan geçerek ilerlerken, duvarların ötesinden gelen portakal ağaçlarının kokularını ciğerlerine çekti.

Bir başka anahtarla yine süslü çifte kapıları açan genç kadın üç katlı giriş holünde ilerlerken, kauçuk tabanlı ayakkabıları seramik tuğlalar üzerinde gıcırdıyordu. Genç kadının sağ tarafında, yaşam bölümüne kıvrılarak çıkan bir taş merdiven vardı. İlerdeki büyük yemek salonunda, her iki yanında on ikişer sandalye olan büyük bir masa bulunuyordu. Genç kadın büyük masanın başında durdu ve bir çayırdaki dikkatli bir geyik gibi havayı kokladı.

Etrafta kahve kokusu duymadı ve bunu garip buldu.

Amerikalı yaklaşık iki yıldan beri her sabah onun geldiği saatte mutfakta mis gibi kokan taze kahve içerdi. Yani o her sabah Seville'de idi. Genç kadın çoğu zaman, geldiğinde onun kendisine verdiği görevleri yazdığı notlar buluyordu; Franco hükümetinin bazı çalışmalarını araştırması, röportaj yapılacak eski bir Falanjistin adresinin bulunması gibi görevler istenirdi ondan ve o da aldığı sonuçları kartlara yazarak kutulara koyardı. Amerikalı sanki çalışırken kullandıkları bilgisayarlara güvenmez gibi davranırdı.

Amerikalı Donald Huff, ya da onun verdiği isimle Senyor Don, on sekiz ay önce öğretmen olarak aldığı maaşın iki katını vererek genç kadını yanına yardımcı olarak almıştı. Genç kadına Amerika'dan hediye olarak güzel kıyafetler gelmişti ama o bunları gönderenin kim olduğunu bilse hiç kuşkusuz geldiği yere iade ederdi. Geçen Noel'de de kocaman bir hindi gelmişti masaya. Genç kadın eski maaşıyla böyle büyük bir hindi asla alamazdı ve annesinin dul maaşı da yetmezdi buna. Senyor Don ayrıca annesinin doğum günü için onlara bir Costa del Sol seyahati hediye etmiş, tren biletlerini ve otel masraflarını ödemişti.

Ama Senyor Don'un kitabı bitmek üzereydi ve bu muhteşem binayı birkaç ay sonra terk edip gidecekti. Genç kadın onu hem patronu, hem arkadaşı ve hem de koruyucusu olarak özleyecekti.

Peki, ama patronu bu sabah kahvesini neden yapmamıştı acaba?

Genç kadın mutfağın yaylı çifte kapılarını iterek açtı ve içeriye baktı. Biri yemek diğeri ekmek pişirmek için kullanılan iki ocak da tertemiz duruyordu. Çünkü ocaklar yaklaşık yüz yıldan beri hiç kullanılmamıştı. Yemekler en modern mutfak aletleri, gaz ocağı ve fırını, bir haftalık yiyecek alacak kadar büyük bir buzdolabı ve genç kadının ilk kez gördüğü bir mikrodalga fırınla donatılmış olan geniş bir mutfakta hazırlanıyordu. Senyor Don bu modern mutfağın kapılarını kapar, yemeğe davet ettiği misafirlerine göstermez ve yemekleri genç kadının eski taş ocakta pişirdiğini söylerdi.

Kahve pişirme kabı genç kadının bir gün önce bıraktığı yerde boş, sessiz duruyor ve nedense insana kötü bir şeyler hissettiriyordu. Genç kadın çantasını onun yanına bıraktı. Merdivenden üst kata çıktı ve Senyor Don ile birlikte ofis, araştırma kütüphanesi, dosya odası ve diğer işler için kullandıkları odaların bulunduğu koridora gitti.

Koridor kapısı açık bırakılmıştı.

Senyor Don bu kapıyı hiçbir zaman açık bırakmaz, temizlikçilerin, yeri doldurulamaz araştırma sonuçlarını kaybedeceklerinden, indeks kartlarının yerlerini değiştirecelerinden ya da çalışma sonuçlarını bozacaklarından korkarak her zaman mutlaka kapatırdı.

Genç kadın odalardan birinin kapısını aralayarak başını içeriye uzattı ve "Senyor Don?" diye seslendi.

İçerden hiçbir cevap gelmedi.

Binada klima sistemi yoktu ama genç kadın birden üşümüş gibi ürperdi. Odanın kapısını biraz daha açtı ve kapı yerdeki bir şeye çarpınca korkuyla durdu. Kapının aralığından sıyrılarak içeri girdi ve yerde kapıyı tutan şeyin ne olduğunu merak ederek kapının arkasına baktı.

Yerde yatan kişi Senyor Don idi.

Senyor Don cansız olarak yerde yatıyor, gözleri genç kadının yüzünü delip geçer gibi, ifadesiz bakıyordu. Kendisini öldüren şeyin ne olduğunu anlamaya çalışır gibi bir ifade vardı yüzünde. Başı bir kan gölünün ve gri beyin parçalarının arasında kalmıştı.

Genç kadın birden bir yerlerden gelen çığlıklarla irkildi ve bunların kendi çığlığı olduğunu ancak birkaç saniye sonra anladı.

"Senyorita?"

Genç kadın bu sesi duyunca kendine geldi ve sanki bir karabasandan uyanırmış gibi, aşağıdan gelen polis arabalarının sirenlerini dinledi. Onu mutfakta, üçayaklı bir sehpaya oturtmuşlar ve kendi yaptığı kahveden bir fincana koyup eline vermişlerdi. Genç kadın polise telefon edip beklerken aklını oynatmamak için kahve pişirmeyi uygun bulmuş, bununla meşgul olmaya çalışmıştı.

Soğumuş olan kahveden bir yudum aldı ve ellili yaşlarda olduğunu tahmin ettiği polis şefinin sert hatlı yüzüne baktı. Adamın en belirgin özelliği bir av köpeğinin gözlerini andıran iri kahverengi gözleriydi. İş hayatı boyunca gördüğü korkunç sahneler sanki yüzüne üzgün bir ifade vermiş gibiydi.

"Tamam mı, Komiser Bey? Artık kâğıtları toplayabilir miyim?"

Komiser sanki ona daha kötü haberler verecekmiş gibi üzgün bir ifadeyle baktı ve başını iki yana salladı. "Özür dilerim ama hayır, kâğıtların etrafa dağılışına bakılırsa katil bir şeyler aramış gibi görünüyor. Her şeyi yerinde incelememiz gerekiyor."

Komiser genç kadının yanına oturup bir sigara çıkardı ve etrafa bakınarak bir kül tablası arandı. Genç kadın ona küçük bir tabak getirdi ve Komiser bir şeyler sormak ister gibi kaşlarını kaldırarak onun yüzüne baktı.

"Sigaranızı yakabilirsiniz, Komiser."

Komiser sigarasını yaktı, kibriti söndürdü ve sigara dumanı arasından genç kadına baktıktan sonra masa üzerindeki not defterinin yanına küçük bir kayıt cihazı koydu. "Adınız Sonia Escobia Riveria, değil mi?"

Genç kadın başını salladı, aslında polisler geldiğinde onlara adını vermişti ama Komiser bunu kayda geçmesi için tekrar soruyor olmalıydı. Adını kayıt için tekrar söyledikten sonra adresini verdi ve işi ve eğitimi hakkında sorulan soruları da hafif bir sesle cevaplandırdı.

Komiser ondan burada ne zamandan beri çalıştığını öğrendikten sonra, "Onu neden öldürmüş olabilirler, bu konuda bir fikriniz var mı Genç Bayan?" diye sordu.

Genç kadın başını iki yana salladı ve yanaklarına süzülen gözyaşlarını elinin tersiyle sildi. "Hayır, efendim."

Komiser sigarasını küçük tabağa bastırıp söndürdü ve sanki soracağı sorular tabakta yazılıymış gibi bir süre ona baktı. "Patronunuz hangi konuda yazıyordu?"

Genç kadın vereceği cevabın çok saçma görüneceğini bildiği halde omuzlarını silkti ve "Emin değilim," dedi. "Ben onun için çoğu Franco ya da İkinci Dünya Savaşı ile ilgili araştırmalar yapardım, ama yazılarını kendi başına yazardı."

Komiser onun cevabına inanamamış gibi, biraz da şaşkın bir ifadeyle yüzüne baktı. "Yani bunu hiç sormadınız mı?"

"Elbette işin başlarında sordum, ama bana güldü ve ilgimi çekecek bir konu olmadığını söyleyip susturdu beni. Birkaç kez daha sordum ama her seferinde canı sıkılmış gibi göründü ve ben de daha sonra sormaktan vazgeçtim. Sanırım bilgisayarına kolayca girerek bu konuda bilgi sağlayabilirsiniz."

Komiser gözlerini kıstı ve sinirlenmiş gibi, "Birisi bilgisayarı boşaltmamış olsaydı bunu rahatça yapabilirdik, ama bütün dosyalar boşaltılmış," dedi.

Genç kadın şaşkın bir ifadeyle, ağzını kapamayı bile unutarak onun yüzüne baktı ve sonra toparlandı. "Patron yedek dosya da yapar, yazdıklarını diske alırdı," dedi.

"Ama biz etrafta hiç CD bulamadık. Katil Senyör Huff'ın çalışmalarını alıp götürmüş olmalı, bundan hiç şüphem yok."

Sonia titreyen bacakları üzerinde güçlükle doğruldu ve "Hepsini almış olamaz," dedi. Çantasını açtı ve "Bende de bir tane CD vardı," diye ekledi.

Komiser kaşlarını kaldırarak onun yüzüne baktı. "Peki ama sen neden aldın o CD'yi?" diye sordu. "Adam çalışmalarını gizli yapıyormuş diye düşündük."

Genç kadın bilgisayar diskini ona uzatırken, "Bende bilgisayar olmadığı için bunlar benim yanımda güvendeydi," diye konuştu. "Her neyse, bu CD'de zaten sadece dijital resimler var, patron onları bir fotoğrafçıya götürüp tabettirmemi söyledi. Geç kaldığım için onları bugün öğleden sonra, uyku saatinde fotoğrafçıya götürecektim."

Komiser CD'yi aldı ve "Bunu inceledikten sonra geri veririz," dedi.

Sonia CD'nin geri gelip gelmeyeceğinden emin değildi ama bunu da umursamadı.

BÖLÜM BEŞ

Atlanta, Georgia
Park Place; 2600 Peachtree Road
Ertesi Akşam

Sıcak bahar esintisi, bir ay kadar sonra başlayacak olan sıcaklar ve nemin habercisi gibiydi. İki adam yirmi dördüncü katta pencere önünde durmuş, güney ufkuna doğru bir avuç mücevher gibi uzanan şehri seyrediyorlar, havaalanına inip kalkan uçaklar ateş böceklerini andırıyordu. Adamlar purolarını tüttürmüş, konuşmadan manzara seyrediyorlardı.

Adamlardan kısa boylu ve zenci olanın üzerinde bir spor gömlek, boynunda altın bir haçlı zincir vardı, adam midesini okşadı ve mutlu bir ifadeyle, *"Deorum cibus!"* dedi.

Yine spor kıyafetli olan diğeri de hafifçe güldü ve "Gerçekten de tanrılara yaraşır bir yemekti, Francis," dedi. "En azından aşçılığımı takdir ediyorsun. Ne de olsa, *Ieunus raro stomachus vulgaria temnit.*"

"Horace'ın dediğine göre boş mide her türlü gıdayı kabul edermiş, ama bu yemek harika bir şeydi, çok lezzetliydi doğ-

GREGG LOOMIS

rusu." Rahip Francis Narumba şakacıktan bir şeylerden kuşkulanmış gibi kaşlarını çattı. "Fakat Gurt geldiğinden bu yana
buradaki yemekler çok güzelleşti. Şimdi vaaz vermeye kalkmıyorum, Lang, fakat..."

Langford Reilly purosunun külüne baktı ve sonra hafifçe
gülümseyerek, "O halde vazgeç, Francis," dedi. "Biz günahkârlar günahlar konusunda siz Katolikler gibi düşünmeyiz. Sen
hiç *capistrum maritale* diye bir şey duydun mu?"

Gülme sırası şimdi Francis'teydi ve adamın kahkahası
kuru yapraklar arasında esen esintiyi andırıyordu. "Ben bir
rahip olarak evlilik bağından kurtuldum. Ama senin ilk evlili
ğin bence mutlu bir evlilikti. Dawn yaşamış olsaydı..."

Francis karşısındaki adamın henüz kapanmamış olan yarasına dokunduğunu anlayınca konuşmasına devam etmedi,
sustu. Lang'ın karısı Dawn daha iki arkadaş tanışmadan önce
kansere yakalanmış ve uzun bir mücadeleden sonra ölmüştü.

Ama tatsız sessizliğin devam ettiğini gören Francis, "Gurt
burada devamlı mı kalacak?" diye sordu. Ama Lang'ın kaşlarını çattığını görünce rahip yine yanlış bir şey söylediğini anladı. Lang başını salladı ve "Bunu ona sormalısın," dedi.

Francis içini çekti ve arkadaşına dönerek, "Baksana Lang,"
dedi. "Bu akşam ne söylesem seni memnun edemiyorum galiba. İstersen ben..."

Lang onun yanına gelerek kolunu rahibin omzuna attı
ve *"Amicus est tanquam alter idem,"* dedi. "İyi bir dost insanın ikinci benliği gibidir. Sanırım bu akşam ben biraz alınganım."

Francis siyahî yüzünde parlayan bembeyaz dişlerini göstererek gülümsedi. Afrika'nın vahşi batı kıyılarından olan

Francis, eğitim gördükten sonra Atlanta'da nüfusu artan Afrikalıları eğitmesi için görev almıştı. Lang'ın kız kardeşi Janet de beyaz olmasına rağmen Katolik olmuş ve onun cemaatine katılmıştı.

Lang dindar bir adam değildi ama siyahî din adamıyla çok iyi dost olmuştu. Genç adam kendisini liberal sanat eğitiminin kurbanı, normal eğitim almış bir insan olarak tanımlıyordu. Tarih ve eski dillere meraklı olduğu için, Latince bilen ve orta çağ tarihine meraklı olan rahiple çok iyi anlaşıyor, onunla Latince konuşmaya çalışmak çok hoşuna gidiyordu.

"Pekâlâ, artık tatlımızı yiyip kahvemizi içebiliriz, değil mi?"

Gurt biraz sonra kapının eşiğinde göründü, hafif gölgede kalmış olmasına rağmen, erkek dergilerinin kapaklarını süsleyebilecek kadar güzel olduğu hemen belli oluyordu. Ya da vatanı olan Almanya'daki St. Pauli birasının şişesini süsleyen güzel olabilirdi. Boyu bir seksene yakın olan kızın vücudu kusursuzdu. Gök mavisi gözleri ve saman sarısı saçlarıyla Alman turizm posterlerine de poz verebilirdi. Sokağa çıktığında bütün erkeklerin gözleri ona çevrilirdi.

Genç kız seksi bir sesle ve hafifçe gülümseyerek, "İsterseniz taze meyveli turta da var," dedi.

Francis gözlerini devirerek Lang'a baktı ve "Bir de senin aşçılığını mı takdir edeceğiz yani?" dedi.

"Ne var yani, ben de salatayı yaptım işte."

Tek yatak odalı apartman dairesinde, salon-yemek odası olarak kullanılan odada kare şeklinde küçük bir masa vardı. Gurt gelmeden önce, Lang yemeklerini küçük mutfakla salonu ayıran barda, ayakta yerdi. Küçük yemek masasını Gurt eski eşya satan bir dükkânda bulmuş, alıp eve getirmişti. Dawn'ın ölümünden sonra Lang'ın satın aldığı bu küçük daireye Gurt'un yaptığı ilavelerden biriydi bu küçük masa da.

Lang'ın yeğeni Jeff'in iri siyah renkli melez köpeği Grumps masanın altına uzanmış, kuyruk sallıyordu. Bu köpek küçük oğlandan geriye kalan tek elle tutulur varlıktı ve Lang hayvan boylarıyla ilgili bina kurallarına göre azami boyutları aşan köpeği görmemesi için kapıcıya arada sırada rüşvet vermek zorundaydı.

Meyveli turta lafını duyan köpek hafifçe havladı ve Lang'ın itirazına rağmen Francis'in kendisine bir parça kek vermesini bekledi. Lang, 'eğer çocuğum olsaydı bu rahip hiç kuşkusuz onu da şımartırdı,' diye düşünüyordu.

Francis masanın üzerine eğilerek turtayı kokladı ve "Şeftali turtası yaptın, ha!" diyerek başını salladı.

Gurt da başını sallayarak güldü. "Almanya'da elma çok ama şeftali az olduğu için böyle yaptım ben de. Burada şeftali oldukça bol, sopa sallamak yetiyor, ben de bundan yararlandım işte."

Lang, "Atasözlerini iyi ezberliyorsun, bravo," diyerek güldü.

Genç kadın İngilizce deyimleri ezberlemekten hoşlanıyordu ve o da başını sallayarak güldü. "Peki ama şeftalilere neden sopa sallanır ki?" diye sordu.

Francis kendini tutamayıp gülerken, Lang da gözlerini açarak genç kadına baktı ve "Eğer kıstas olarak eldeki malzemeyi alırsak bundan sonraki turta fındıklı olabilir," deyince genç kadın bu sefer dirseğiyle onu dürttü.

Francis birden ciddileşti ve "Sen çalışma iznini alabildin mi bakalım?" diye sordu.

Gurt keki keserken, "Sizin yeşil kart dediğiniz izin kartı dün geldi," diye cevap verdi. Durdu ve şaşkın bir ifadeyle onlara bakarak, "Ama bu kart yeşil değil ki," diye ekledi.

Francis, "Eskiden yeşildi ve adı öyle yapışıp kaldı," dedi. "Onun için şimdi de..."

Genç kadın bir ismin bir yere nasıl yapışıp kaldığını anlamamış gibi şaşkın bir ifadeyle rahibe baktı, bazı deyimleri anlamakta zorluk çeker gibi bir hali vardı. Almanca dilinde Amerikan dili kadar bol argo ve garip deyimler olmadığı için çoğu zaman söylenenleri anlamakta zorlanıyordu.

İki erkeğin yüzlerine baktı ve hafifçe gülümseyerek, "Artık Westminister'de, okulda Almanca dersi vereceğim," dedi.

Francis kalın bir kek dilimi alırken, onu takdir ettiğini belirtmek için hafif bir ıslık çaldı. "İşe en tepeden başladın kızım, bu okul şehrin en iyi okullarından biridir."

Bir süre üçü de kendi düşüncelerine dalarak konuşmadılar ve sonunda Lang, "Yani Braves takımı maçı alacak mı dersin?" diye sordu. Lang ve rahip, her ikisi de ateşli bir beysbol taraftarıydılar.

Francis, Atlanta takımının hocasından söz ederek, "Bu işi götürecek biri varsa o da Bobby Cox'dur, dostum," diyerek gülümsedi. "Bir an içinde hem akıllı, hem şaşkın, hem de öfkeli, sadık ve tarafsız ondan başka kim olabilir ki? Kimse onun gibi olamaz."

Lang birkaç saniye düşündü ve sonra, "Shakespeare'in *Macbeth*'ine ne dersin?" diye sordu.

"Bak bunu iyi bildin işte."

"Göreceğiz bakalım, Nisan ayına bir şey kalmadı. Zaman denen şu eski hakem sonuçta her şeyi sonlandıracaktır."

Francis kaşlarını kaldırdı ve "Peki ama Shakespeare de nerden çıktı şimdi?" diye sordu.

"Troilus and Cressida."

İki adam da Shakespeare ve beysbol oyununu bir araya getirmekten büyük zevk almış görünüyorlardı. Bu oyunda olanaklar sonsuzdu. Lang o anda birkaç yıl önceki Robert Alomar olayını düşündü, o olayda hakem, Kral Richard III'ün sözünü kullanmış ve muhatabına, "Neden tükürüyorsun bana?" diye sormuştu. Francis ise aynı anda park yakınındaki bira reklâmlarını ve *Kral Henry VI* oyununun II. Perdesini düşündü ve "Benim imajımla birahane yolu göster," diye mırıldandı.

Gurt onların yanında durmuş, garip konuşmalarından anlam çıkarmaya çalışıyordu. Onların sustuğunu görünce, "Pekâlâ, bundan sonra ne geliyor, *Mein Herren?*" diyerek güldü. "Goethe ile buz hokeyi mi?"

Lang, "Mizah insan davranışlarının mantıklı bir parçası değildir," dedi.

Francis, "Ya Shakespeare?" diye sordu.

"Uzay Yolu dizisinden Mr. Spock."

Gurt, "O da kim?" diye sordu.

Francis ona cevap verecekti ama o sırada telefon çalınca konuşmaktan vazgeçti. Lang'a baktı ve "Birinin başı dertte olabilir," dedi.

Lang'ın hukuk çalışmaları daha çok, yoldan çıkan ve hileli yollara sapan büyük şirket yöneticilerini, kuşkulu şirket hesaplarının sorumlusu olan muhasebecileri, vergi kaçakçılarını, yani "beyaz yakalı suçluları" savunmaktan ibaretti.

Lang bir peçeteyle dudaklarını silerek ayağa kalktı ve "Benim müvekkillerim genelde Cumartesi akşamları tutuklanmazlar," dedi. "Onlar suçlanmalarının normal iş saatlerinde yapılmasını ayarlayabilen avukatlar tutabilirler." Elindeki kâğıt peçeteyi masaya bıraktı ve "Zaten ben de yeni dava almıyorum bugünlerde," diye ekledi. "Yeni kuruluş çok zamanımı alıyor."

Özellikle Janet ve Jeff Holt Vakfı adıyla anılan yardım kuruluşu bir Avrupa şirketi tarafından destekleniyordu. Aynı zamanda bir ticari şirket olan bu kuruluşun hisse senetleri hiçbir borsada alınıp satılmıyor, ama Lang'ın ölen kız kardeşi ve yeğeni adına yılda on rakamlı kazançlar açıkladığı için rahip bundan nedense rahatsız oluyordu. Daha gizemli bir olay daha yaşanmıştı; Lang bir yıl önce, kız kardeşiyle evlatlığının ölümlerinden sorumlu kişileri bulmak için Atlanta'dan ayrılmış, birkaç ay sonra da, Üçüncü Dünya ülkeleri çocuklarına milyonlarca dolar sağlık yardımı yapan çok zengin bir yardım kuruluşunun müdürü olarak geri dönmüştü.

Lang geriye döndüğünde yanında Gurt da vardı ve genç adam bu genç ve güzel kadını evlenmeden önce tanımışa benziyordu. Onların eski ilişkileri de, yardım kuruluşunun özellikleri gibi, konuşma konularının dışında tutuluyordu.

Francis'i meraklandıran konulardan biri de buydu işte. Lang'ın hukuk fakültesine otuzlu yaşlarında gitmiş olması ve üniversite ile avukatlığı arasında geçen yılları hakkında konuşmaması da merak çekici konulardan biriydi.

Rahip çok şeyi merak ediyor, ama istenmeyen sorular sorarak aralarındaki dostluğu tehlikeye atmak istemiyordu.

Lang odaya döndü ve hiç konuşmadan masaya oturdu. Derin düşüncelere dalmış ya da telefonda konuştuğu kişiye şaşırmış gibi bir hali vardı. Francis ve Gurt onun konuşup neler olduğunu açıklamasını beklediler ama Lang ağzını açmadı.

Francis tabağı içindeki kek kırıntılarını yerken Gurt, "Biraz daha ister misin?" diye sordu.

Rahip elini kaldırdı ve "Hayır, çok güzel ama biraz fazla yedim, teşekkür ederim," dedi.

Genç kadın kalktı ve "O halde kalan parçayı sarayım da giderken alıp götür," dedi.

Gurt kalan kek parçasını bir yağlı kâğıda sararken, Lang da masaya bir şişe İskoç viski ile iki bardak getirdi. Bardaklardan birini Francis'in önüne itti ve yarıya kadar viski koydu. Ama Francis arkadaşının derin düşüncelere dalmış olduğunu görünce ayağa kalktı ve "Hayır, teşekkür ederim," dedi. "Eve giderken direksiyonda başımın dönmesini ve polisin sarhoş bir rahibi yakalamasını istemem."

Lang gülerek ona baktı ve "Haklısın, trafik polisleri sarhoş rahiplere hoşgörülü davranmazlar herhalde," dedi.

Francis kekin kalanını alarak Gurt'a teşekkür etti ve başını sallayarak, "Özellikle dinsiz polisler rahiplere karşı acımasız davranırlar," diye konuştu. Koridora açılan kapıdan çıkıp asansöre doğru yürürken birden durup omzunun üzerinden onlara baktı ve "Ama bir akşam, rahip kıyafeti bir polisin beni durdurup aşırı hızdan dolayı ceza kesmesini önledi," diye ekledi.

Lang, "Güzel," diyerek güldü. "Ama sen yine de her ihtimale karşı aşırı hız yapmamaya dikkat et, dostum."

O sırada televizyonda Braves ile Los Angeles maçı başladı ve rahip stadyumdan gelen sesleri duyunca gitmekten vazgeçti, geriye dönerek içeri girdi ve Lang'a, "Pekâlâ, maçı izleyeceğim, ama bana viski verme sakın," dedi.

Kapıyı kapayıp masaya oturdular ve Lang'ın ayarladığı

küçük televizyonda maçı izlemeye başladılar. Lang televizyon izlerken hâlâ ekrandaki resimlerin nasıl olup da oraya yansıdığını anlamıyor gibiydi.

Bir süre sonra maçın bir devre arasında, ekranda önce yeni otomobillerin düşük fiyatlarından söz eden bir reklâm görüldü, onun arkasından da eline İncil alıp gözlerini kameraya dikmiş mavi gözlü ve gümüş rengi saçları olan bir adam geldi ekrana.

Adam, "Saygıdeğer vatandaşlar," diye başladı konuşmasına. "Ülkemizi dinsizlerin ve kötülerin ellerinden kurtarma zamanı geldi de geçiyor bile. Ben başkan seçildiğim zaman bunlar için çalışacak ve Amerika'yı bir kez daha ülkeler arasında en öne çıkaracak..."

Lang ve Francis bu tür konuşmaları daha önce de birçok kez dinlemişlerdi. Konuşan adam, partisinin gelecek başkanlık seçimlerinde aday göstereceği Harold Straight idi. Adamın kararlı yüzü bir süre sonra, "Tanrı Amerika'yı korusun," bağırışları arasında ekrandan kayboldu.

Lang yüzünü buruşturdu ve "Bu ülke Yahudileri bu adamın mesajlarını rahatlatıcı buluyor olmalılar," dedi.

Francis, "Bana kalırsa Müslümanlar, Budistler ve diğer bazı dinlerin mensupları da onu beğeniyorlar galiba," diye ekledi. "ABD deniz kuvvetlerinden yardım bekleyen ülkeler de onun seçilmesini isteyeceklerdir."

Gurt televizyonun insan beynini yoran bir alet olduğunu düşünmekten vazgeçti ve "Bu adam seçimleri kazanabilir mi yani?" diye sordu.

Lang Amerikan siyasi hayatının anlaşılmaz olduğunu düşünerek omuz silkti. "Pek çok insan onun On Emri yeniden mahkeme salonlarına sokmasını, evrim teorisinin okullarda okutulmasını yasaklamasını bekliyor."

"Peki ama bunlar iyi şeyler mi yani?"

Lang Francis'e bakınca rahip gülümsedi. Lang, "Eminim Francis de kürtajın yasaklanmasına destek verecektir," dedi.

"Evet ama bazı durumlara göre değişir bu düşüncem."

Bu kez Lang güldü ve "Babasının Amerikan değerlerini korumak için İkinci Dünya Savaşında ölmesi hakkındaki mesajına da dikkat etmek gerekir," dedi.

Gurt duyduklarına inanmıyormuş gibi şaşkın bir ifadeyle onlara baktı ve "Babanın yaptıkları yüzünden sen de siyasete atılmayacaksın herhalde, değil mi?" diye sordu.

Francis, "Yok canım," dedi. "Bu genç adam orduda iken katılması için uygun bir savaş çıkmadı zaten."

Gurt başını iki yana salladı ve onların saçma konuşmalarını dinlemektense mutfağa girip bulaşık yıkamanın daha yararlı bir iş olacağını düşündü. TV ekranında maç yeniden başladığında Francis, "Bay Straight'i gördükten sonra senin küçük bir kadeh viski ikramını galiba kabul edeceğim," diyerek güldü.

Yemek öncesi ve sonrasında birkaç viski ve yemekte de şarap içmesine rağmen uyuyamadı Lang ve sokaktan tavana akseden gölgeleri seyretti bir süre. Sonunda yataktan yavaşça kalktı ve Gurt'u uyandırmamak için ayaklarının ucuna basarak küçük balkona çıktı. Aşağıda, Peachtree Sokağındaki trafiği seyrederken aklı millerce ve yıllarca geriye gitti.

Bir süre sonra arkadan bir kol beline sarılınca birden irkildi ve Gurt, "Gelen telefonu mu düşünüyorsun?" diye sorunca onun yüzünü okşadı ve "Evet," diye cevap verdi.

"Anlatsana bana."

Lang içini çekti ve "Don Huff'ı hatırlıyorsun, değil mi?" diye sordu.

Genç kadın birkaç saniye düşündü ve sonra, "Bilmem," dedi. "Hatırlamam mı gerekiyor?"

"Orta batıda bir yerlerden gelmiş zayıf, uzun boylu bir adamdı. Operasyonlardan Üçüncü Direktörlüğe geldikten sonra bir ara Frankfurt bürosunda da çalıştı. Ben senin babanı kaçırırken Charlie Kontrol Noktasında beni kurtaran adam işte oydu. Biz Don'u fazla göremedik, çünkü bizden yaşlıydı ve aynı zamanda da evliydi."

Gurt başını iki yana salladı ve "O kadar çok adam vardı ki geçen yıl birlikte çalıştıklarımı bile doğru dürüst hatırlayamıyorum," dedi. "Bu kadar uzun zaman sonra neden aramış seni?"

Lang döndü ve onun yüzüne baktı. "Beni o değil, kızı aradı. Don dün İspanya'da öldürülmüş."

Genç kadının büyüyen gözlcri caddeden gelen loş ışıkta bile belli oluyordu. "Birisi eski bir hesap yüzünden mi öldürmüş onu acaba?"

Lang başını iki yana salladı. "Pek sanmıyorum. Don da benim ayrıldığım sıralarda ayrıldı, Kötülük İmparatorluğu çökünce erken emekliliğini istedi, çünkü istihbarat bütçesi kısılıyordu, ana oyun doğuya, sıcak kumlu ülkelere, kadınların yüzlerini peçe arkasına sakladıkları, viskinin bulunmadığı sinekli topraklara kaymaya başlamıştı. Son duyduğumda onun bir kitap yazdığını söylemişlerdi."

"Belki de bazıları onun yazdıklarından hoşlanmadılar."

Lang balkondan aşağıya baktı ve "Mümkündür ama ben pek sanmıyorum," dedi. "İşin içinde başka şeyler olmalı."

"Peki ama kim öldürmüş olabilir ki onu?"

"Kızı da bunu bulmamı istiyor benden."

"Yani İspanya'ya mı gideceğiz?"

"Sadece ben gideceğim."

Genç kadın birden suratını astı, kaşlarını çattı ve "Biliyorsun, değil mi?" dedi. "Geçen sefer ben peşinden gelmeseydim ölümden kurtulman hiç de kolay olmayacaktı."

Lang onun doğru söylediğini kabul ediyordu. "Evet ama şimdi yeni bir görevin var," dedi. "Ayrıca bu kez etrafa bakacak ve bilgi toplamaya çalışacağım. Hayatımı kurtaran biri için en azından bu kadarını yapmak isterim."

"Ben de senin hayatını kurtardım ve seninle beraber gelmek istiyorum."

Gurt Atlanta'ya geldiğinden beri Lang çok iyi tanımıştı onu ve tartışmayı kazanamayacağını da iyi biliyordu. Birkaç kez onunla tartışıp sustuğunu görünce kazandığını sanmış ama birkaç gün sonra sonucun tamamen ters olduğunu anlamıştı. Bu kez de ona teslim olacağını biliyordu ve tartışmayı fazla uzatmadı.

"Pekâlâ, her şeyden önce önümüzdeki birkaç günde hiçbir davam olmadığından emin olmalıyım. Sen de Grumps'ı hayvan barınağına götürüp bırak."

"Sekreterin Sara'yı arayıp ondan davalarının tarihlerini öğrenebilirsin. Köpeği de sen götür veterinerin köpek yuvasına."

Grumps çoğu zaman çok uslu bir köpekti ama köpek yuvasından pek hoşlanmaz ve huysuzlanırdı.

Lang bu kıza tekrar yenilince içini çekti ve başını iki yana salladı.

BÖLÜM ALTI

Seville, İspanya
San Pablo Havaalanı
İki gün sonra

Vakfın Gulfstream V özel uçağında bir yatak odası olmasına rağmen, Lang'ın uçan araçlara olan güvensizliği onun havada uyumasını engelledi. Bir zamanlar uçaklarda gözlerini açık tutamaz, hemen uykuya dalardı ama daha sonra uçaklardan hoşlanmaz ve onlara güvenmez oldu. Atlanta'dan Madrid'e normal havayolları uçağıyla uçmak ve oradan da Seville'e bölge havayolu Aviaco ile gitmek daha da kötü olacaktı. Lang'a göre eğer bir uçak güven verici ise, son varış noktasına kadar onunla uçmak en iyisiydi, uçağı değiştirmemeliydi.

Böyle düşündüğü için varış noktasına kadar vakfın uçağıyla uçmayı daha uygun bulmuştu. Bu kez muhasebecilerin tekliflerine rağmen kendi düşündüğü gibi davranmayı uygun bulmuştu. Müvekkillerinden çoğu başkalarının paralarını kullanarak onlardan para kazanan ve pek de dürüst olmayan insanlardı.

Bir süre sonra Gurt'un muntazam nefeslerle, çok rahat uyuduğunu görmesine rağmen uyuyamayacağını anlayınca, kalktı ve uçaktaki bir komedi filmini seyrederek vakit geçirmeye çalıştı. Ama filmin ilk yirmi dakikası basmakalıp sahnelerle doluydu ve onun hoşuna gitmedi.

Filmin daha sonraki sahnelerinin daha iyi olup olmadığını anlayamadı, çünkü bir süre sonra uykuya daldı ve daha sonra kabin memurunun kolunu sarsmasıyla uyandı. Kabin memuru ona yumurtalı bir kahvaltı tepsisi getirdi ve bir saat sonra inişe geçeceklerini bildirdi.

Lang Gurt'u uyandırdıktan sonra tıraş olup duş yaptı. Gulfstream'in tuvalet ve banyo kolaylıkları oldukça küçüktü ama yine de normal havayolu uçaklarından çok üstündü. Lang uçağın dolabından bir spor gömlek ve pantolon alarak giydi. Gulfstream'in tekerlekleri çok geçmeden gıcırdayarak piste değdi, uçak pistte bir süre koştuktan sonra aprona girdi ve hangarın önünde durdu. Lang ve Gurt uçaktan indiklerinde sabah güneşi gözlerini kamaştırdı.

Uçuş ekibi uçuş sonrası yapılması gereken işleri tamamlarken Lang ve Gurt ellerine birer bavul alarak gümrüğe girdiler. Gümrük memuru Gurt'un güzelliği karşısında bavullarına şöyle bir göz attı ve salondan hemen çıkmalarına izin verdi. Lang gümrükten bu kadar kolay geçtiklerini görünce, gizli servisten emekli olduğundan beri dolabında duran Sig Sauer P226 otomatik silahını yanında getirmediğine pişman oldu. Ama o buraya silahlı çatışmaya girmek için değil, hayatını kurtaran adamın kızının ricası üzerine, onun ölümünü araştırmak için gelmişti. Böyle bir çalışmada silaha ihtiyacı olacağını pek sanmıyordu.

O sırada birinin, "Bay Reilly," diye seslendiğini duyunca döndüler ve Lang'a seslenen ufak tefek genç kıza baktılar. Kızın uzun yüzünde küçük burnu önce dikkat çekmiyordu ama dikkat edince onun bir çocuk değil, yetişkin olduğunu anladılar. Lang ona bakarken kızın siyah gözlerinde garip bir ifade fark etti, genç kadın rakibinin üstüne atlamaya hazır küçük bir hayvanı andırıyordu.

Lang, "Sen Don'un kızısın, değil mi?" diye sordu.

Genç kadın başını iki yana salladı ve İngilizce konuşarak, "Hayır efendim, ben Sonia'yım, Bay Huff'ın asistanıydım," dedi. "Onun kızı sizi evde bekliyor."

Genç kadın güzel İngilizce konuşuyordu ama aksanı Amerika'daki vatandaşlarından daha belirgindi ve onlardan daha yavaştı. Lang uçuş ekibinin kendilerine kalacak yer bulduklarını öğrendikten sonra rahatladı. Ekip gerektiğinde Lang ve vakıfla temas kuracak ve verilen emirlere göre davranacaktı. Lang onları istediği her zaman kolayca bulabilecekti. Lang ve Gurt kendilerini karşılayan genç kadını izleyerek otoparka gittiler ve yeni model bir Mercedes'e bindiler.

Gurt arabaya binerken o sabah ilk kez olarak konuştu ve "Çok güzel bir araba bu," dedi.

Sonia üzgün bir ifadeyle başını salladı ve "Evet, bu Senyor Don'un, yani Bay Huff'ın arabasıydı," dedi. "Arabasını çok sever, onunla gururlanırdı."

Lang Gurt'u arka koltuğa oturttuktan sonra kendisi ön koltuğa, Sonia'nın yanına oturdu ve "Bizi karşıladığın için teşekkür ederiz," dedi. "Şimdi eve mi gideceğiz?"

Genç kadın motoru çalıştırdı ve "Hayır Bay Reilly," diye cevap verdi. "Senyorita, yani Bayan Huff sizin için çok yakın mesafede bir otelde rezervasyon yaptırdı, efendim."

Caddeler herhangi bir Avrupa şehrinin caddelerinden, sokaklarından farklı değildi. Lang'a göre en büyük fark burada aceleci bir trafik olmamasıydı. Roma ve Paris'deki fren gıcırtıları ve korna sesleri burada pek duyulmuyordu. Bu şehrin sürücüleri pek çok Avrupa ve Amerika şehirlerinin sürücülerinden daha nazik ve sessizdiler. Birkaç dakika yol aldıktan sonra Rio Guadalquivir'in ağır ağır akan kahverengi sularını gördüler. *Puente de Iasbell II*'nin aşağısında suda pedallı botlar dolaşıyor, nehrin kenarında suya olta atmış balık bekleyen amatör balıkçılar görülüyordu.

Nehrin batı kıyısına geçtikten sonra Sonia, Paseo de Cristobal Colon caddesinde sola döndü ve ondan sonra sokaklar daraldı ve dönüşler çoğaldı. Bahçe duvarlarının arkasında tuğladan inşa edilmiş ve damları portakal rengi kiremitlerle kaplı evler görülüyordu. Şimdi şehrin eski bölümüne gelmişlerdi.

Alfonso XII Oteli insanı etkileyen ve Mudejar stili taklidi bir binaydı. Otel kuzey Afrika tarzı süsleri, kusursuz servisi ve çok rahat oda ve salonları çok ünlüydü ve Sonia'nın söylediğine göre, İspanya'nın pek çok zengini kızlarını ve oğullarını evlendirirken misafirlerini bu otelde ağırlarlardı. Davetliler kraliyet ailesinin kızlarının katedraldeki düğünlerine gitmek için sadece Calle San Francisco'yu ve küçük Plaza de Jerez meydanını geçmek zorunda kalırlardı.

Fakat bugün kutsal kiliseye gitmek isteyenlerin önüne büyük engeller çıkmıştı. Sokaklar siyah kıyafetli, yüksek şapkalı, maskeli ve çıplak ayaklı adamlarla doluydu. Bunların çoğu da ellerinde büyük haçlar taşıyorlardı.

Gurt arka koltuktan öne doğru eğilerek, "Nedir bu? Kimdir bu adamlar?" diye sordu.

Lang, "Bunlar Ku Klux Klan'a benziyorlar," dedi. "Ama kıyafetleri beyaz değil de tam tersine siyah."

Sonia, "Bunlar tövbekârlar," diye açıkladı. "Bugün Paskalya Yortusundan önceki İyi Cuma günüdür. Son Seana Santa,

Kutsal Haftadan bir önceki kutlama. Bu adamlar geçen bir yıl içinde işledikleri günahların affını istiyorlar."

Lang, "Nathan Bedford'un Görünmez İmparatorluk fikrini nerden aldığını görmek o kadar da zor değilmiş," diye mırıldandı.

Gurt onun ne dediğini anlamadı ve "Kim?" diye sordu.

Lang'ın açıklamak istemediği, onaylamaktan ya da özür dilemekten kaçındığı bir konu da, Amerikan İç Savaşından sonra ülkenin en ünlü nefret gruplarından biri haline gelmiş olan gruplardı. Gurt'un cevap beklediğini görünce, "Önemli bir şey değil," dedi. "Otoparka girebilecek miyiz acaba?"

Bir saat sonra sokaklarda günahlarının affını isteyen adamlardan hiçbiri kalmamıştı. Sokaklarda arabayla bir süre daha dolaştıktan sonra büyük ahşap kapılardan geçerek çok güzel bir bahçeye girdiler.

Lang bahçeye girmeden önce arabadan inince, "Buraya yürüyerek de gelebilirdik," dedi.

Sonia başını salladı, "Elbette gelebilirdiniz," dedi. "Ama ben arabayı geri getirmek zorundaydım."

Lang caddedeki portakal ağacından olgunlaşmış bir portakal kopardı ve arabanın arkasından yürürken portakalı soymaya başladı. Ama meyveyi ısırınca ağzına acı ekşi bir su geldi ve Lang onu tükürmek zorunda kaldı.

Sonia onun halini görünce kendini tutamayarak güldü ve "Biz bunlara *Anglese* deriz," dedi. "Çünkü bu portakalları sadece İngilizler alırlar."

Lang tekrar tükürdü ama ağzındaki acılık devam ediyordu. "İngilizler yiyor mu bunları?" diye sordu.

Sonia kendini tutamadı ve hafif bir kahkaha attıktan sonra, "Yemek mi? Hayır Bay Reilly," dedi. "Bu acı kabuklardan çok sevdikleri portakal reçelini yapıyorlar."

Lang kahvaltı masasında bir daha İngilizlerin o ünlü portakal reçelinden yemeyecekti, kendi kendine söz verdi bu konuda. O sırada büyük bahçenin içindeki evden uzun boylu, sarışın bir genç kadın çıkarak onlara doğru yürüdü. Uzun bir yüzü vardı ve saçlarını arkaya toplamıştı. Boyu oldukça uzun olduğu için yürürken adeta sallanır gibi görünüyordu.

Lang'ın önüne gelince uzun ve kemikli elini uzatarak, "Hoş geldiniz Bay Langford Reilly," dedi. "Babam bana sizden söz etmişti. Ben Jessica Huff."

Lang onun elini sıkarken hafifçe gülümsedi ve "Babanız hiç kuşkusuz benim genç bir salak olduğumu da söylemiştir size," dedi.

Genç kadın acı bir gülümsemeyle geriye döndü ve o sırada arabadan inmekte olan Gurt'a baktı. "Siz de Lang'ın eşi olmalısınız."

Gurt uyarıcı bir ifadeyle Lang'a baktı ve başını iki yana sallayarak, "Hayır," dedi. "Ben Gurt Fuchs'um."

Jessica bir an için şaşırmış gibi baktı ona, ama elini uzatarak tokalaştı onunla ve onlardan birinin açıklama yapmasını bekler gibi durdu.

Ama kimse konuşmayınca eliyle evi gösterdi ve "Buyurun içeri girelim," dedi. "Geldiğiniz için çok teşekkür ederim."

Jessica onları duvarları ahşap kaplı bir salona götürdü ve oturmalarını işaret etti. Lang deri kaplı bir koltuğa oturdu ve İspanyol tarzı ahşap mobilyalara baktı. Çok geçmeden Sonia elinde kahve tepsisiyle içeri girdi.

Jessica, "Geldiğiniz için tekrar teşekkür ederim," dedi.

Lang kahve fincanını alıp dengeleyerek koltuğun koluna koymak istedi ama kahvenin döküleceğini anlayınca elinden bırakmadı. "Ben babanıza çok şey borçluyum ve size her türlü yardıma hazırım. Ama şu anda ne yapabileceğimi bilemiyorum. Don size benden söz ettiyse Operasyonlar bölümünde çalışmadığımı biliyorsunuzdur. Suç araştırmaları konusunda pek fazla bir şey bilmediğimi söylemeliyim."

Jessica onun bu tarz konuşmasına şaşırmış görünmüyordu. "Babam çalışma arkadaşlarından çok az söz ederdi ve siz onun anlattığı birkaç dostundan birisiniz Bay Reilly. Onun için yardım isteyebileceğim sizden başka birini bulamadım."

Gurt onların konuşmasını büyük bir dikkatle dinliyordu. Lang kahvesinden bir yudum alınca onun da portakal kadar acı olduğunu gördü. "Yerel polis bu konuda bir şeyler...?"

Jessica ellerini kucağında kenetledi ve Lang genç kadının ellerinin, deterjanlı suda çamaşır yıkamış gibi kızarmış olduklarını fark etti. Genç kadın başını iki yana salladı ve "Ne yazık ki yerel polis pek bir şey yapmıyor," diye konuştu. "Eve gelip etrafı aradılar, sorular sordular ama fazla uğraşmadan gittiler. Babam bu ülkenin vatandaşı olmadığı için sanırım ölümünü yeteri kadar umursamadılar. Yani ellerinde hiçbir bilgi, ipucu yok."

"Sizin kuşkulandığınız bir şeyler var mı peki?"

Genç kadın ilham arıyormuş gibi gözlerini kaldırıp tavandaki kalın kirişlere baktı. "Sanırım öldürülme nedeni yazdığı kitap olabilir."

Lang elinde tuttuğu kahve fincanına baktı ve oturduğu yerde hafifçe kımıldadı. "Neyle ilgiliydi bu kitap acaba, konusu neydi?"

"Bir Nazi hakkındaydı, adamın adı Alman değil, sanırım Polonyalıydı. Bu Nazi savaştan sonra İspanya'ya gelmiş. Babam da onun hakkında araştırma yapmak için buraya geldi."

Lang gözlerini çevirip Gurt'a baktı ama genç kadın bu konuda hiçbir şey bilmiyor gibi görünüyordu. Alman halkı zaten İkinci Dünya Savaşı'nı unutmak için elinden geleni yapmaya çalışıyordu. Gurt belki de 1870 Franco-Prusya Savaşı konusunda Lang'a daha çok yardımcı olabilirdi. Çünkü o savaşı Almanlar kazanmıştı.

Lang, "Peki ama kim olabilir bu adamlar?" diye sordu.

Jessica, "Bazı Nazi grupları," diye cevap verdi. "Bu kitabın yayınlanmasını istemeyen insanlar yapmış olmalı bunu."

Lang ayağa kalktı ve elindeki fincanı kenardaki bir sehpanın üzerine bıraktı. Koltuğuna dönerken, "Jessica, o savaşta savaşmış olanlar şimdi yaklaşık seksen yaşında ve hatta üzerinde olmalılar," diye konuştu. "O yaşta bir insanın katil olması kolay değildir."

"Ben bunu kendileri yapmış olabilirler demek istemiyorum. Seksen yaşında ya da daha genç, hiç kimse hapse girmek istemez elbette. Bazen emekli bir otomobil fabrikası işçisinin savaş suçlarından muhakeme edilmek üzere Doğu Avrupa'ya götürüldüğünü ya da Florida'da yaşayan bir adamın savaş zamanında esir kamplarında gardiyanlık yapmış olduğunu okuyoruz, değil mi?"

Lang onun doğru söylediğini biliyordu. Yaşlı ya da orta yaşlı olsun, hiçbir eski Nazi hapse girmek istemezdi elbette.

Jessica, "Bir yerde gizli bir SS subaylar grubundan söz edildiğini okudum," diye devam etti. "Bazı hallerde karşılarına çıkan insanları hemen öldürüyorlarmış."

"Odessa, birkaç yıl öncesinin popüler kurgusuydu. O bir kurguydu."

Gurt sonunda konuşarak, "İsim bir kurguydu," dedi. "Ama grup gerçekti. *Die Spinne,* yani örümcek. Babamın bundan söz ettiğini hatırlıyorum. Amerikalılar gibi Komünistler de bu tür organizasyonların tahrip edilmesini istiyorlardı. Bu konu onların işbirliği yaptıkları birkaç alandan biriydi."

Jessica Gurt'la ilgilenmeye başladı ve "Babam mı dedin?" diye sordu.

Gurt sanki her şeyi açıklarmış gibi, "Babam Doğu Alman hükümetinin yüksek bürokratlarından biriydi," dedi.

Lang tekrar ayağa kalktı ve "Ne aradığımı henüz bilmiyorum, Jessica," dedi. "Ama şu odayı görmek isterdim..."

Jessica da ayağa kalktı ve merdivene doğru ilerledi. "Babam üst kattaki odalardan birini kullanırdı."

Lang boş yere konuşmaktan hoşlanmadığı için Jessica ve Gurt'la birlikte birinci katın yukarısındaki galeriye çıkana kadar başka soru sormadı. Oraya vardıklarında, "Babanın yazdığı kitabı bilen kim vardı?" diye sordu.

Jessica omuzlarını silkti ve "Sanırım pek çok insan biliyordu," diye cevap verdi. "Yani eski OSS, yani savaş sırasında Stratejik Servisler Ofisi denen kurumun dosyalarını görmek için bazı arkadaşlarından yardım istemişti. Babam kitabın basılması için bir yayıneviyle anlaşmak üzereydi ve bu konudaki temaslarını da bir kadın edebiyat temsilcisi yürütüyordu. Yani kitap bir sır değildi. Ben de bunun bir Nazi hakkında olduğundan ve İspanya'da araştırma yapıldığından fazla bir şey bilmiyordum." Genç kadın sustu ve bir kapıyı açarak, "İşte bu oda," diye ekledi.

Lang'ın girdiği odada iki çalışma masası ile ikisi de yazıcılı olan iki bilgisayar vardı. Kenarda resmi dairelerde kullanılan gri metal kitap raflarında bir sürü kağıt ve kitap ile bir rafta da üzerleri küflenmiş bir yemek tabağı görülüyordu.

Lang ev sahibesine baktı ve "Sen ve Sonia burada temizlik yaptınız mı?" diye sordu.

Genç kadın başını salladı ve "Sonia sizi almak için havaalanına gittiğinde ben temizliğe başlamıştım," dedi. "Ama gördüğünüz gibi bitiremedim. Bunun için size otelde yer ayırttım. Sonia buraya gelmek istemedi. İki gün önce işe geldiği zaman babamın cesedini o buldu. Babam işte şurada, kapının arkasında yatıyor, kapının açılmasını engelliyormuş."

Lang etrafa dikkatle bakarken, "Peki ama baban kapıyı engellerken nasıl...?" diye sorarken Jessica onun sözünü kesti ve "Bu oda yandaki odaya açılır," diye konuştu. "Aslında evdeki bütün yatak odaları birbirine bağlıdır. Bir zamanlar havalandırma iyi çalışsın diye böyle yapmışlar."

Lang, 'aynı zamanda gizli aşk buluşmaları için,' diye düşündü ama sesini çıkarmadı. Don Juan'ın aşk maceralarında böyle birbirine açılan pek çok yatak odası vardı. "Polisler bütün odalarda araştırma yaptı mı?"

"Sanırım yaptılar, ama isterseniz bunu Sonia'ya sorun. Ben buraya ancak dün gelebildim. Size de yola çıkmadan önce telefon ettim. Polis burada araştırma yaparken Sonia buradaydı, o size daha ayrıntılı bilgi verebilir."

O sırada Gurt raflardaki kâğıtları eline alıp inceliyordu. Birkaç kâğıda baktıktan sonra, "Bunların çoğu araştırma notları," dedi. "Yazdıklarının müsvedi... müs..."

Lang, "Müsveddesi," diyerek ona yardımcı oldu.

"Evet, yazdıklarının müsveddeleri buralarda olabilir mi acaba?"

Jessica başını iki yana salladı ve "Sonia'nın dediğine göre bir tek tamamlanmış müsvedde kopyası varmış, ama bilgisayar diski ile birlikte o da yok olmuş."

Lang'a göre, Don Huff yazdığı kitabın kopyalarından başka bir şey için de öldürülmüş olabilirdi.

O sırada Gurt içinde not kartları olan küçük bir metal kutuyu havaya kaldırıp, "Ya bu nedir acaba?" diye sordu. Lang da bilgisayara geçmeden önce bu tür notlar tutar ve böyle bir teneke kutuya koyardı.

Jessica yine omuzlarını silkti ve "Bilmiyorum," diye cevap verdi. "Babamı iki yıldan beri görmemiştim ve bir şeyler yazdığından haberim bile yoktu."

Lang Gurt'un elindeki küçük teneke kutuyu alarak içindeki kartlara bir göz attı. Kartlarda isimler, adresler ve telefon numaraları yazılıydı. Adreslerin altına da Almanca birkaç kelime yazılmıştı. Bazı kartlarda, bazıları iki gün öncesine kadar gelen tarihler not edilmişti.

Lang kutuyu tekrar Gurt'a verdi ve "Sence ne öğrenebiliriz bunlardan?" diye sordu.

Gurt kartları parmağıyla karıştırırken, "Bunlar konuyla ve insanlarla ilgili kartlar," diye cevap verdi. "Örneğin şu kart Nuremberg Mahkemeleri, şu kart Girit'e havadan indirme, paraşütle atlama konusuyla ilgili."

Lang başını hafifçe sallayarak, "Evet ama bunların ortak yanları nedir acaba?" diye sordu ama kimse cevap veremedi ona.

BÖLÜM YEDİ

Alphonso XIII Oteli
17.30 (aynı gün)

Lang, Don Huff'ın evinden polis merkezine telefon ederek olayı araştıran Komiser Pedro Mendoza ile görüşmek istedi, ama onun her günkü öğle istirahatında olduğunu ve ancak akşam saat 18.00'de göreve döneceğini öğrendi. Yapacak başka işleri olmadığı ve dükkânlar da akşama kadar kapalı olduğu için Lang ve Gurt otele döndüler. Uzun okyanus uçuşuna ve saat farkına alışmaya çalışırken çılgınlar gibi sevişmiş ve Lang seslerinin odanın dışından duyulmasından korkmuştu.

Seviştikten sonra uykuya daldılar ve uyandıkları zaman açlıktan ölmek üzere olduklarını anladılar.

Gurt, "Oda servisine telefon edeyim mi?" diye sordu.

Lang o sırada duştaydı ve suyun şırıltısı arasında, "Hayır," diye seslendi. "Dışarı çıkalım, daha iyi olur."

Otelin duşu çok geniş ve rahattı, uzun hortumlu ve her yana rahatça erişen duş başlığıyla insanı gevşetiyordu. Lang

• 63 •

duştan çıkıp askıdaki bornozlardan birini sırtına geçirerek yatak odasına döndüğünde Gurt da kalkmak üzereydi. Lang onun bir sigara yaktığını görünce, "Sabahleyin aç karnına sigara içmek zorunda mısın?" diye söylendi.

Genç kadın elindeki kibriti sallayıp söndürürken, "Sen de puro içiyorsun ya!" diyerek güldü.

"Ben ayda bir iki tane puro içiyorum, bir şey değil onlar."

"Evet ama senin puroların benim sigaralarımdan beş altı kez daha büyük. Ben de günde bir iki sigara içiyorum ve böylece aynı miktarda tütün içmiş oluyoruz, öyle değil mi yani?"

Genç kadının söyledikleri hiç de mantıksız sayılmazdı ve Lang tartışmayı uzatmak istemedi. Zaten Gurt eskiden günde bir paket sigara içerken Lang'ın zorlaması sonucunda günde iki üç sigaraya kadar inmişti. Lang ile evlenmek için sigaradan tamamen vazgeçmesi gerektiğinin bilincindeydi Gurt. Ama genç kadın ilişkilerinin bu şekilde devam etmesinden zaten memnundu ve evlenmek için pek de acele etmiyordu.

Bir süre sonra, 1930'ların diktatörlerini hatırlatan bir binanın önünde taksiden indiler. Lang bu tür bina mimarilerine Modern Faşist mimari diyordu. Kapıdaki nöbetçi polise geliş nedenlerini söyleyip dedektörler arasından geçtiler ve bir polis memuru eşliğinde Komiser Mendezo'nun odasına geldiler.

Parlak güneş henüz batmadığı için pencereler perdeliydi ve odanın içi oldukça loştu. Masanın arkasında oturan zayıf adam ayağa kalkıp onların elini sıktı ve *"Buenos dias,"* diyerek hafifçe gülümsedi. Adamın arkasındaki pencerenin perdesi biraz aralık bırakıldığı için güneş masanın önünde oturan ziyaretçilerin yüzlerine vuruyor, komiserin yüzünü net olarak göremiyorlardı ve Lang bunun kasıtlı yapıldığına emindi.

İspanya'da ev sahipleri misafirleriyle konuşmaya başlarken genelde havalardan, onların otellerinden, Seville hakkındaki görüşlerinden söz ederlerdi ve Komiser Mendezo onlara güzel turistik restoranların adlarını sayarken, özel uçakla geldiklerini öğrenince bunların en lüks olanlarını söyledi.

Normal sohbet sona erince Komiser bir paket sigara çıkardı ve Gurt'a baktı. Gurt adama başını sallayarak kendi paketini çıkardı ve Lang da bir şey söyleyemeden ikisinin dumanını içine çekmeye hazırlandı.

Komiser yerinden kalkıp masanın üzerinden eğilerek altın kaplama bir çakmakla Gurt'un sigarasını yaktı. Sonra masanın üzerinde duran cam kül tablasını ona doğru iterek, aksanlı bir İngilizceyle, "Pekâlâ, size nasıl yardımcı olabilirim acaba?" diye sordu.

Lang Komiserin gözlerini net olarak seçemiyordu ama onun daha çok Gurt'a baktığından emindi. Komiserin sorusu üzerine, "Huff cinayeti için geldik," dedi. "Kızı bizden bu konu üzerinde durmamızı, polisten bilgi almaya çalışmamızı istedi."

Komiser birkaç saniye düşündü ve sonra, "Hmmm!" diye mırıldandı, ama onlarla alay mı ediyordu, yoksa sinirlenmiş miydi, belli değildi. Hafifçe gülümsedi ve "Siz Amerikalılar televizyonda çok fazla polisiye film izliyor ve cinayetlerin reklamlar dâhil bir saat içinde çözülebileceğine inanıyorsunuz," diye konuştu. "Ama sizin ülkenizde bile cinayet olayları bu kadar kısa zamanda çözülemez, değil mi?"

Lang da hafifçe gülümsedi ve "Elbette, haklısınız," dedi. "Ama Bayan Huff çok üzgün, heyecanlı ve sizin çalışmalarınızı takdir edebilecek halde değil. Eğer yaptığınız araştırmaların sonuçlarını bana anlatırsanız ben de öldürülen adamın yalnız yaşayan zavallı kızını teselli etmek için elimden geleni yapmaya çalışırım Sayın Komiser."

Lang adamla mümkün olduğunca basit konuşmaya ve onu konuşturmaya çalışıyordu. Hepsinin milliyeti farklı olan bu üç kişinin ortak bir dilde konuşup anlaşması sırasında bazı pürüzler çıkabilirdi ve bu da doğaldı. Lang İspanyol komiserle İngilizce konuşurken argo sözcük ve deyimler kullanmamaya dikkat etmeliydi.

Komiser, "Biz burada çok sıkı çalışıyoruz, Bayım," diye konuştu. "Aslına bakarsanız burada, Seville'de ya da tüm İspanya'da suç oranı sizin New York'unuzdan çok daha düşüktür. Bir *hombre* hemen her zaman...."

Gurt, "Bir adam," diyerek onu düzeltti.

"....evet burada bir adam arkadaşıyla içip sarhoş olunca öldürülebilir. Kadınlar kumar bazen de uyuşturucu yüzünden cinayete kurban giderler. Hırsızlar da evlerde bir şeyler çalarken ev sahibini öldürebilir ya da onun tarafından öldürülebilir... Bu olayda Bay Huff'ın sadece bazı kâğıtları çalınmış, değil mi? Bu cinayetin çözülmesi öyle pek kolay olmayacak gibi görünüyor, Bayım... Yani, nasıl diyorsunuz, işin içinde gangsterler var gibi."

Lang, "Yani onu bir amaç uğruna mı öldürmüşler diyorsunuz?" diye sordu.

"Evet, onu ensesinden vurmuşlar, yani planlı bir cinayet bu."

"Acaba Huff'ı yazdığı kitabı almak için vurmuş olabilirler mi, ne dersiniz?"

Yeni dosya açıldı.

Komiser hafifçe gülümsedi ve "Yirmi yıllık meslek hayatımda bir kitap için adam öldürüldüğünü hiç görmedim," dedi. "Böyle saçma şey olamaz Bay Reilly. Fakat onu öldüreni bulana kadar durmayacağız, emin olun bundan."

Komiser bunu söyledikten sonra, görüşmenin sona erdiğini göstermek ister gibi ayağa kalktı. Adam çok konuşmuş ama yine de onlara fazla bilgi sızdırmamış, bu konuda usta olduğunu göstermişti.

Fakat Lang henüz gitmeye niyetli olmadığını göstermek ister gibi yerinden kalkmadı ve "Evden aldığınız kâğıtları görebilir miyim acaba?" diye sordu.

Komiser hiç itiraz etmedi ve "Pekâlâ," diyerek bir karton kutuyu masanın üzerinden ona doğru itti. "Bunları alabilirsiniz, ama bu kâğıtlardan bir şeyler çıkarabilirseniz beni ararsınız, değil mi?"

"Elbette."

Komiser Lang'a bir de zarf uzatarak, "Az kalsın unutuyordum," dedi. "Bunda bir CD var. Ama bu CD'de belki altmış yıllık resimlerden başka bir şey yok."

Lang ve Gurt kapıya doğru giderlerken Komiser Mendezo, "Bir dakika Bay Reilly," dedi.

Lang durdu ve geri dönerek, "Evet?" dedi.

"Dostunuzun kızına yardım etmeniz takdire değer bir davranış. Ama polisin işine karışmak da başka bir şeydir elbette. Lütfen bu işi bize bırakın, olur mu?"

Lang başını salladı. "Elbette, Komiser. Bize zaman ayırdığınız için size çok teşekkür ederiz."

Polis merkezinden dışarı çıktıklarında Lang, "Nuh'un gemisini yapanlar amatörler, Titanik'i inşa edenlerse profesyonellerdi," diye söylendi.

Şehrin eski bölgesine girdiklerinde biraz yürüdüler ve hemen her köşe başında bulunan tipik birahanelerden birine girdiler. İspanyolların büyük çoğunluğu akşam yemeğini gece 10.30'dan sonra yedikleri için o saate kadar açlıklarını ufak tefek mezelerle bastırıyorlardı. Lang ve Gurt'un gördüğü kadarıyla, İspanyollar bir meyhanede, kaldırımda boş masa varsa oturuyor, yoksa içeri girip birer bira içerek arkadaşlarıyla sohbet ediyor ve daha sonra çıkıp bir başka birahaneye uğruyorlardı.

Onlar da iki birahanede birer bira içip biraz meze yediler ve üçüncüye girdiklerinde, Lang daha önceki iki birahanede gördüğü iki adamı orada da gördü. Adamlara bir kez daha belli etmeden baktı ve tehlike zamanlarında ensesinde hissettiği tiki yine hissetti.

Gurt'un boşalan bardağına şişeden bira koyma bahanesiyle küçük masanın üstüne hafifçe eğildi ve "Diğer iki birahanede gördüğümüz şu iki adama dikkat ettin mi?" diye fısıldadı.

Gurt'un geriye dönüp bakmayacak kadar eğitimli olduğunu biliyordu. "Diğer iki yerde de gördüğümüz şu iki adamdan söz ediyorsun, değil mi?"

Onları gözetleyenlere doğal konulardan söz ediyormuş gibi görünmek için hafifçe gülümsedi Lang ve yine hafif sesle, "Onları ilk kez nerede fark ettin?" diye sordu.

Gurt içine elbise bile sığabilecek kadar büyük olan el çantasını karıştırırken, "Biz taksiden inerken onlar da başka bir arabadan çıktılar," diye mırıldandı. "Her yerde bizim peşimizde oldukları belliydi, hep bize bakıyorlardı."

Genç kadın onları izledikleri belli olan bu adamları Lang'dan yarım saat kadar önce fark etmiş, ama emin olmadığı için konuşmamıştı.

Lang, "Neden söylemedin bana?" diye sordu.

Gurt çantasından sigara paketini çıkardı ve bu kez de kibrit aramaya başladı. "Yani sen onları yeni mi fark ediyorsun? Yeteneğini kaybediyorsun, dostum."

"Evet ama ben artık bir ajan değil, sadece bir avukatım."

Gurt kibritini bulup çakarken, "Avukatlık yaparken uyanık olmak zorunda değil misin yani?" diye sordu ve güldü.

Lang sürahideki biradan kendi bardağına da biraz koydu ve meyve tabağından bir erik alarak ağzına attı. Konuşuyorlardı ama nereye varacakları belli değil gibiydi.

"Peki ama neden takip ediliyoruz dersin?"

Genç kadın omuz silkti ve "Takip edildiğimizden emin değiliz henüz," diye konuştu. "Burada oturan çiftlerden en az üçü bizim gittiğimiz ilk birahanede oturuyordu."

Lang bunu duyunca onun kadar uyanık olamadığını bir kez daha anladı. Birasından bir yudum aldı ve "Yakında gerçek durumu anlarız," dedi. "Bunu nasıl yapacağımızı biliyorsun. Buradan çıkınca doğruca otele gideceğiz."

Gurt sigarasından çektiği dumanı dudaklarının arasından dışarı üflerken, Lang, sigarayı bırakmasını istemesine rağmen, onun bu hareketini seksi bulduğunu düşündü. Gurt ona baktı ve "Otele neden yalnız başına dönmüyorsun sen?" diye sordu. "Teşkilat eğitiminden yıllar önce ayrılmış olan kişi ben değilim, sensin. Sanki ben yalnız başıma kendimi koruyamazmışım gibi davranma bana."

"Hayır efendim, sen de geliyorsun otele."

Bir Alman, taleple emir arasındaki farkı hemen anlardı. Lang cebinden çıkardığı birkaç Euro'yu masanın üstüne bıraktı. Gurt'la birlikte birahaneden çıktılar ve iki turist olarak etrafı seyrederek otele doğru yürümeye başladılar. Ama ikisi de sinirliydi ve kaldırımda yürürken, yanlarından geçenlerin duymaması için hafif sesle konuşuyorlardı. Turist olmaktan çıkmış, birer savaşçıya dönüşmüşlerdi sanki.

Bir süre sonra tartışmışlar ve birbirlerine öfkelenmişler gibi sinirli hareketlerle birbirlerinden ayrıldılar ve ayrı yönlere gitmeye başladılar. Peşlerinden gelen iki adam önce bakıştılar ve sonra biri Lang'ın, diğeri de Gurt'un peşine takıldı.

Artık her şey belli olmuştu, adamlar onların peşindeydi.

Lang biraz yürüdükten sonra sevgilisini kırdığına pişman olmuş gibi yavaşladı. Gurt'un arkasından gitmek ister gibi hafifçe geriye dönüp bakınca, arkasından onu izleyen adam da hiçbir şey olmamış gibi durup bir sigara yaktı ve hiç acelesi yokmuş gibi adımlarını ağırlaştırdı.

Akşam karanlığı çökmeye başlamıştı ve Lang'ın tahminine göre yaklaşık yarım saat sonra hava kararacaktı. Eğer peşinde arkasındaki adamdan başkaları da varsa Lang onları da görmek istiyordu. Biraz daha yürüdükten sonra bir elbise mağazasının vitrini önünde durup camekânın arkasındaki gömlek ve elbiselere baktı, sonra mağazaya girdi. Büyük mağazada her çeşit kadın ve erkek çamaşır ve kıyafetleri tezgâhların üzerine yayılmış, sergileniyordu. Lang tezgâhların arasında ağır adımlarla dolaşarak bir süre sonra kürklü erkek paltolarının önünde durdu ve bunlardan birini incelemeye başladı. İspanya gibi sıcak bir ülkede erkeklerin neden kürklü ağır palto giymek isteyebileceklerini anlamadı ama paltonun fiyatı uygundu. Tezgâhtarı görmek ister gibi döndü ve peşinde olan adamın da mağazaya girdiğini gördü.

Lang yakası kürklü paltoyu alıp mağazanın gerisine doğru yürüdü ve arkadaki idare bölümünü mağazadan ayıran perdeyi kaldırıp arka tarafa geçti. Orada paltoyu bir kenara bıraktı ve etrafa bakınınca daha geride küçük bir kapı gördü. Kapı-daki sürgü kolayca açıldı ve Lang binanın arkasındaki daracık sokağa çıktı.

Orada birkaç saniye durup içerden gelen öfkeli sesleri dinledi. Mağaza sahibi hiç kuşkusuz peşinden gelen adamı görmüş ve mağazanın özel bölümüne geçtiği için ona bağır-maya başlamıştı.

Lang loş daracık sokakta çıktığı kapının hemen yan ta-rafında sırtını duvara dayayarak durdu, kapı açıldığı zaman onun arkasında kalacak, dışarı çıkan adam onu ilk anda gö-remeyecekti. O sırada evinde, dolapta bıraktığı ve hiçbir işine yaramayan Sig Sauer tabancası geldi aklına ve yüzünü ekşite-rek başını iki yana salladı.

Onun arkasından dar sokağa çıkan adam önce Lang'ın durduğu noktanın ters tarafına baktı ve başını onun tarafına çevirirken, Lang birden atılıp kolunu onun boynuna doladı ve dirseğini de gırtlağına dayayarak nefesini kesti. Adam nefes almakta güçlük çekerken çırpınarak ondan kurtulmaya çalıştı ama Lang onu bırakmadı. Adam birkaç saniye sonra kendini kaybedecek, bayılacaktı. Onu bu şekilde yaklaşık yirmi dakika tutabilse adamı öldürebilirdi.

Adam iyi eğitilmiş bir ajan olsa, hemen kendini bırakıp ağırlığını saldırganın koluna aktarır ve boynundaki basıncı azaltabilirdi. Ama bu adam Lang'ın kolundan kurtulmak için çırpındı, fakat ondan uzun boylu da olmadığından bunu başa-ramadı. Birkaç saniye sonra kendinden geçip taşların üstüne yığıldı. Lang onun ceplerini arayınca bir cep telefonu, birkaç anahtar ve bir sustalı bıçak buldu. Adamın cüzdanında birkaç Euro ve kimlik kartı vardı ve Lang cüzdanla beraber cep telefonunu da kendi cebine aktardı. Sustalı bıçağı ise karanlıkta yandaki bir bahçenin duvarından içeri fırlattı.

Yerde hareketsiz duran adam birkaç kez öksürünce Lang onun çok geçmeden kendine geleceğini anladı. Aslında onu sorguya çekmek isterdi ama bunu yapmayacaktı, kendini tehlikeye atmak istemiyordu. Adam İngilizce bilmiyor olabilir, bilse bile konuşmak istemeyebilirdi. Zaten hava hızla kararıyordu ve bu karanlık daracık sokakta başına her şey gelebilirdi.

Lang omzunun üzerinden ileriye baktı ve koşar adımlarla ana caddeye doğru yürüdü. Eski eğitiminden pek fazla bir şey kaybetmediğini görmüş ve sevinmişti, hâlâ gizli bir ajan olarak çalışabileceğini anlamış, kendine güveni artmıştı.

Gurt otel odasında bekliyordu onu ve Lang içeri girer girmez genç kadın kaşlarını kaldırdı, soran gözlerle onun yüzüne baktı. Lang başına geleni ona anlattıktan sonra, "Hâlâ pek bir şey bilmiyorum," dedi. "Ama adamın cep telefonunu ve kimliğini aldım. Fakat bu adam bizi soymak isteyen basit bir haydut da olabilir."

"Basit bir haydut bizi arabayla neden izlesin ki?"

Lang onun haklı olduğunu kabul etti.

"Teşkilatta sana yardımcı olabilecek bir dostun vardır herhalde, değil mi Gurt? Şu kimlik belgesinden ve cep telefonundan bize belki bazı bilgiler sağlayabilir, ne dersin?"

Genç kadın pencerenin önüne giderek dışarı baktı ve birkaç saniye düşündükten sonra, "Evet, olabilir," dedi.

Avrupa'da bir kimlik ve Sosyal Güvenlik kartı sahibi hakkında çok geniş bilgiler sağlayabiliyor, bunu araştıran kişi

JULIAN SIRRI

kimlik kartı sahibinin akrabalarını ve son doktor ziyaretini bile öğrenebiliyordu. Ama aynı şeyi Amerika'da da yapmak mümkündü.

"Bu cep telefonu konusunda bilgi alabilirsek o da çok iyi olur."

Gurt kaşlarını çatarak topuklarını birbirine vurdu ve "Baş üstüne Komutanım," diyerek güldü. "Yemeğinizi getirmemi de ister misiniz acaba?"

Lang onun İkinci Dünya Savaşı'nda yaşananları da unutmadığına emindi. Onun oyununa o da aynen karşılık verdi ve "Buna gerek yok Madam," dedi. "Sen yardım ararken ben de otelde bir bilgisayar olup olmadığına bir bakayım, belki de şu CD'den bir şeyler çıkarabilirim."

Otel on dördüncü yüzyıl Kuzey Afrika tarzı inşa edilmiş bir binaydı ama içinde Amerikan otellerinde olduğu gibi, işadamlarına her türlü kolaylık sağlanmıştı. Lang resepsiyondaki genç kadına oda anahtarını gösterip ne istediğini söyleyince, otel görevlisi onu bilgisayarların bulunduğu odaya götürdü.

"Başka bir emriniz var mı, efendim?"

"Şey, hayır." Lang bilgisayarın klavyesine baktı ve "Bir dakika," diye ekledi. "Ben bu CD'deki fotoğrafların bazılarını basmak istiyorum, ama İspanyolca bilmem."

Genç kadın ona sempatik bir gülümsemeyle baktı ve "Hiç sorun değil, efendim," dedi. "CD'yi bana verirseniz size yardımcı olmaya çalışırım."

Lang'dan aldığı CD'yi bilgisayara koydu, birkaç düğmeye bastı ve sonra geriye çekilerek, "İşte, artık istediğiniz fotoğrafı basabilirsiniz," dedi. "Eğer bir sorun çıkarsa beni çağırabilirsiniz."

Lang bilgisayarın karşısına oturdu ve birkaç saniye ne yapacağını düşündü. Teknoloji ilerledikçe, gençler de bu alanda yaşı ileri olanlardan gittikçe çok daha bilgili ve becerikli oluyorlardı. CD'deki renksiz fotoğraflar nedense onun beklediği kadar net çıkmamışlardı. Resimlerin çoğu Lang'ın Roma'daki St. Peter'e benzettiği bir binanın ön yüzüne aitti. Bir resimde siyah üniformaya benzer bir kıyafet giymiş bir adam vardı ve onun arkasında da bir kilisenin bir kısmı görünüyordu. Adam otuzlu yaşlarındaydı, delici gözleri, sağ yanağında da bir yara izi vardı. Ama Lang dikkatle bakmasına rağmen adamın yakasındaki işaretin ne olduğunu anlayamadı, resim net değildi. Diğer fotoğraflar da gece karanlığında ya da kapalı bir yerde çekilmiş gibiydi. Bu resimlerde de aynı adam, bu kez üzerinde bazı harfler kazılı bir kayanın önünde duruyordu.

Lang resimlerdeki adamın yüzüne dikkatle ve uzun zaman baktı ama onu tanıması mümkün değildi. Onu hiçbir zaman görmediğine emindi ama adam nedense yine de pek yabancı gibi gelmiyordu ona. Lang'ın gençliğinde seyrettiği filmlerden birinde gördüğü bir aktör müydü yoksa?

Komiser CD'deki resimlerin yaklaşık altmış yıllık olduğunu söylemişti galiba. Peki ama o nerden biliyordu bunu? Fakat bir süre sonra baktığı başka bir resim ona bunun cevabını verdi. Bu resimde adamın üzerindeki üniforma net olarak görülüyordu. Adam yine binanın önünde durmuştu ve üzerindeki üniforma ya siyah, ya da lacivertti. Lang resmi gözlerine iyice yaklaştırarak bakınca adamın yakasındaki SS işaretini net olarak görebildi, Alman ordusundaki Nazilerin işaretiydi bu.

Don da zaten Naziler hakkında bir kitap yazdığına göre, bu resim de ona mantıklı geldi. Ama bir askerin uzun yıllar önce belki de ailesine gönderdiği böyle bir resim için cinayet işlenmiş olabilir miydi, mantık var mıydı bunda? Lang bilgisayarı kapadı ve odasına çıktı.

Gurt odadaki TV'de bir İspanyol filmi izliyor, filmde uzun favorili bir adam ağlayan bir kadına bağırıp duruyordu. Lang onun TV izlediğini ilk kez gördüğü için birden şaşırdı.

"Sen İspanyolca bilir miydin, Gurt?"

"Hayır, bilmem, ama bu tür filmler her dilde aynı oluyor, öyle değil mi?"

Lang zarfın içindeki CD'yi sehpanın üzerine bıraktı ve "Adam hakkında bir şeyler öğrenebildin mi bari?" diye sordu.

Gurt uzaktan kumandanın düğmesine basarak TV'yi kapadı ve "Hayır," diye cevap verdi. "Pek fazla bir şey yok, ama adam hırsızlık ve yankesicilik gibi suçlardan hapse girip çıkmış bir sabıkalıymış. Hapisten çıkalı bir ay kadar bir şey olmuş."

"Ya cep telefonu?"

"O da çalıntı, başkasına aitmiş."

Bütün bunlar İspanya ve Amerika'da hiç değişmiyordu. Pek çok ülkede ceza yasaları da aynı gibiydi ve hırsızlar, yankesiciler hapislere girip çıkarlardı. Lang yatağın kenarına oturdu ve "Böyle küçük haydutların arabası olmaz, ama bunlar herhalde araba da çaldılar," dedi. "Ya da birisi onların altına bir araba vererek bizi izlemelerini istedi. Çok daha kötü şeyler de olabilir elbette."

"Belki de bizi sadece korkutmak istediler."

Lang bu olasılığı hiç düşünmemişti. "Neden korkutmak istesinler ki?" diye sordu.

Gurt çantasına baktı. Bir sigara daha yakmak istiyor ama Lang'ın kendisine kızıp bağıracağından korkuyordu. "Bizi bu konuda araştırma yapmaktan vazgeçirmek için korkutmak istemiş olabilirler. Belki de arkadaşının kâğıtları arasında onlarla ilgili bir şeyler bulabileceğimizi düşünmüş ve bizi bundan vazgeçirmek istemişlerdir."

Bir süre hiç konuşmadan birbirlerine baktılar ve sonra Gurt, "Adamın üzerinde bıçak bulduğunu söyledin," dedi. "Seni yaralayabilir, hatta öldürebilirdi."

"Evet, peki ya seni takip eden ne oldu?"

"Ben ışıklı caddelerde kaldım. Buraya gelene kadar hiç tenha ve karanlık sokaklara girmediğim için yanıma bile yaklaşamadı."

Bir süre yine konuşmadan düşündüler, Gurt sonunda dayanamayıp bir sigara yakmaya karar verdi ve "Peki ama ne yapacağız, Lang?" dedi.

"Ben senin sorunu pek anlayamadım ama bakıyorum da kansere yakalanmak ve dişlerini lekelemek için elinden geleni yapmaya çalışıyorsun."

Gurt onun bu tarz konuşmasını zaten beklediği için söylediğine pek aldırmadı ve onu duymamış gibi, "Yani neden karışıyoruz bu işe?" diye devam etti. "Huff senin arkadaşındı belki ama o kadar da yakın değildiniz. Ben senin ondan söz ettiğini hiç duymadım. Ayrıca polisin bir şey bulamadığı bir olayda biz ne bulabiliriz ki?"

Genç kadın çoğu zaman olduğu gibi yine haklıydı. Gurt'un söyledikleri doğruydu ama Lang nedense bunu kabul etmek istemiyor, başının derde girmesini ister gibi davranıyordu. Bir yıl önce de kız kardeşiyle yeğeninin katillerini bulmak için harekete geçmiş, ölümden zor kurtulmuştu. Fakat yerel polisin başaramadığını başarmış, heyecanlı bir maceradan galip çıkmıştı. Şimdi de kendisini ölümden kurtaran bir adamın katilini bulmak için elinden geleni yapmak zorunda olduğunu düşünüyordu.

Lang onun kendisine baktığını görünce, "Ben bu konuda polisten daha çok çalışmak zorundayım," dedi. "Bunu Don'a borçluyum."

Gurt onunla tartışmak istemediği için omuz silkti ve itiraz etmedi. "Pekâlâ, nasıl istersen öyle olsun bakalım. O halde şimdi ne yapacağız?"

Lang saatine baktı ve "Bu ülkede akşam yemeği geç yeniyor, yani yemeğe kadar daha epey zamanımız var," dedi. "Don'ın evine gidip Komiserden aldığımız kâğıtları orada incelemek istiyorum. Oradaki şu indeks kartlarına da yeniden göz atmam gerekiyor."

Otele yakın ve Calle Colon'da olan eve yürüyerek gitmeleri beş dakikadan bile az sürdü. İkisi de çok dikkatliydiler ve bu kez takip edilmediklerinden emin oldular.

Kapıyı çaldıklarında hoparlörden Jessica'nın, "Kim o?" diye soran sesi duyuldu.

Bahçe kapısı açılıp içeri girdiklerinde Jessica onları hemen karşıladı ve "Polis merkezinde bir şeyler öğrenebildiniz mi?" diye sordu.

Lang, "Adamlar hiçbir şey bilmiyorlar," diye cevap verdi.

Gurt, "Bizim yardım etmemizi de istemiyorlar," diye ekledi.

Lang, "Mendezo adındaki komiser evden aldığı CD'yi ve kâğıtları hiç direnmeden verdi bize," diye konuştu ve içinde kâğıtlar olan karton kutuyu ev sahibesine uzattı. "Ama CD bende kalsın."

Evden içeri girdiler ve Jessica, "Elbette," dedi. "CD'deki resimleri basabildiniz mi peki?"

Konuşmadan önce tesadüfen o sabah oturdukları aynı koltuklara oturdular. Lang büyük bir zarf çıkardı ve "Resimleri bastım," dedi. "Sen de bak bakalım bir şeyler çıkarabilecek misin?"

Jessica resimlere baktı ve sonra hepsini tekrar zarfın içine koydu. "Bunlarda eski bir bina ve onun önünde duran üniformalı bir adamdan başka bir şey yok. Babam bunlarla ne yapmak istiyordu acaba? Bu konuda hiçbir fikrim yok."

Lang hayal kırıklığına uğradı ama böyle bir şey bekler gibiydi ve pek de şaşırmış görünmüyordu. Ayağa kalktı ve "Babanın çalışma odasında indeks kartlarının durduğu metal bir kutu vardı," dedi. "Ona bir kez daha göz atabilir miyim?"

Jessica da ayağa kalktı ve "Elbette," dedi.

Don'ın çalışma odasına çıktıkları zaman Lang ve Gurt kartları A-M ve N-Z olarak paylaştılar ve üzerlerindeki isimleri sırayla ve yüksek sesle okumaya başladılar. Onlar okurken Jessica da dikkatle dinliyor ve okunan isimleri tanımadığını göstermek için başını iki yana sallıyordu.

Lang kartlardan birini havaya kaldırarak, "Blake, David," dedi. "Adresi New York gibi görünüyor."

Jessica buna da, "Hiç duymadım," dedi.

"Blucher, Franz, Heidelberg."

"Onu da tanımıyorum."

"Skorzeny?"

Jessica başını yine iki yana salladı ama birden durdu ve "Bir daha söyler misin şunu?" dedi.

Lang kartı yüzüne yaklaştırdı ve "Skor-ze-ny," diye heceledi.

"Evet, bu o!"

Lang ve Gurt ikisi de aynı anda gözlerini ona diktiler ve "Kim o?" diye sordular.

"Babamın hakkında kitap yazdığı adamdı işte o. Bir Alman'dı ve savaş zamanında önemli bir kişilikti."

Lang, "Pekâlâ, ya Blucher, Franz?" diye sordu.

Jessica başını yine iki yana salladı ve "Hayır, bu ismi hiç duymadım," dedi.

Gurt Lang'ın yanına geldi ve elindeki karta bakarak, "Lang, lisedeyken sen de bu tür kartlara notlar yazdığını söylemiştin," dedi.

Lang ona böyle bir şey söylediğini hatırlamıyordu ama demek ki söylemişti. "Evet, böyle yapardım," dedi. "Bilgisayarlar ortaya çıkmadan önce notlarımı böyle saklardım."

"Demek ki arkadaşın Don da araştırmalarını yaparken böyle notlar alıyordu."

"Evet, öyle anlaşılıyor, ama sen ne demek istiyorsun?"

Gurt kendi kartlarının arasından birini çekerek, "Farz edelim ki..." diye devam etti. "Yani Skorzeny, Otto yazılı şu karta bakalım, bunun alt kısmında da 'Blucher, Franz' yazıyor. Senin kartınla çapraz referans var burada. Diyelim ki bu Blucher, Don bu Skorzeny hakkında yazarken onun amirlerinden biriydi, olamaz mı yani?"

Lang, "Bunu tersi de olabilir aslında," dedi.

Ama Gurt başını iki yana salladı ve "Sanmıyorum," dedi. "Jessica'nın söylediğine göre Don, Skorzeny denen bu adam hakkında yazıyordu. Ayrıca kartta Skorzeny'nin adresi de yok."

Gurt'un söylediği oldukça mantıklı görünüyordu.

"Pekâlâ, kart üzerindeki numaraya telefon eder misin?"

Gurt kartı kutuya koydu ve "Bu senin gösterin Lang," dedi. "Sen telefon et."

"Yanılmıyorsam Heidelberg Almanya'da idi. Ve sanıyorum sen de bu dili çok iyi konuşuyorsun, öyle değil mi?"

Gurt içini çekti ve Lang'a karşı yardım istermiş gibi başını masumane bir tarzda yana eğerek Jessica'ya baktı. Lang evde çamaşır makinesine fazla çamaşır tozu koyup etrafı köpük içinde bırakmak gibi beceriksizce şeyler yaptığı zaman onu haşlardı ama bu kez savunma durumunda kalmıştı.

Jessica, "Telefon şurada," diyerek ona telefonu gösterdi.

Ama Gurt ev telefonunu kullanmak yerine çantasından teşkilatın elemanlarına verdiği cep telefonunu çıkardı, bu telefonla her yere daha kolay ve rahat telefon etmek mümkündü. Gurt cep telefonunda gerekli tuşlara bastıktan sonra Don'un adını, kendi adını ve numarasını verdi ve muhatabının telefonu açmasını bekledi ama karşı taraf cevap vermedi. Herr Blucher ya evde değildi ya da cevap vermek istemiyordu.

Gurt cep telefonunu çantasına koydu ve "Şimdi ne yapıyoruz?" diye sordu.

Lang polis merkezinden aldıkları kâğıtları gösterdi ve "Şu kâğıtları aramızda paylaşıp bakalım, belki bir şeyler bulabiliriz," dedi.

Jessica yaklaşık bir dakika sonra başını kaldırarak, "Bunlar boş şeyler," diye konuştu. "Burada kitap listeleri var, şunlarda da adresler yazılmış, yani işe yarar bir şeyler bulamadım ben bunlarda."

Lang da ona hak verir gibi görünüyordu. "Şu kâğıtta sadece Montsegur diye bir tek sözcük var," dedi.

Gurt elindeki kâğıtları masaya bıraktı ve "Orası Fransa'da, Languedoc'ta," diyerek araya girdi. "Geçen yıl o bölgeye gittiğimizde bu yerin levhasını yol üzerinde görmüştüm."

Bunu söyledikten sonra Gurt ve Lang göz göze geldiler. Lang kız kardeşiyle yeğeninin katillerini ararken, güçlü Pegasus organizasyonu ile Fransa'nın güneyinde karşılaşmıştı. Onların elinden zor kurtulmuş, ölümün eşiğinden dönmüştü. O bölgeye tekrar dönmeyi hiç istemiyordu.

Lang konuşmak üzereyken cep telefonu çalmaya başladı. Bu telefonun numarasını bilen üç kişi vardı ve onlardan ikisi de o anda oradaydı.

Lang telefonu açıp, "Evet, Sara?" derken, Atlanta'da saatin öğleden sonra dört olduğunu hesapladı.

Telefondan gelen ses, konuşan sanki okyanusun ötesinde değil de çok yakınlardaymış gibi çok netti. "Yargıç Henderson, *Wiley* davasını gelecek ayın davaları programına aldı. Bunu bilmek istersin diye düşündüm."

Lang inler gibi bir ses çıkardı. *Wiley* davası büyük bir dolandırıcılık davasıydı ve Adalet Bakanlığı Lang'ın müvekkilini çok ağır bir ceza ile hapse atmak istiyordu. Bay Wiley müsrif yaşantısına devam edebilmek için lüks ve pahalı Ferrari arabasıyla yine lüks Rolls Royce arabalarından birini satmak zorunda kalmıştı. Davayı kaybederse iflası kaçınılmaz olacaktı. Daha da kötüsü, geriye kalan avukat ücretlerini bile ödeyemeyecek duruma düşecekti. Dava o kadar karışıktı ki, Wiley yargıç karşısına çıktığı zaman Lang mutlaka orada olmalıydı.

Lang telefonu kapadı ve "Jessica, memlekette acil bir durum çıktı," dedi. "Gurt ve ben hemen geri dönmek zorundayız. Biz Heidelberg'deki bu adamla oradan da temas kurmaya çalışırız. Oradaki işimi hallettiğim zaman buradaki polislerin de neler bulduğunu öğrenmeye çalışacağım, hiç merak etme, bu işin peşini bırakmayacağım."

Jessica'nın canı sıkılmıştı ama yapabileceği bir şey olmadığını anlayınca elini uzatıp onlarla tokalaştı ve "Bana yardım etmek için İspanya'ya kadar geldiğiniz için size nasıl teşekkür edeceğimi bilemiyorum," dedi.

"Baban için ne yapsam ona olan borcumu ödeyemem, Jessica. O benim hayatımı kurtardı. Bana ihtiyacın olduğu takdirde yine geleceğim buraya, hiç merak etme."

Lang oradan ayrılırken görevini yapamadığı için çok üzgün görünüyordu.

BÖLÜM SEKİZ

Güneydoğu Fransa
Montsegur
Eylül 1940

Dağcılar dağın kuzey yüzüne ancak halatlar ve çatlaklara çakılan metal çiviler yardımıyla tırmanabiliyorlardı. Doruğa tırmanmak yine de yedi saatten fazla sürdü ve beşi de yorgunluktan kımıldayamayacak haldeydiler. Bu tırmanışı sadece spor amacıyla yapmış olsalardı, mataralarındaki suyu zevkle yudumlar, sigaralarını rahatça içer ve altlarındaki manzarayı büyük bir mutluluk içinde seyrederlerdi.

Ama onlar amatör dağcılar değillerdi.

Dağ kasketlerinin altında her birinin saçları köküne kadar kazınmıştı. Hepsi kol ve bacak adalelerini gösteren kısa kollu gömlekler ve deri pantolonlar giymişti.

Hepsi aynı kıyafeti giymişti ama içlerinden birinin lider olduğu belliydi. Sağ yanağında bir yara izi olan uzun boylu, sarışın adam diğerleri gibi sert Alman aksanıyla değil de Avusturya aksanıyla konuşuyordu. Dağcılardan dördü yorgunluktan tepeye uzanırken, lider olan sarışın adam dürbünle 300 metre aşağıdaki ovayı gözetliyordu.

Grup lideri dağın dibinden geçen yolda bir toz bulutu görünce gülümsedi. Kamyonlar tam zamanında gelmişlerdi.

Arkadaşlarına kalkmalarını söylediği zaman diğerleri de mutlu bir ifadeyle bir şeyler mırıldandılar. Yere bıraktıkları çantalarını açtılar ve içlerindeki gereksiz ağırlıkları boşalttılar. Çantadan çıkardıkları kalın halatları bacak aralarından ve sırtlarından geçirip bir koşum takımı gibi vücutlarına doladılar. Çantalardan çıkarılan fenerler de halatların ucuna takıldı ve halatların ucunda birer de kanca vardı.

Bir süre sonra dağcılar, dağın güney yüzünden, kancalarını kayalara saplayarak ve halatlara sarılarak beyaz kayalardan aşağıya doğru adeta uçarcasına inmeye başladılar.

Dağın yarısına indikleri zaman taş yığınlarının bulunduğu bir düzlüğe vardılar. Burada yığın hallinde duran kayalar kare ya da dikdörtgen şeklinde yontulmuştu ve çoğu da yüzyıllardan beri bir mağara ağzını kapatmış bir duvar harabesi olarak duruyordu.

Adamlar düzlüğe inip ayaklarını yere basınca vücutlarını saran halattan kurtulup emir beklemeye başladılar. Emir hemen geldi, çünkü işleri çok aceleydi. Vichy Fransa'sının Almanlardan kurtulup bağımsızlığa kavuştuğuna diğer ülkeler insanları gibi onlar da inanmıyorlardı, ama Fransız tarihçileri ve arkeologları ne yaptıklarını bilirlerse daha sonra şikâyetler olabilirdi.

Adamlar dağıldılar ve mağaraya girmeden önce her yeri dikkatle aradılar. Liderleri bir süre düzlüğün kenarında durdu ve manzarayı seyretti, sonra diğerlerinin arkasından o da mağaraya girdi. Burası ortaçağ Fransa'sı ordularının bütün kuşatmalarına dayanmış mükemmel bir savunma hattıydı. Buraya sığınanlar sadece açlığa yenilmiş ve ancak aç kalınca bu duvarların arkasına çıkmışlardı. Harap olan şato asla işgal edilmemişti. Şatonun varlığı daha sonra, sağ kalan savunucularının gücü ve merdivenlerin kırılıp dökülmesi ve bitkilerle örtülmesi yüzünden unutulmuş, harabe yüzyılların etkisiyle adeta yok olmuştu.

Lider mağara ağzına çıkan kırık basamakları dikkatle tırmanırken içerden gelen bağırışları duyunca hızlandı. Mağaranın içi dört el feneriyle aydınlatılmıştı ve yerde her tarafı kırılıp dökülmüş bir tahta sandık duruyordu. Mağaranın tabanında ayrıca her iki ucu da kapalı silindir şeklinde bir tür toprak kap vardı. Toprak kabın üzerinde adamların ne olduğunu anlayamadığı bazı harfler ve simgeler görülüyordu.

Adamlardan biri tekrar seslendi, bir şey daha bulunmuştu. Bir süre sonra buldukları bütün toprak kapları ve plakaları alıp mağaranın önüne yığdılar. Bulunan bir demir çubuk öylesine paslanıp çürümüştü ki, adamlardan biri onu eline alınca parçalandı. Bu demir parçası bir kılıç ya da bir mızrak ucu olabilirdi. Lider arkadaşlarını daha dikkatli olmaları için uyardı.

Bir süre sonra tesadüf eseri olarak önemli bir yazılı belge bulundu. Adamlardan biri mağarada ilerlerken ayağı takıldı, düşmemek için bir yere tutunmaya çalışırken elindeki feneri düşürdü ve düşen fenerin ışığında mağara duvarına kazılmış bazı işaretler gördüler. Grup lideri onların yanına geldi ve flaşlı fotoğraf makinesiyle bu işaretlerin resimlerini çekti.

Bir süre sonra bulunan bütün toprak kapları, eşya ve belgeleri halatlarla dağın yamacında bekleyen kamyonlara indirdiler. Mağarada bulunan her şey kamyonlara yüklendikten sonra adamlar da yine halatlara sarılarak aşağıya indiler ve lider birkaç dakika daha arkada kalarak etrafı bir kez daha kontrol etti ve sonra o da arkadaşlarının ve kamyonların bulunduğu yere indi.

BÖLÜM DOKUZ

Vatikan'ın Altında
8 Ocak 1941

Monsenyör Ludwig Kaas, Papalık Devletinin günlük yönetiminden sorumlu Maliye Bakanıydı. O gün kâğıt kalem ve hesap makinesiyle çalışmayı bıraktı ve eline bir gaz feneri alarak eski Roma mahzenlerinin karanlık koridorlarına indi. Etrafta bir sürü toprak eşya yığılıydı.

Rahip ayağı bir yere takılmasın diye büyük bir dikkatle ilerlerken, "Buradaki eski Roma mezarlarının altını kazsak aşağıda binalar ve aralarında sokaklar bulabiliriz," dedi.

Papa Pius XII'nin gözlükleri fenerin ışığında parlıyor, gözleri ateş gibi yanıyordu. Bakanının sözlerini duyunca, "Evet ama o zaman da Hıristiyan mezarlarına saygısızlık etmiş oluruz," dedi.

"Evet Efendimiz, haklısınız."

Monsenyör, Papa'nın ne diyeceğini merak ediyor, sabırla bekliyordu. Papa en basit konularda bile konuşmadan önce iyice düşünürdü ki, bu da basit bir konu değildi elbette. Bu konuda Roma'daki Alman Büyükelçiliğine, Kaas'ın dostlarına bilgi veriliyordu ama Papa'nın bundan haberi yoktu. Fakat konuyla ilgilenen dostlara bu kez Vatikan Mahzenlerinde olanlar konusunda bilgi vermekte gecikmişlerdi.

Papa, "Bu konuda Tanrı'dan yardım isteyeceğim," dedi. "Bunu yapmak zorundayım."

Monsenyör, 'Sen ne kadar uzun beklersen Goebbels'in Propaganda Bakanı da bu konuda Tanrı'dan o kadar daha etkili olacaktır,' diye düşündü. Yumru ayaklı topalı düşünen Kaas'ın tüyleri de pek çok Nazi'ninki gibi ürperdi, hiç de Hıristiyanca bir duygu değildi bu. Hitler ve adamları Kilisenin gerçek düşmanlarının Komünistler ve onların Yahudi müttefikleri olduğunu çok iyi biliyorlardı.

Kaas Papalık devletinin yüksek bürokratlarından biri olarak fikirlerini kendine saklardı. Almanya'dan buraya atanırken siyasetten yararlanmamıştı ve hedefine ulaşmak için de açık konuşmayacaktı.

Ama bazen sessiz durmak da çok zor olabiliyordu.

BÖLÜM ON

Atlanta, Georgia
Akşam 7.42 (şimdiki zaman)

Lang buharlar içinde kalan duştan çıkıp havluya sarındı ve yatak odasına gitti. Ama Gurt'un hâlâ giyinmemiş olduğunu görünce şaşırdı. Aslında kadınların pek çoğunun aksine zaman konusunda oldukça titizdi Gurt ve her şeyi zamanında yapmaya dikkat ederdi. Teuton'ların çoğu gibi, ona göre gecikme düzensizliğe neden olur ve düzensizlik de karmaşa yaratırdı.

Karmaşayı ise sadece İtalyanlar severdi.

Gurt yatağın kenarına oturmuş bir şeyler okuyordu. Lang dolap çekmecesini açıp kendine çamaşır çıkarırken, "Bir sorun mu var, hayatım?" diye sordu.

Gurt teşkilatın verdiği gizli telsiz telefonunun numarasını bir kozmetik ürünleri firmasına vererek ürünlerin listesini istemişti. Ama çok geçmeden telefonuna seks ürünlerinden bebek mamalarına kadar bir sürü ürünün reklâmı gelmeye başladı. Görev zamanında kullanmanız gereken telefonun numarası ticari şirketlerin eline geçtiği zaman kendinizi bunların reklâmlarından kurtarmanız hiç de kolay olmuyordu.

Gurt başını iki yana dalladı ve "Hayır, Jessica'dan geldi bu mesaj," dedi. "Polis hiçbir sonuç alamamış."

Lang çekmeceden çıkardığı şortu bacaklarına geçirdi ve Gurt'a baktı. Amerika'ya gelirken Jessica'ya meselenin peşini bırakmayacağını söylemişti ama burada yaşarken Okyanusun ötesinde işlenmiş bir cinayeti çözmek elbette hiç kolay olmayacaktı. Gurt'a bakarken, "Heidelberg'deki şu adamı denedin mi?" diye sordu.

"Blucher'i mi? Hayır—İspanya'dan henüz iki gün önce döndük, değil mi?"

İspanya'dan iki gün önce gelmişlerdi ama buradaki işler yüzünden oradaki cinayeti hemen unutmuşlardı. Lang bürosuna girer girmez Bay Wiley'nin büyük sorunları içine gömülüvermişti. Sonuçta on altı ay hapse razı olmuşlar ve mesele çözümlenmişti. Wiley hapıs cezasını modern ve oldukça lüks cezaevlerinden birinde çekecekti ama götürdüğü paraları iade etmesi pek mümkün olmayacağa benziyordu. Wiley'nin, Lang'ın bile bilmediği pek çok bankada gizli hesabı vardı ve bunlar açığa çıkarılamamıştı.

Durum böyle olunca Lang rahatladı, hiç ummadığı kadar boş zamanı olacaktı. Giyinirken tekrar Gurt'a baktı ve "Ne dersin, İspanya'ya gidelim mi?" diye sordu.

Gurt bir elbise giydi ve sırtındaki fermuarı çekmesi için Lang'ın yanına gitti. Lang, 'Yalnız yaşayan kadınlar nasıl giyinirler acaba?' diye düşünmekten alamadı kendini.

"Sen gitmeyi çok istiyorsun galiba."

Lang onun bu cevabından pek hoşlanmadı ama sesini

çıkarmadı, sadece "İstersen şu Heidelberg'li adamı aramaya devam et," dedi. "Onun ne diyeceğini çok görmek istiyorum doğrusu."

Gurt elbisesini düzeltirken hafifçe gülümsedi ve "Bir insanın konuşmalarını nasıl görebilirsin ki?" dedi. "Sizin şu dilinizin inceliklerini bir türlü öğrenemeyeceğim galiba."

Lang, 'Bu dili hakkıyla öğrenemeyen milyonlarca Amerikalı da var,' diye düşündü ve sonra, "Zamanla öğrenirsin, merak etme," dedi.

Aslında Gurt mükemmel İngilizce konuşuyordu ama öğrenmesi gereken pek çok argo deyim ve sözcük de vardı. Gurt Amerikan yaşam tarzından çok hoşlanmış, yıllık iznini ücretsiz olarak uzatmış ve ondan ayrılmamak için elinden gelen her şeyi yapmaktan geri kalmamıştı. Gurt Amerikan alışveriş merkezlerini çok seviyordu ama onlar artık Almanya'da da açılmaya başlamıştı. Genç kadın Lang'ın apartmanında yaşayan birçok bekâr kadınla da arkadaşlık kurmuştu ve Lang çalışırken onlarla çok iyi anlaşabiliyordu. Çoğu boşanmış olan bu genç kadınlar çeşitli işlerde çalışıyor, kendilerini başka kadınlar için terk eden erkeklerinden intikam almak için değişik erkeklerle çıkıyorlardı. Çoğu da zengin bir erkek bulup çalışmaktan kurtulmak istiyordu. Ama Lang'ın tanıdığı bu kadınlardan hiçbiri henüz bu hedefine ulaşamamıştı. Bazıları kaçan kocalarından boşanırken belirli miktarlarda nafaka koparmış ama çalışmaktan yine de kurtulamamışlardı.

Lang Gurt'un bu kadınlarla nasıl arkadaşlık yaptığını ve alışveriş merkezlerinde hiçbir şey satın almadan saatlerce nasıl dolaştığını bir türlü anlayamıyordu. Onun bu yaşam tarzı belki hoş ama yine de yararsız gibi görünüyordu Lang'a, ama Gurt hoşlanıyordu bundan.

Lang, bu kızı seviyor ve asla Avrupa'ya dönmesini istemiyordu. Karısının ölümünden sonra onu teselli eden kadın Gurt olmuş ve aynı zamanda ona baba olabilme umudu da vermişti. Fakat evlilik konusu açıldığı zaman Gurt hemen bir bahane buluyor ve konuyu değiştiriyordu.

Bir gün Lang yine evlilikten söz etmek istemiş ve Gurt da ona, evliliğin aralarındaki bağı olumsuz etkileyebileceğini söylemişti. Gurt'a göre ilişkileri bu şekilde çok iyi gidiyordu ve şimdilik bunu bozmamalıydılar.

Gurt kol saatini takarken, "Yemek rezervasyonu saat kaç içindi?" diye sordu.

"Sekiz, ama biliyorsun, gideceğimiz yer çok yakın, hemen sokağın karşısında."

Sokağın karşısında, Peachtree adlı apartman binasının alt katındaki La Grotta adlı İtalyan restoranının yemekleri çok güzel, Toskanalı personeli de çok sevimli, nazik insanlardı. Ama Lang yine de Atlanta'nın hareketli Virginia-Highland bölgesindeki Manuel'in Meyhanesi adlı üniversite lokantasını arıyordu. Orası entelektüellerin buluşma yeriydi, Francis ile ayda birkaç kez orada buluşup yemek yerlerdi. Orası öyle bir yerdi ki, siyahî bir rahiple beyaz bir avukatın yemek yiyerek Latince konuşmaları kimsenin dikkatini çekmezdi. Gurt da sevmişti orasını ve Lang oraya artık neden gitmediklerini anlamıyordu. Bu da hayatına bir kadın girdiğinde, bir erkeğin başına gelen anlaşılmayan değişikliklerden biri olmalıydı.

Gurt, "Arabayla mı gideceğiz?" diye sordu.

"Sokağın karşı tarafına mı?"

"Benim bu yeni ayakkabılarımın yüksek topukları yürümeye pek uygun değil de."

Lang yürümekten ziyade vitrinde sergilenmek üzere yapılmış çok yüksek topuklu kadın ayakkabılarına alışmaya başlamıştı. Gurt güzel vücut hatlarını daha da çok ortaya koyan kıyafetler giymekten hoşlanıyordu. Bu kıyafetiyle La Grotta'ya girdiklerinde garsonların tabak düşüreceklerinden, bazı erkeklerin içkilerini dökeceklerinden ve kadınların kıskanç gözlerle bakacaklarından emindi Lang.

Ama yanındaki güzel kadının bu etkisi onun çok hoşuna gidiyordu.

Lang gömleğinin düğmelerini iliklerken kravat takmamaya karar verdi. "Sen de o ayakkabıları giyme, yürümek için hava çok güzel bu akşam."

Onlar evden çıkarken, Lang bir köşede siyah bir kürk yığını gibi uzanmış sessizce, yalnız bırakıldığı için gücenmiş gibi yatan Grumps'a baktı. Ama restorandan dönüp ona da restoran şefinin paketlediği etli kemikleri verdikleri zaman köpek neşeyle kuyruk sallayacak ve havlayacaktı.

Binanın kapısından henüz çıkmışlardı ki gökyüzü birden müthiş bir şimşeğin çakmasıyla aydınlandı ve arkasından korkunç, adeta yerleri sarsan bir gökgürültüsü duyuldu.

Gurt başını kaldırıp gökyüzüne baktı ve "Sanırım senin güzel akşamın berbat olacak," dedi. "Belki de restorana yüzerek gitmemiz gerekecek."

Gurt'un konuşması biter bitmez gökyüzü sanki yarıldı ve sağanak yağmur başladı, Lang birkaç saniye içinde sırılsıklam olmuştu. Gurt kendini geriye, apartman kapısından içeriye attı.

Lang da içeriye kaçtı ve "Lanet olsun!" diye söylendi. Yağmurda sadece birkaç saniye kalmış ama sanki suya girmiş kadar ıslanmıştı. Elini cebine attı ve arabanın anahtarını çıkarıp Gurt'a uzattı. "Şunu kapıcıya ver de ben üstümü değiştirirken arabayı kapıya getirsinler."

Lang normal zamanlarda arabasını kendi park eder ve garajdan kendisi çıkarırdı. Çünkü genç garaj çalışanları Porsche'a bindiklerinde gazı köklemekten büyük zevk alırlardı. Lang çoğu zaman başka apartman sakinlerinin arabalarının lastik gıcırtılarını duyar ve acırdı onlara. Ama bu akşam o da arabasını o genç garaj çalışanlarına emanet etmek zorunda kalmıştı ve şansını deneyecekti. Saatine bakınca geç kaldıklarını anladı ve restoranda her zaman sıra bekleyenler olduğu için masaları çok geçmeden başkalarına verilebilirdi.

Islak elbisesiyle asansörlerin önünde beklerken birden titredi, klima sistemi yüzünden üşümüştü. Birden bir gürültü duyuldu, ışıklar birkaç saniye sönerken bina sarsılır gibi oldu ve jeneratörler devreye girdi. Lang bir an için binaya yıldırım düştüğünü düşündü, ama aynı anda dışardan gelen çığlıkları duydu.

Hiç durmadan birkaç saniye önce girdiği bina kapısına koştu. Gurt'u düşünerek koşarken, birden yerdeki halının üzerinde cam parçaları olduğunu fark etti. Kapının önünde bir kadın, kaldırıma yanaşmış duran siyah bir Mercedes arabaya yaslanmış ağlıyordu ve havada, düşen bir yıldırımın ozon kokusuna benzemeyen garip bir koku vardı.

Lang kalabalığın arasında Gurt'u göremedi ve insanlar panik halinde sağa sola, yeraltı otoparkına doğru koşuyorlardı. Bazı kişiler yağan yağmura rağmen yanan bir ateşin etrafına toplanmışlardı. Bir şimşek daha çakınca Lang, ateşin çevresine toplanmış olan kalabalığın içinde uzun boylu Gurt'un başını fark etti.

Lang kalabalığa doğru koşarken havadaki garip kokuyu iyice hissetti, orada olmaması gereken bir kokuydu bu, yanan vites yağı, plastik ve kauçuk kokusuna benziyordu bu koku.

Yanan nitrojen sülfattı.

Gurt'un yanına gitti ve önce hiçbir şey anlamadan alevlere baktı. TV haberlerinde Bağdat'taki bombalama olayları görüntüsüne benzer bir şeydi bu, dört tekerlek jantı üzerinde yanan çarpılmış bir metal yığınıydı önlerinde yanan şey. Arabanın üst kısmı öylesine yanmıştı ki, ilk bakışta bir otomobil olduğunu anlamak bile kolay değildi. Lang ancak iyice dikkatli baktıktan sonra anlayabildi onun bir Porsche araba olduğunu.

Onun Porsche arabasıydı bu, her zaman garaja kendi bıraktığı ve kendi çıkardığı arabasıydı. Bu akşam da patlama olduğu zaman bu arabada onun bulunması gerekiyordu. O bunları düşünürken Gurt kolunu onun beline doladı ve "Şimdi de buraya mı geldiler yani?" dedi.

Gurt'un sözünü ettiği adamlar, Lang'ın daha önce karşılaştığı uluslararası suç karteli Pegasus idi.

Arabanın yanışı hafiflerken gözlerini ondan ayıramayan Lang başını iki yana salladı ve "Hayır, hiç sanmam," dedi. "Bana bir şey olursa kendilerinin de açığa çıkacağını biliyor onlar."

Bir yıl önce şeytanla bir anlaşma yapmıştı Lang. Pegasus'un açığa çıkması teşkilatın mahvolması demekti, ama onlar mahvolurken bir sürü masum insan da zarar görecekti. Lang onlara baskı yapmış ve Pegasus, verilen iki kurban adına kurulacak bir vakfın finansmanını kabul etmişti.

Polis ve itfaiye arabalarının geldiğini görünce Lang ve Gurt geri dönerek binadan içeri girdiler. Restoranda akşam yemeği unutuldu.

Kırk dakika kadar sonra kapı zili çalınınca Lang hiç şaşırmadı. Açtığı daire kapısının önünde yağmurdan ıslanmış zayıf bir siyahî adam duruyordu. Lang kapıyı iyice açtı ve "Buyur, içeri gir, Dedektif Rouse," dedi. "Seni bekliyordum."

Bir yıl kadar önce Lang'ı öldürme girişimini araştırmış olan aynı dedektifti bu. Lang'ı öldürmek isteyen adam yakalanmamak için onun balkonundan atlayarak intihar etmişti. Lang'ın hatırladığı kadarıyla, bu polis aksanlı ve ağır konuşurdu ve pek zeki olduğu da söylenemezdi.

Dedektif içeriye girip etrafa bakındı ve Gurt'u görünce, "İyi akşamlar, hanımefendi," dedi. Sonra Lang'a döndü ve "Bu olayda da seninle karşılaşınca pek şaşırmadım Bay Reilly," diye konuştu. "Buralarda ne zaman ölümcül bir vaka yaşansa sen onun içinde oluyorsun nedense, bunu bana açıklar mısın lütfen?"

"Bu konuda şanslıyım galiba."

Rouse başını iki yana salladı ve "Hâlâ espri yapabiliyorsun, bravo," dedi. "Ben senin yüzünden Cinayet Masasından Seks Suçları masasına atanmamı isteyeceğim galiba. Sen tek kişilik bir suçlar dalgasısın. Aşağıda yanan arabayı görünce fazla düşünmeden senin araban olabileceğini tahmin ettim, biliyor musun?"

"Çok iyi tahmin yürütüyorsun, Dedektif. Piyango bileti almalısın."

"Piyangodan para kazansam bir daha senin yüzünü asla görmem, Bay Reilly. Şimdi söyler misin bana, sen içindeyken öyle pahalı bir arabayı kim havaya uçurmak ister acaba?"

Lang omuzlarını silkti. "Belki de bir kırmızı ışıktan geçerken birinin SL 500 arabasının kapısına çarpmışımdır, kim bilir?"

Rouse etrafa bakınıp bir sandalyeyi Lang'a gösterdi ve "Şuraya otursan iyi olur Bay Reilly," dedi. "Senden bazı doğru dürüst cevaplar alana kadar burada kalacağım galiba."

Lang sandalyeye oturup hafifçe gülümsedi ve "Tüm bildiğim, Gurt'la beraber akşam yemeği için dışarı çıkmak üzere olduğumuzdu," diye anlatmaya başladı. "Kapıdan çıkınca birden yağmur başladı, ıslandım ve üstümü değiştirmek için geri döndüm. Gurt arabanın anahtarlarını kapıcıya, o da garaj görevlisine verdi ve ondan sonra bu patlama oldu işte. "Arabanın içinde ölen zavallı genci tanımıyordum bile."

Rouse dönüp Gurt'a baktı ve onun anlatılanı başıyla doğruladığını görünce tekrar Lang'a döndü. "Geçen yıl senin hakkında yaptığım araştırma sonunda donanmada görev yaptığını öğrendim, Bay Reilly. Galiba istihbarat işindeymişsin."

"Biz casuslar hep yalan söyleriz, Dedektif."

Rouse içini çekti ve "Ne düşünüyorum biliyor musun Bay Reilly?" diye devam etti. "Öyle sanıyorum ki başka bir casus ya da ajan senden intikam almak için yaptı bunu. Senin yerinde olsam koruma sağlamak için bütün bildiklerimi anlatırdım."

"Kime karşı koruma isteyeceğim ki?"

"İçinde zavallı bir çocuk varken arabanı havaya uçuran katile karşı elbette."

"Peki ama kim koruyacak beni? Havaalanında kaldırıma uzun süre park etti diye zavallı bir kadını döven eşkıyaları bile yakalayamayan, sokaklarda insanların vurulmasını önleyemeyen o polisler mi? Atlanta polisi tarafından korunmanın zevki belki büyüktür ama korkarım sokaklarda öldürülenlerin sayısı her geçen gün biraz daha artıyor. Onun için sağ ol Dedektif, ama ben koruma filan istemiyorum. Sana söyleyecek bir şeyim de yok, çünkü hiçbir şey bilmiyorum, dostum."

Dedektif işaret parmağını ona doğru uzattı ve "Kendine çok dikkat et Bay Reilly," dedi. "Geçen yıl beni atlattın ama bu kez başaramayacaksın bunu. İstersem seni alıp merkeze de götürebilirim, biliyorsun."

Lang hafifçe gülümsedi ve başını iki yana salladı. "Hiç sanmıyorum, Dedektif. Elinde hiçbir ipucu yokken beni nasıl aldığını bir yargıca kolayca açıklayamazsın herhalde, değil mi?"

Rouse daha fazla konuşmadan çıkıp giderken, Lang ve Gurt hafifçe gülümseyerek onun arkasından baktılar.

Kapıyı kaparlarken Gurt, "Bunu yapan Pegasus değilse kim olabilir?" diye sordu.

Lang kapının sürgüsünü sürerken, "Tahminime göre Seville'de peşimize o iki serseriyi takanlar olabilir," dedi.

"Peki ama kim bu adamlar?"

"Bak bu iyi bir soru işte. Bakalım Heidelberg'deki adam neler söyleyecek bize?"

Don Huff'ın katilini bulma konusunda artık düşünmeleri gerekmiyordu. Bundan sonra yapacakları araştırmanın amacı sadece eski bir dostun katilini bularak o dostun kızını mutlu etmek olmayacaktı. Bu artık kişisel bir sorun haline gelmişti. Lang'ı arabasının içinde parçalayarak öldürmek isteyen kişi ya da kişiler artık paçalarını kolayca kurtaramayacak, Lang'ı peşlerinde bulacaklardı. Lang o gece iki kez uykusundan uyandı ve kalkıp dairenin kapı kilitlerini kontrol etti. Bununla da kalmadı ve gece ilk kez olarak Sig Sauer tabancasını çekmeceden çıkarıp yatağın kenarındaki komodinin üstüne koydu.

BÖLÜM ON BİR

Atlanta Şehir Merkezi
Ertesi gün

Lang masasının üstündeki mektup zarflarını üzerlerindeki pembe kâğıt parçalarına bakarak öncelik sırasına koymaya çalışırken, Sara sekreterlik masasından zile basarak onu uyardı.

"Birinci hatta Gurt arıyor."

Lang döner koltuğunu tavandan zemine kadar inen pencereye çevirip önündeki Atlanta manzarasına bakarken ahizeye, "Buyurun hanımefendi," dedi.

"Franz Blucher ile temas kurdum."

Lang ilk önce onun kimden söz ettiğini anlayamadı ama hemen sonra başını salladı ve "Harika," dedi. "Bize yardım edebilecek mi peki?"

Gurt bir süre cevap vermedi ona, düşündü ve sonra, "Adam benimle konuşmak istemedi," diye devam etti. "Ona Donald Huff'ın bir arkadaşı adına telefon ettiğimi söyledim ama hiç konuşmadı ve telefonu kapadı. Telefonu tekrar açtım ama bu kez de kendisini bir daha asla aramamamı söyledi ve yine kapadı."

Lang pencereden aşağıdaki yaya trafiğine bakarken, "Peki ama ne söyledin ki ona?" diye sordu.

"Sana ne söylediysem onu söyledim işte."

"Bu durumda sadece bize yardım etmek istemediğini biliyoruz yani, öyle mi?"

"Hayır, onun kim olduğunu da biliyoruz. Google'da buldum onu ve kim olduğunu öğrendim."

Lang elini masaya vurdu ve neşeyle, "Gerçekten mi?" diye bağırdı. "Google çok işimize yaradı desene?"

Lang istihbarat görevini bırakmış, teşkilattan ayrılmıştı ama yine de örgütün bilgi toplama konusundaki büyük gücünü çok iyi biliyordu. Bilgisayardaki kişisel bilgiler onların da çok işine yarayacaktı. Ama bilgisayarda milyonlarca kişi hakkında bilgiler vardı ve bunlardan herkes rahatça yararlanabiliyordu. Başkaları da onları aynı yoldan araştırabilir, onlarla ilgili birçok işlem yapabilirdi. Teşkilat her elektronik olanaktan yararlanabilir, her türlü bilgiyi kolayca sağlayabilirdi. Telefonlar, bilgisayarlar, her türlü haberleşme olanakları açıktı onlara. Google'da her konuda araştırma yapma olanağı vardı ve bunu herkes yapabilirdi.

Gurt, "Adam bir üniversite hocası," diye devam etti. "Birçok makalesi, kitabı var, çok şey yazmış yani."

Bir üniversite hocasının konuşmak istememesinin berbat bir nedeni olmalıydı. "Ne hakkında yazmış adam?"

"İkinci Dünya Savaşı hakkında yazmış hep. Sadece bu konuda yazmış."

Bunun bir anlamı vardı, Don da öldürülmeden önce aynı konuda yazıyordu. "Başka ne öğrendin, Gurt?"

"Adam şimdi emekli. Babası bir gazeteciymiş ve 1945'te Berlin'de ölmüş."

"Bunların hepsini Google'dan mı öğrendin yani?"

"Şey, çoğunu diyebilirim."

Lang bir şeyler düşünürken Gurt, "Jacob da tanımış onu," diye devam etti. "Jacob anne ve babasının öldüğü Auschwitz kampı hakkında bir kitap için röportaj yapmış onunla."

Lang o anda Musevi katliamı hakkında bir kitap yazmış olan Jacob Annulewitz'i hatırladı. Jacob İsrail'e göç etmiş, Mossad için çalışmış, sonra İngiltere'ye gitmiş ve İngiliz vatandaşı olmuştu. Emekli olduktan sonra da Akdeniz'in güneşli topraklarına dönecek yerde yağmurlu ve sisli İngiltere'de kalmış, avukat olarak çalışmaya başlamıştı. Lang da Teşkilatta çalışırken onunla tanışmış ve dost olmuşlardı. Gurt gibi Jacob da Lang'ın Pegasus'la mücadelesinde ona çok yardımcı olmuştu.

Gurt'un, eski arkadaşı Jacob'la temasını adeta kıskanarak, "Jacob'la konuştun mu, Gurt?" diye sordu.

"Karısı Rachel ile konuştum...."

"Hiç kuşkusuz Londra'ya uğrarsak yemeğe çağırmıştır bizi."

"Evet, nasıl bildin bunu?"

Rachel'in yemekleri bütün istihbarat teşkilatında ün yapmıştı. Bir rivayete göre, konuşmayan casusları konuşturmak için onun ishal yapıcı yemeklerini kullanırlardı ama Cenevre Anlaşmasında bu da yasaklanmıştı. Lang da Jacob ve karısıyla son yemeğinden sonra bir süre mide gazından kıvranmış ama çabuk atlatmıştı.

"Tahmin ettim işte. Jacob arayacak mı bizi peki?"

"Rachel'in dediğine göre Jacob ve Blucher tanışıyorlarmış. Çok samimi değillermiş ama oldukça iyi tanırlarmış birbirlerini. Jacob bizi arayacak ve Blucher'le görüştürmeye çalışacakmış."

BÖLÜM ON İKİ

Atlanta, Georgia
Charlie Brown / Fulton İlçe Havaalanı
Aynı zaman

Burt Sanders işini çok severdi.

Havayolları yolcuların kullandıkları kâğıt peçetelerde bile ekonomi yapmak zorundaydılar, yoksa iflasa gidebilirlerdi. Havayolu hisse senedi sahipleri durmadan yöneticilerin değiştirilmelerini istiyorlardı. Havayolları işçi sendikaları da yöneticilerden durmadan yeni taleplerde bulunuyor, şirketleri sıkıntıya sokuyorlardı. Havayolu şirketleri ikram malzemelerinde kısıntıya gidiyor, emekli olan yöneticiler için kokteyl parti vermekten vazgeçiyorlardı.

Ama bunların hiçbiri artık Burt'u ilgilendirmiyordu.

Burt, çalıştığı havayolunun pek de cömertçe olmayan erken emeklilik teklifini kabul etmiş, Holt Vakfının baş pilotluk teklifine evet demiş, vakfın büyük Gulfstream V uçağıyla uçmaya başlamıştı. Maaşı havayollarındaki kadar yüksek olamasa da ona yakındı ve iş güvenliği de iyiydi. Vakfın yıllık

GREGG LOOMIS

geliri çok iyiydi ve sendikayla da ilgisi yoktu. Vakfın başında bulunan Reilly adındaki avukat ise uçuş konularına hiç karışmıyor, havayolları yöneticileri gibi pilotların işine burnunu sokmuyordu.

Burt işini seviyor, havayollarında olduğu gibi yöneticilerle, sendikacılarla uğraşmak zorunda kalmıyordu. Yolcu azlığı nedeniyle iptal edilen bir sefer için, yolculara, uçuşun varış noktasındaki hava durumu nedeniyle iptal edildiği gibi yalanlar söylemek zorunda da değildi artık.

Ama bu işte uçuşlar oldukça azdı ve Burt da vakit geçirmek için durmadan uçağı kontrol eder dururdu. Fakat evde oturup karısıyla kavga etmektense, uçağın deri koltuklarını temizlemeye bile razıydı. Ayrıca patron da pilotunun uçağa çok iyi ve temiz bakmasından ve bunun için ayrıca para istememesinden memnundu.

Burt ön mutfaktaki buz yapıcının onarılıp onarılmadığını kontrol etmiş, çok iyi ışıklandırılmış özel hangardaki uçağın merdiveninden aşağıya iniyordu ki makinist tulumu giymiş bir adamın uçağa doğru geldiğini gördü. Hangar anahtarının sadece kendisinde olduğunu sandığı için şaşırdı.

Adam yakına gelince, söyleyecek başka bir şey düşünemedi ve "Affedersin dostum," dedi. "Bir şey mi istiyordun, yardımcı olabilir miyim?"

Makinist de hangarın boş olduğunu sandığı için; birden uçaktan çıkan Burt'ü görünce şaşırmış gibiydi. "Şey, altimeter ayarından şikâyet eden pilot sen miydin?" diye sordu ve elindeki bir deftere baktı.

"Hayır, benim bir şikâyetim olmadı, zaten altimeter ayarını da kendim yaparım."

Makinist biraz geriye çekildi ve uçağın gövde arkasındaki kayıt numarasına baktı ve "Hay Allah!" diye söylendi. "Defterde yazılı olan numara bu değil, burada dört altı Alfa yazıyor, yanlış uçağa geldim herhalde, affedersin dostum."

Burt adamın arkasından şaşkın bir ifadeyle bakarken, hangara girdikten sonra giriş kapısını kilitlediğini hatırladı. Ama adamın uçağı şaşırmış olması daha da garipti. Charlie Brown adlı bu küçük havaalanında iki tane daha G-5 uçağı vardı ve ikisinin de kayıt numarası Alfa ile sonlanmıyordu. Belki de meydana transit bir uçak inmişti ama Burt meydandaki tüm tamircileri tanıdığını sanıyordu ve bu adamı daha önce hiç görmemişti.

Bir gariplik vardı bu işte.

Burt uçağın kapısını kilitledi, beton zeminli hangardan çıktı ve hangar kapısını da dışardan dikkatle kilitledi. Biraz önce yaşadığı olay hiç de normal değildi, ne olduğunu anlayamamış ve rahatsız olmuştu. Kendisini tatmin etmek için arabasını meydanın çıkış yolu ile avionikler (uçuş aletleri) onarım atölyesi arasındaki otoparka bıraktı ve içeri girdi.

Atölyenin kabul bürosunda Mary Jo başını kaldırıp ona baktı. Masasında torunlarının resimleri olan bu yaşlı kadın bütün pilotlar ve makinistlerle şakacıktan flört eder, eğlenirdi. Burt'ü görünce güldü ve "Gel bakalım Burt Sanders," diye seslendi. "Beni uçağınla boş bir adaya uçurmaya mı geldin yoksa? Biraz bekle de gebeliği önleyici ilacımı alayım."

Burt onun bu şakalarına hâlâ alışamadığı için utanarak güldü ve "Ciddi bir sorunum var, Mary Jo," dedi. "Burada dört altı Alfa kayıt numaralı bir uçak var mı, ya da böyle bir uçak transit olarak iniş yaptı mı bu meydana? Altimeter sorunu olan bir uçak olabilir bu."

Yaşlı kadın gözlüğünün üzerinden ona baktı ve başını iki yana sallayarak, "Burada böyle bir uçak yok, dostum," diye cevap verdi. "Biz sadece sizin vakıf uçağına, sizin G-5'e hizmet veriyoruz. Meydanda iki tane daha aynı tip uçak var ama onlar başka bir bakım şirketi kullanırlar." Durdu ve konunun değişmesine kızmış gibi, "Sen şimdi bunu boş ver de söyle bana, uçuracak mısın beni?" diye sorarak bir kahkaha attı.

Burt ciddiyetini bozmadan geriledi ve "Sağ ol, Mary Jo," dedi. "Patronla görüşmem gerekiyor."

Dışarı çıkıp Honda arabasına atladı ama huzuru kaçmıştı, ne yapması gerektiğini bilemiyordu. Arabayı çalıştırırken birden adamın elinde alet kutusuna benzer bir kutu gördüğünü hatırladı. Avionikler karmaşık aletlerdi ve bir araba motoru gibi araç üzerinde tamir edilmezlerdi. Arızalı alet uçaktan sökülerek onarım atölyesine götürülür, onarılır ve test edilip normal çalıştığı görüldükten sonra uçağa monte edilirdi. Uçağın yüksek kısmındaki aletlerin bakımı ve onarımı için de hangarda tekerlekli bir merdiven kullanılırdı.

Hangara giren makinist altimeter'i uçaktan sökmek için yanında bir alet kutusu değil, sadece birkaç tane Philips başlı tornavida getirmiş olmalıydı. O zaman adamın elindeki alet kutusunda ne vardı acaba?

Dijital altimeter kokpitte ve her iki pilotun önünde, alet panelinde bulunurdu ve kokpite girmek için de yolcu kabininden geçmek gerekirdi. Ama adam hareketli merdiveni de iterek getirmişti.

Burt bir süre daha düşündükten sonra cep telefonunu çıkardı ve Lang Reilly'ye yaşadığı olayı anlattı. Lang gelen makinist kıyafetli adamın uçaklarına bir şeyler yapmak istediğini anlamıştı. Burt hangara geri dönmüş ve kapının yine açık olduğunu görmüştü. Uçağı kontrol etmiş ve alet paneline dokunulmadığını görmüştü ama bir uzman elbette uçakta yağlı parmak izleri bırakmazdı.

Lang bir süre düşündükten sonra telefon rehberini buldu ve Charlie Brown hava alanındaki FAA (Federal Havacılık Dairesi) Güvenlik Bürosunu aradı. FAA güvenlik memuru onu dikkatle dinledi ve araştırma yapılacağını söyledi.

Lang Reilly kan basıncının yükseldiğini hissedebiliyordu. FAA Güvenlik Bürosuna yeterince güvenemiyordu, o adamlar havaalanının etrafına çekilen çitlerin yeterince güvenlik sağlayacağını düşünüyor, koltuklarında rahatça oturuyorlardı. Yeni bir Dünya Ticaret Merkezi faciası yaşanmayabilirdi ama bir Gulfstream uçağı da orta boyda bir yolcu uçağı kadar büyüktü ve çok dikkatli olmaları gerekiyordu.

Lang masasının orta kısmındaki çekmeceyi açtı, elini çekmecenin dibine uzattı ve oradaki yalancı kapağı açarak aradığını buldu ve telefon ahizesine takılan bu yuvarlak minik hoparlörü cebine koydu. Teşkilattan aldığı oyuncaklardan biriydi bu küçük hoparlör ve takıldığı ahizeyle konuşanın sesini tamamen değiştiriyordu.

Binanın giriş salonunda üç tane paralı telefon vardı.

Yarım saat kadar sonra Sara, Lang'ın büro kapısında durdu ve şaşkın bir ifadeyle ona bakarak, "Lang, telefonda bir adam var," dedi. "Seninle konuşmak istiyor, acil bir durum varmış, Taşımacılık Güvenlik Dairesinden olduğunu söyledi. Onlarla bir işimiz var mı?"

Lang elindeki dosyayı bıraktı ve gülmemek için kendini zorlarken, "Tamam, ben alırım telefonu," dedi.

Taşımacılık Güvenlik Dairesi 11 Eylül faciasından sonra kurulmuş karma bürolardan biriydi ve görevi terörist ol-

GREGG LOOMIS

masından kuşkulanılan uçak yolcularını gözaltında tutmak, dikkatle izlemekti. Sakallı, vahşi bakışlı, cüppeli mollalar ve benzeri kuşkulu kişiler güvenlikten rahatça geçirilir ama hiç gözden kaçırılmazdı.

Kısaca TSA olarak bilinen Taşımacılık Güvenlik Dairesi son zamanlarda sahte bombalar taşıyan bazı gazeteciler tarafından atlatılmış ve eleştirilmişti. Lang telefondaki adamla konuşmadan önce onların bu fırsattan yararlanarak adlarını temize çıkarabileceklerini düşündü.

Ahizeyi alıp kulağına götürdü ve "Ben Lang Reilly," dedi. "Bugün hükümetim için nasıl bir hizmet yapabilirim acaba?"

Telefonla konuştuktan sonra hemen dışarı çıktı ve yirmi dakika sonra küçük hava alanındaydı. Meydan polis kaynıyordu ve FAA makinistleri uçağın her iki motorunun kapaklarını sökmüş, uçağın gövdesinin çeşitli yerlerine merdivenler dayamışlardı.

Baş pilotu Burt Sanders Lang'ı görünce hemen yanına geldi ve üzgün bir ifadeyle, "Uçağın her yanını sökerek arıyorlar," dedi. "Umarım gelecek uçuş zamanına kadar uçağı yeniden toplayıp uçabilir hale getirirler."

O sırada iki polis köpeği iniş takımları yuvalarını koklarken, üniformalı bir polis de iniş dikmelerinin üst kısımlarını kontrol etti. Lang, "Uçmadan önce her şeyin yoluna girdiğinden emin olmalıyız," dedi.

Burt şaşkın bir ifadeyle Lang'ın yüzüne baktı ve "Anlamıyorum, Bay Reilly," dedi. "Adamlar uçağa bomba koydularsa neden polise telefon ederek bunu ihbar etsinler ki?"

Lang hafifçe başını yana salladı ve "Oh, belki de bizden parasal destek isteyen bir organizasyon intikam almak, bizi korkutmak için böyle bir ihbarda bulunmuş olabilir," dedi.

"Peki ama hangara gelen adama ne diyeceksiniz?" Burt uçağa yapılacak bir kötülükten sorumlu tutulmaktan korkuyordu, çok tedirgindi. "Yani, ben hangardan çıkarken kapıyı her zaman sıkıca, dikkatle kilitlerim."

Lang elini dostça onun omzuna koydu ve "Senin bu konuda ne kadar dikkatli olduğunu biliyorum, merak etme," dedi. "Nerdeyse haftanın yedi günü yirmi dört saat uçağın başında nöbet tutacaksın. Kapıyı iyice kilitlediğinden eminim."

"Peki ama nasıl...?"

O sırada üzerinde TSA tulumu olan bir siyahî adam yanlarına geldi, "Bay Reilly? Şöyle gelir misiniz?" dedi.

Lang ve Burt uçağın kuyruk kısmına yakın bir noktada gövdeye dayanmış bir merdivenin altına gittiler ve adam Burt'e bakarak, "Çıkıp bakabilirsin," dedi.

Burt merdivene tırmanıp çıkarılmış bir kontrol kapağından içerdeki boşluğa bakarken Lang da onu izledi. Burt'ün yüzü birden kireç gibi bembeyaz oldu ve "Oh, lanet olsun!" diye homurdandı.

Lang soran gözlerle pilota bakarken merdivenden inen Burt'ün bacakları titriyordu. Uçağın pilotu aşağıya inince güçlükle konuşarak, "Ana kontrol kablosu, yatay kumanda kanatçığına giden kablo," diye konuştu. "Tamamen paslanmış."

TSA elemanı, "Uçağın bakım defterine bakılırsa yüz saatlik bakım iki aydan az bir zaman önce yapılmış," dedi. "Bu kablo bu kadar kısa sürede paslanamaz."

Lang da artık pilotu kadar huzursuzluk içindeydi. "Peki, ama nasıl oldu bu?" diye sordu.

Uzman başını iki yana salladı. "Pek emin değilim. Ama bakımcı plakayı çektiği anda garip bir koku duyduğunu ve beni çağırdığını söyledi."

Lang bir an düşündü ve sonra, "Pekâlâ, bana bir tahmin yapabilir misin?" diye sordu.

TSA uzmanı Lang'ın yüzüne bakınca gözlerindeki parıltıdan çok sinirlendiğini hemen anladı. Bu adam, karşısındaki uzman olsa bile saçma konuşmalardan hoşlanmayacağını belli ediyordu. Onun için kaçamak ya da saçma bir cevap verip kurtulamayacağını anlayınca, "Pek emin değilim," diye cevap verdi, "Ama böyle bir şey için bir tür asit kullanılmış olabilir sanıyorum."

"Asit mi?" Lang iyice şaşırmış görünüyordu.

Burt midesinin bulandığını hissediyordu ve başını hafifçe eğerek, "Asit kabloyu iyice kemirir," dedi. "Kabloyu hemen tamamen koparmaz, iyice inceltir, kalkış öncesi uçuş kontrolünde pilot bir şey anlamaz, ama kalkıştan bir süre sonra kablo kopar."

Lang, "O zaman ne olur?" diye sorarken aslında sonucu biliyordu.

"Yatay kontrol dümeni uçağın burun aşağı, yukarı hareketlerini, yani irtifa alış verişini kontrol eder. Kablo kalkıştan hemen sonra koparsa uçak irtifa alamaz ve pistin sonunda yere çakılır."

Lang, "Uçak yerden kesildikten sonra hızını kontrol etmek mümkün olmaz mı peki?" diye sordu.

"Hızı kontrol edebiliriz ama burnu kaldıramayız ve irtifa alamazsak uçak bütün hızıyla yere çakılır. İrtifa dümeni çalışmayacağı için uçak yükselemez. Kablo inişte kopsa o zaman da piste alçalırken burnu yukarda tutamaz ve sürati düşüremeyiz, yani tekerlekleri piste koyamayız."

TSA uzmanı eliyle işaret ederek, "Benimle gelin," dedi. Lang uzmana güvenmeye başlamıştı ve onu izlerken Burt'a,

"Uçağın tam olarak toplanmasını sağla, ayrılma buradan," dedi.

"Elbette, hiç merak etmeyin, efendim."

Lang uzmanın peşinden havaalanının idare binası olduğunu tahmin ettiği bir binaya kadar yürüdü. Bir odada altı kişi televizyon ekranlarında Lang'ın hangarındaki çalışmaları izliyorlardı. Adamların üzerlerindeki işçi tulumlarının arkalarında FBI, ATF, Şerif ve Hazine Dairesi gibi çeşitli resmi ve güvenlik kuruluşlarının işaretleri yazılıydı. Lang içinden, 'Nedense Sağlık ve Maliye Bakanlıkları gelmemişler,' diye söylendi.

Orta yaşlı ve bir zamanlar güzel olduğu belli olan bir kadın elindeki kimliği Lang'a göstererek, "Sheila Burns, FBI Özel Ajanı," dedi.

Odadaki adamların hepsi de kendi birimlerinde özel ajanlar ya da "Sorumlu Özel Ajanlar"dı, hepsinin bir özel adı vardı. Lang sesini çıkarmadı ve kadının konuşmasını bekledi.

Kadın onu fazla bekletmedi ve "Uçağınıza bir sabotaj girişiminde bulunulmuş Bay Reilly," diye konuştu. "Yani bir federal suç işlenmiş burada. Uçağa yapılan şey bir bomba koymaya benziyor ve hatta kaza sanılacağı için daha da etkili bir saldırı sayılır."

Şerif yardımcısı hemen atıldı ve "Bu sabotaj konusunda bir fikriniz var mı?" diye sordu.

Burns adlı kadın ajan öfkeli bir bakışla susturdu onu. Buradaki güvenlik elemanlarının hepsinden kıdemli olduğu anlaşılıyordu. Burns diğerlerinin konuşmasına fırsat vermeden, "Sizi ya da vakfınızın yetkililerini öldürmek isteyecek biri var mı aklınızda?" diye sordu.

"Hayır."

Kadın diğerlerine bakarak konuşmamalarını sağladı, kontrolü elinde tutmak istediği belliydi. "Holt Vakfı bir yardım kuruluşu olarak geçen yıl kuruldu, değil mi?"

Lang içinden, 'Kadın Maliye bakanlığını da temsil eder gibi konuşuyor,' diye söylendi. Sonra onun yüzüne bakarak, "Evet, öyle," diye cevap verdi. "Gelişmemiş ülkelerdeki çocuk yetiştirme programlarına destek veriyor, mali yardım yapıyoruz."

"Gelir kaynaklarımız hakkında bilgi verebilir misiniz bize?"

"Gelir kaynaklarımız gizlidir, Hanımefendi."

Lang doğru söylüyordu. Pegasus organizasyonu kimliğinin açığa çıkmasını asla istemiyordu.

Burns sorusuna cevap alamadığı için sinirlenmiş gibiydi. Güvenlik kuruluşlarında çalışanlara göre, sorulan sorulara verilmeyen cevaplar suç unsuru taşıyabilirdi. Gizlilik bu tür olaylarda mazur görülemezdi.

"Ben gelir kaynaklarınızı öğrenebilirim, biliyorsunuz."

Lang gülümsedi ve "Buyrun, istediğinizi yapabilirsiniz," dedi.

Vakfın gelirleri için kullanılan karmaşık yabancı bankaları, sahte şirketleri ve kimlikleri araştırıp gerçek kaynağı bulmak için çok sayıda uzman muhasebeci ve araştırma uzmanı uzun zaman çalışsa bile sonuca kolay gidemezdi.

FBI ajanı kadın yarım saat daha çeşitli sorular sordu Lang'a ama bir sonuç alamadı ve iyice sinirlendiğini de gizlemedi. Ama aldığı eğitim gereği hemen pes edecek gibi görünmüyordu. Ama bu kadın yine de Lang'ın teşkilatta eğitim al-

JULIAN SIRRI

dığı hoca ve uzmanlardan oldukça yumuşaktı. Lang teşkilatta eğitim aldığı sırada bu tip sorgulamalarda nelerin yapılacağını çok iyi öğrenmişti. Federaller hiç kuşkusuz, gelir kaynaklarını açıklamayan vakfın yardım çalışmalarından başka alanlarda da çalıştığından kuşku duyabilirlerdi.

Kadın ajan bir süre sonra içini çekti ve "Siz avukatsınız, değil mi?" diye sordu. Bunu sorarken adeta onu suçlar gibi bir hali vardı.

Lang ayakta durmaktan yorulmuştu ama oturmak isterse bunun zayıfladığı anlamına gelebileceğini biliyordu. Ayakları ağrımaya başladığı halde sesini çıkarmadı ve "Evet," diye cevap verdi.

O sırada arka taraftan biri, "Adam avukat, ondan doğru cevap beklemek boş, değil mi?" diye söylendi. Onun avukat olduğunu ve çeşitli kelime oyunlarına başvuracağını anlamışlardı. Ajan Burns, "Demek sorgulamalara alışıksın, öyle mi?" dedi.

"Avukatlar bunu yapmazlar mı? Tanıklara şaşırtıcı sorular sorarlar, kelime oyunları yaparlar."

Odanın arka tarafındaki adamlardan biri hafif ve alaycı bir kahkaha atınca FBI ajanı kadın öfkeli bir ifadeyle ona baktı. Lang'a birkaç soru daha sordular ve sonra gidebileceğini söylediler. Sabotajla ilgili bir ipucu olmadığından şimdi ondan da kuşkulanacaklardı.

Fakat çok zengin bir vakfın milyonlarca dolarlık uçağını neden düşürmek ve onunla uçan yöneticilerini neden öldürmek isteyebileceği konusunda en küçük ve mantıklı bir ipucu yoktu. Lang'ın bu konuda bir fikri vardı ama bunu buradaki insanlarla paylaşacak değildi. Bu olayın Don Huff ile bir bağlantısı olduğuna emindi. Adamlar önce onun arabasına, sonra da uçağına saldırmışlardı. Bundan sonra da yaşadığı otuz katlı apartman binasına mı saldıracaklardı yoksa? Don'ın katilini bulmak artık onun için kişisel bir mesele olmuştu. Artık bir ölüm kalım meselesiydi bu onun için.

BÖLÜM ON ÜÇ

Atlanta Hartsfeld – Jackson Uluslararası Havaalanı
Delta Crown Odası, Yolcu Uçuş Salonu
Ertesi Gün

Gurt birasından bir yudum aldı ve kalabalık odaya göz gezdirdi. "Chicago'ya neden gittiğimizi bir daha açıklar mısın bana?"

Lang kahvesine bir şeker atarak karıştırırken, "Bu insanlar her kimse beni uzaktan gözetliyor olmalılar."

Gurt sesini yükseltmek yerine yandaki küçük çocuğun ağlamasının kesilmesini bekledi ve sonra, "Gerçekten mi?" dedi. Lang kahveden bir yudum aldı ve tadından hoşlanmamış gibi yüzünü buruşturdu. "Porsch'u garaja kendim koyup çıkardığımı biliyorlardı. Bizim binada yaşayıp da arabasını garaja kendisi koyup alan kaç kişi vardır dersin? Ayrıca yakında Gulfstream ile uzun bir uçuşa çıkacağımı da öğrenmişlerdi."

Gurt bira bardağını küçük masaya bıraktı ve "Evet, uçuşa çıkmamızı bekliyorlardı," diyerek başını salladı. Lang, "Olabilir, ama o asit kabloyu bir iki gün içinde koparır ve o zaman uçak kalkarken de sabotaj ortaya çıkardı," diye devam etti. "Bizim uçağın iyice kontrol edilip toparlanması ve uçuşa hazır hale getirilmesi oldukça uzun zaman alacağı için şimdi havayolu uçağıyla uçuyoruz."

Gurt birasını bitirdi ve bir bira daha almak için bara gitti. Etraftaki erkekler onu hayran bakışlarla izlerken kadınlar da kıskanç gözlerle bakıyorlardı. Gurt çok geçmeden bir elinde birası, diğerinde de bir paket fındık fıstıkla geri döndü. "Bu adamlar belki de senin havayolu ile uçmanı istiyorlardı, böylece nereye ineceğini rahatça öğrenebilirlerdi."

"Olabilir, ama bunu neden yapmak istesinler ki? Yani kablo ortaya çıkarılmasaydı biz uçuşa başlarken işimizi bitirmiş olacaklardı."

Gurt başını hafifçe salladı ve "Olabilir," dedi. "Ama ya seni gerçekten öldürmek istemiyorlarsa, o zaman ne diyeceksin?"

Genç kadın birasından bir yudum aldı ve yüzünü ekşiterek, "Siz buna bira mı diyorsunuz?" diye söylendi.

"Sen bu ülkede hiçbir birayı sevmedin zaten."

"Burada gerçekten de lezzetli bira yok ki." "Her neyse, adamlar nereye uçacağımızı öğrenmek isteselerdi bizim havaalanında pilot tarafından doldurulan uçuş planına bakmaları yeterli olurdu. Bana sorarsan onlar aslında İspanya'da neler bulduğumuzu öğrenmek istiyorlar.

Gurt güzel bulmadığı biradan bir yudum daha aldı ama bu kez yüzünü buruşturmadı. "Senin nereye uçacağını, varış noktasının neresi olacağını bilgisayardan da kolayca öğrenmek mümkün olurdu, değil mi?"

Bu yeni teknolojiler sayesinde takip edilen kişinin hangi araçla nereye gideceğini öğrenmek hiç de zor değildi. Zaten

Demir Perde ülkelerinin havayolları sürekli izleniyor, yolcu listeleri her uçuşta kontrol ediliyordu.

Lang'ın kahvesi soğuyunca daha da berbat olmuştu. Kahve fincanını elinin tersiyle küçük masanın ortasına itti ve "Uçacağımız yeri bir sır olarak saklayamayız elbette," dedi. "Ama adamların bizi dolaylı yollardan takip etmelerine engel olabiliriz herhalde." Teşkilatın Virginia kırsalında Çiftlik denen eğitim merkezinde bu konuda çok şey öğrenmişti Lang.

Gurt birasını bitirdi, bara baktı ama bir tane daha almaktan vazgeçti. "Nereye uçacağımızı biliyorlarsa neden takip etsinler ki bizi?"

"Belki de izlemezler bizi, ama nereye uçacağımızı öğrendiklerine göre gittiğimiz yerde kolayca peşimize düşebilirler. Fakat merak etme, ben onları atlatmanın bir yolunu bulacağımı sanıyorum."

Lang gözlerini kapamamak için zorluyordu kendini. Gözkapakları iyice ağırlaşmıştı, çünkü Chicago'dan Paris'e uçarlarken uyanık kalmak için elinden geleni yapıyordu. Sanki bilinçaltı onu uyanık tutuyor, 35.000 feet irtifada bir acil durum meydana gelirse bir şey yapabilecekmiş gibi uyanık kalmak istiyordu. Yanında getirdiği romandan sıkılınca uçakta oynatılan filmi seyretmeye başladı. Fakat bazı yolcuları sıkmamak için havayolu şirketi tarafından kırpılmış olan komedi filmi de zevk vermedi ona.

Bir süre sonra okyanusu kaç kez geçtiğini düşündü. Teşkilatta çalıştığı zaman yılda birkaç kez Amerika-Avrupa arasında uçardı. Bir kez de karısı Dawn ile geçmişti okyanusu. Karısını hatırlayınca mutlu günlerini düşündü ve duygulandı. Lang teşkilattan ayrılıp hukuk fakültesine devam ederken Dawn bütün gücüyle çalışarak ona destek vermiş, neşesiyle moral kaynağı olmuştu. Kocasının avukat olarak çalışması onu çok daha mutlu edecek, onun gizli yerlerden telefon etmesini beklemek zorunda kalmayacaktı. Lang'ın başarılı bir avukat olacağından emindi ve Lang da çok çalışarak onu mutlu etmişti.

Özgeçmişinde teşkilatta çalıştığı yıllarla hukuk fakültesi arasındaki açıklanmayan boşluk yüzünden büyük hukuk firmaları Lang'ı almak istememişlerdi. Ama o da zaten büyük firmalara bağlı olarak çalışmak istemiyordu, kendi başına çok daha başarılı olacağından emindi. Teşkilattaki dostlarının yardımı sayesinde kirli işlerle uğraşan ama iyi para ödeyen müvekkiller buldu. İlk zamanlar Colombia büyükelçiliğine yakın ama bu ülkeden sadece gül ithal etmeyen ve Amerikalı yetkililere rüşvet veren bir müvekkil sayesinde iyi para kazandı.

Avukatlığın ilk yıllarında çok başarılı oldu Lang, çok para kazandı ve Dawn ile çocuk sahibi olmadan önce Avrupa'ya uçtular. Fakat Dawn hastalandı ve çocuk sahibi olamayacağı anlaşıldı. Karısı kısa zamanda çok zayıfladı. Lang onun yatağı kenarına oturup iyileştiği zaman çıkacakları seyahatleri planlıyor, ama ikisi de artık bir yere gidemeyeceklerini çok iyi biliyorlardı. Lang akşamları hastane odasından çıkıp evine giderken her şeye lanet yağdırmaktan alamıyordu kendini.

Karısı çok geçmeden öldü ve Lang kendini bomboş bir hayatın ortasında buldu. Bir süre sonra bazı kadın arkadaşlarla gönül eğlendirmeye çalıştı ama bunu isteyerek ve zevk aldığı için değil de bazı arkadaşlarını kırmamak için yapıyordu. Tanıştığı her kız ve kadında bir kusur buluyor, kısa sürede yalnızlığa koşuyordu. Onların hiçbiri Dawn gibi olamıyordu ve o da Dawn gibisini bir daha bulamayacağından emindi. Sonunda Dawn ile mutlu yaşadığı evi sattı ve bu lüks apartman dairesine taşındı.

Ama yeni apartman dairesi de ona bomboş göründü. Üzüntü için zaman bulamasın diye halledebileceğinden daha fazla dava alıyor, başını işten kaldıramıyordu ama bir süre sonra bu da üzüntüsüne çare olamadı.

Kız kardeşinin katillerini ararken, Dawn ile evlenmeden önce birlikte olduğu Gurt ile tekrar buluştu ve ilk zamanlar, ölen karısına ihanet ediyormuş gibi suçluluk duygusu hissetti. Ama hayatında hiçbir zaman kadın sorunu yaşamamış olan Peder Francis onu teselli etti ve ölen karısını sevmeye devam ederken, başka kadınlarla da beraber olabileceğini, bunun için suçluluk duygusu hissetmemesini söyledi ona. Gurt'u severse ölen karısına ihanet etmiş olmayacaktı Lang.

Gurt ile gerçekten mutlu oldu Lang, ama genç kadın onun sürekli beraberlik ve evlilik teklifine evet demiyor, bundan hep kaçınıyordu. Lang onun sonunda Almanya'ya, teşkilattaki görevine döneceğini ve kendisini yine yalnız bırakacağını düşünüyordu. Ama Gurt ondan kopup gidene kadar bu mutluluğu yaşamaya devam edecekti.

Lang bunları düşünürken nerdeyse uykuya dalacaktı ama hoparlörde kısa bir süre sonra inişe geçeceklerini bildiren hostesin sesi duyuldu.

Gurt yeteri kadar uyuyarak dinlenmiş ve yaşayacakları maceraya hazırlanmıştı. Oldukça heyecanlı görünüyordu, gözleri pırıl pırıldı. Koca Boeing 757 tekerleklerini pistten kesip iniş takımlarını aldıktan kısa süre sonra gözlerini kapayarak derin bir uykuya dalmış ve inişe kadar da uyumuştu.

Uçağa binerken küçük valizlerini bagaja vermemiş, koltuk üzerindeki dolaplara koymuşlardı. Çünkü bagaja verilen valizleri almak için inişten sonra havaalanında çok beklemek gerekiyordu ve bazen valizler başka yere de gidebiliyor, kayıp bagaj sorunu yaşanabiliyordu.

Modern bir seyahat New York'ta kahvaltı, Paris'te akşam yemeği ve İstanbul'da da bagaj olarak tarif edilebilirdi. Ayrıca bagajını bekleyen bir uçak yolcusu, kalabalık arasında bir tabanca kurşununa ya da bir bıçağa kolayca hedef olabilirdi. Teşkilat da ajanlarına bagajlarını her seyahatte yanlarında taşımalarını tavsiye ederdi zaten. Havaalanının çıkış salonundaki hoparlörler birkaç dilden transit uçuşlarla ilgili bilgi veriyordu ama ses oldukça parazitliydi ve söylenenleri anlamak kolay değildi.

Gurt valizini Lang'a bırakarak kadınlar tuvaletine gitti. O geri dönünce bu kez Gurt valizlerin başında kaldı ve uçakta onlarla birlikte gelmiş olan herhangi bir yolcu görmek için etrafa bakınırken Lang tuvalete gitti. Lang geri gelip valizlerle birlikte bir gazete bayii önünde dergilere bakarken Gurt valizini alıp çıkış kapısındaki kalabalığın arasına karıştı. Lang yanından geçen yolcular arasında uçaktan tanıdığı kimseyi göremeyince orada beş dakika kaldı ve sonra o da Gurt'un arkasından çıkışa doğru gitti.

Yürüyen merdivenden havaalanındaki tren garına indi, bir kutunun deliğine bozuk para atarak tren bileti aldı ve şehir merkezine giden trene bindi. Yolda trenin durduğu istasyonlarda iki kez vagon, bir kez de tren değiştirdi, Seine'i geçince Ille St. Louis'de trenden indi. Takip edildiğini hiç sanmıyordu ama yakındaki köprüden geçerken, kalabalık olmayan yaya trafiğinde kendisini takip eden varsa hemen anlayabilecekti.

Nehri geçtikten sonra dar St. Louis Sokağında bir süre

bekledi ve sonra bir taksiye bindi. Lang yaklaşık bir mil uzaklıktaki adresi verdiğinde taksi şoförü suratını astı ve bir şeyler homurdandı, yakın mesafe yolcusundan hiç memnun olmamıştı. Lang taksinin takip edilmediğinden emin olduktan sonra, asık suratlı şoföre rağmen memnun bir ifadeyle kendi kendine gülümsedi.

Şoförün asık suratı onu hiç ilgilendirmiyordu, Fransızlar her zaman şarap, yemek ya da siyaset ve ekonomi benzeri konularda mutsuzluklarını belli etmekten hiç çekinmezlerdi. Şoför Lang'ın konuşmasından Amerikalı olduğunu anladı ve Amerika'nın Irak'ta yaptıklarından şikayet etmeye başladı, ama Lang Irak meselesinin Fransız şoförü neden ilgilendirdiğini anlamamıştı.

Lang birkaç dakika sonra Sol Kıyı'da, Quai d'Orsay kenarında taksiden inip şoföre parasını öderken adam hâlâ söyleniyordu. İndiği noktada hem Notre Dame, hem de St. Michael anıtı görünüyordu. Gurt kenardaki kafenin küçük masalarından birine oturmuş kahvesini yudumluyordu.

Lang masadaki diğer sandalyeyi çekip otururken, "Etraf temiz mi?" diye sordu.

Gurt fincanının kenarından ona bakarak, "Buralarda kuşkulu hiç kimseyi görmedim," dedi.

Birkaç dakika sonra St. Germain istasyonuna ve oradan da Paris'teki Avrupa uçuşlarının çoğunun merkezi olan Orly havaalanına gittiler. Lang kredi kartıyla Frankfurt'a uçan iki değişik uçuş için ikisine de sadece gidiş biletleri aldı ve telefonla bir de araba kiraladı.

Yolcu çıkış salonunda yanyana otururlarken Gurt, "Biletlerden bizi izleyebilirler," dedi.

Lang omuz silkti ve "Biliyorum," diye cevap verdi. "Ama yapabileceğim başka bir şey yok, sahte isimle çıkardığım bütün kredi kartlarımın süresi doldu, artık kullanamıyorum onları. Umarım bizi izleyenler Paris'te ararlar ya da her iki Paris-Frankfurt uçuşları için bilet alacak paraları yoktur."

"Adamlar senin banka kartlarını kontrol edebilir ve durumu anlayabilirler."

"Her neyse, belki Frankfurt'taki büro bize farklı birer kimlik kartı sağlayabilir."

Gurt yavaşça başını iki yana salladı. "Sanmam, artık ikimiz de orada görevli değiliz."

Genç kadın haklıydı, Teşkilat kendi kadrosundan ayrılmış eski ajanları için sahte kimlik kartı vermezdi ve artık onlardan destek beklememeliydiler. Ama artık çocukların bile sahte kimlik yapabildikleri, bilgisayarlarla oyuncak gibi oynayabildikleri modern çağda bu konuda kendilerine yardımcı olabilecek birini herhalde kolayca bulabilirlerdi. İstedikleri bilgileri de yine bu yoldan sağlamaları zor olmayacaktı. Kendi yaşlarında olup ölen kadın ve erkeklerin bilgisayarda ilan edilen ölüm haberlerinden yararlanabilir, onların adlarına yeni kimlik kartları çıkarabilirlerdi. Böyle sahte bir kimlik kartıyla sürücü ehliyeti ve pasaport almaları çok kolay olacaktı. Ölenin bankada küçük bir hesabı varsa onun adına istedikleri kadar kredi bile alabilirlerdi.

Aslında gerçek belgelerle sahte kimlik çıkarmak uzun süre alabilir ve bu süre içinde hem kendisi ve hem de Gurt birkaç kez saldırıya uğrayabilirlerdi ama Lang bunu düşünmek bile istemiyordu.

Ellerindeki olanakları kullanarak istediklerini sağlamak durumundaydılar.

BÖLÜM ON DÖRT

Frankfurt Havaalanı
Üç saat sonra

Lang kısa süren uçuş sırasında dayanamayıp uykuya daldı ki Teşkilat günlerinden beri ilk kez uyuyordu bir uçakta. Uçak bulutların içinden geçerek irtifa kaybedip, alçalırken pencere camlarında su damlaları görülüyordu. Yere indiklerinde yağmur yağıyordu, pist ve uçağın geçtiği taksi yolları ıslanmıştı. Uçaktan inerken saatine baktı, Gurt da diğer uçakla kırk beş dakika sonra gelecekti.

Lang başka bir Avrupa Birliği ülkesinden gelen bir Avrupalı yolcu gibi davranarak bir Japon turist grubunun yanından hızlı adımlarla geçti ve gümrüksüz kapıdan geçerek kalabalık terminal binasına girdi. Çıkış salonu Paris de Gaulle meydanında olduğu gibi çok kalabalık değildi ve Lang buna sevindi. Yolcu salonu fazla kalabalık olursa, geldiği zaman Gurt'u görmesi de zor olabilirdi.

Fakat aslında Gurt'u havaalanında bekleyip onunla orada buluşmak zorunda da değildi Lang. Birbirlerinden ayrılmadan önce havaalanlarında buluşmanın zorluğu konusunda konuşmuş ve Teşkilat bürosu yakınındaki birahanede buluşmaya karar vermişlerdi. Lang birahaneye girip bir bira içerek sosisli bir sandviç yemenin hayaliyle yürüdü.

Fakat bira ve sosisli sandviçi düşünerek yürürken etrafına pek dikkat etmemiş ve kalabalık yolcu salonunda, yaklaşık üç dört metre arkasından vitrinlere bakarak gelen adamı fark edememişti. Adamın üzerinde hâlâ ıslak olan bir yağmurluk vardı.

Lang gümrüksüz içki ve sigara satan mağazanın camından içeri bakarken, adam da yavaşladı ve kalabalık arasında, hemen yan tarafta kadın ayakkabıları satan mağazanın vitrinine bakmaya başladı. Lang ilerledi ve pastahaneden içeriye bakarken, adam da bu sefer yandaki şarap mağazasının kapısından içeri bakmaya başladı.

Fakat Lang'ın izlendiği kuşkusuyla yürümesi için paranoyak olmasına gerek yoktu. İzlendiğinden kuşkulandığı takdirde bir araba kiralama bürosuna girerek peşindeki adamı atlatmaya çalışabilirdi. Ya da kaçınma taktikleri kullanır ve peşindeki adam bır profesyonel değilse onu kolayca gözden kaybedebilirdi.

Ama bütün bu kaçınma oyunlarının işe yaramaması ihtimali de vardı tabii.

Peşindeki adamlar sadece onun İspanya'da ne öğrendiğini merak ediyorlarsa sorun büyük sayılmazdı. Ama Porsche arabasını havaya uçurduklarına göre gerçekten tehlikeli insanlar olacaklardı. İçlerinden bir veya birkaçı Gurt'un peşinde de olabilirdi. Ama Gurt'un kendini rahatça koruyabileceğinden emindi Lang, Gurt Teşkilatta birkaç kez yakın dövüş ve atış yarışmalarında kadınlar arasında şampiyon olmuştu ve çok iyi silah kullanırdı. Hatta birkaç kez erkeklerle bile yarışmış ve oldukça iyi sonuçlar almıştı. Teşkilat bürosunda Gurt Fuchs ile tartışmanın tehlikeli olabileceği söylenirdi.

Gurt hiç kuşkusuz peşindeki muhtemel kötü niyetli adamlardan da sıkılmış olacaktı. Teşkilatta çalışmış olan ajanlar her zaman için etraflarını gözetler, kaçma durumunda nereye gideceğini, arkasını görmek için vitrin camlarından nasıl yararlanacağını, silah kullanmak zorunda kalıp kalmayacağını iyi bilirdi.

Gurt için korkmasına hiç gerek yoktu, o kendisini çok rahat koruyabilirdi ve Lang aslında kendini düşünmeliydi.

Kalabalık arasında birkaç dakika daha yürüdükten sonra ileriye, etrafa bakındı ve *Damen* ve *Herren* yazılı erkek ve kadın tuvaletlerinin kapılarını gördü. Omzunun üzerinden arkasına bakmamak için kendini zor tuttu ve çok sıkışmış gibi, tuvaletlere doğru hızlı adımlarla yürümeye başladı.

Erkekler tuvaletinin kapısına adeta koşar adımlarla ulaştı ve kapıyı açarak tertemiz tuvalete girdi. Almanya'da bu tür yerler her zaman pırıl pırıl tertemiz olur, bu ülkede yaşlı kadınlar dizleri üstüne çökerek evlerinin önlerindeki kaldırımları bile fırçalayıp yıkarlardı.

Tuvalet kabinleri boştu, birinin kapısını açıp içeriye girdi, tuvalete oturup kapıyı kapadı, kilitledi ve valizini kapının altından görünecek şekilde yanına koydu. Sonra ayağa kalkıp tuvalet kapağını kapadı, valizini kapının hemen arkasına, uzunlamasına, yani ayaklarını saklayacak şekilde koydu. Dışardan eğilip kapının altından bakacak olan birisi önce valizi görecekti. Tuvaletin üzerine çıktı, kemerini çıkardı ve beklemeye başladı. Çok geçmeden tuvaletin dış kapısı açıldı ve seramik zeminde bir adamın ayak sesleri duyuldu.

Lang'ın peşinden gelen adam sırayla bütün tuvaletlerin önünde duruyor, yere eğilip zeminden oldukça yüksek olan kapıların altlarından tuvaletlerin içlerine bakıyordu. Diğer tuvaletlerin boş olduğunu ve sadece Lang'ın girdiği tuvalette valizin kapı önünde durduğunu gördü.

Adam kapının önünde doğruldu ve birkaç saniye için sırtını tuvalet kapısına döndü, büyük ihtimalle silahını çıkaracaktı. Lang iki ucunu tuttuğu kemerini tuvalet kapısının üzerinden uzatıp aniden onun boynuna geçirdi ve sıktı. Adam boynuna dolanan kemerden kurtulmak için çırpınmaya başladı ama Lang bütün gücüyle onun boynuna doladığı kemeri yukarı doğru çekerek birkaç kez sarstı. Kapının arkasındaki adam garip sesler çıkarıp çırpınırken fazla dayanamadı, nefesi kesilirken gevşedi. Lang tuvaletin üstünden yere atladı, tuvaletin kapısını bütün gücüyle iterek bayılmak üzere olan adamı karşı duvara, lavabolara kadar gönderdi.

Adam bir lavabonun altına yuvarlandı ve daha kendini toparlayamadan Lang onun üzerine atladı, başını tutup lavabonun altındaki kalın boruya birkaç kez vurdu. Adam bayılınca üzerini aradı ve iç ceplerinden birinde, namlusuna susturucu takılmış bir .28 Beratta tabanca bulup çıkardı.

Lang adamın boynuna dolanmış olan kemerini geri çekerken adam kendine gelmeye başladı, kahverengi gözlerinden ve esmer teninden hangi milliyetten olduğunu anlamak zordu. Yüzünün derisi iyice gergindi ve yaşı da belli olmuyordu. Lang tabancanın emniyetini açarak adamın alnına dayadı ve ceplerini tekrar aradı. Ceplerden birinde cüzdanını buldu ama cüzdanda sadece para vardı, kimlik taşımıyordu adam. Lang da zaten kimlik belgesi bulmayı umut etmemişti. Ama onun kimliği hakkında az da olsa biraz bilgi verebilecek bir kibrit kutusu, kiralık araba makbuzu ya da bunlara benzer bir şeyler bulmayı beklemişti. Fakat adamın bir profesyonel olduğu belliydi, kimliğini belli edecek hiçbir şey yoktu üzerinde. Nereden giyindiği belli olmasın diye elbisesindeki etiketleri bile sökmüştü.

Lang sonuç alacağını pek sanmamasına rağmen onun başını tutup tekrar boruya vurdu ve "Kim gönderdi seni?" diye sordu.

Adam zorlukla nefes alıyordu, içini çekti ve dişlerinin arasından, anlaşılabilir bir İngilizce ile, "Cehenneme git!" diye fısıldadı.

Lang o sırada arkasında birinin şaşkınlıkla içini çekerek bir şeyler söylendiğini duydu. Başını biraz kaldırıp lavabonun üstündeki aynadan arkasına bakınca, bir adamın pisuvarların önünde durmuş, şaşkın bir ifadeyle kendisine ve yere uzanmış yatan yarı baygın adama baktığını gördü. Ama sivil değildi bu adam, üzerinde koyu renkli bir polis üniforması vardı.

Erkekler tuvaletine giren adam bir polisti ve olduğu yerde hiç kımıldamadan, Lang'ın bir elindeki tabancaya ve diğerindeki cüzdana bakıyordu. Polis elini tabanca kılıfına atarken Lang yıldırım gibi fırlayıp onun üzerine atıldı, başına vurduğu bir dirsek darbesiyle polisi yere düşürdü. Polis toparlanıp ayağa kalkmaya çalışırken Lang onun beline sarıldı ve tabancasını kılıfından çekip alarak kendi kemerine sıkıştırdı. Sonra tuvaletlerin kapısına doğru hamle yaparken, "Üzgünüm dostum!" diye bağırdı. "Kalıp olanları sana açıklayacak halde değilim. Kusura bakma!"

Tuvaletlerden çıkıp kalabalığın arasına karıştı ve dikkat çekmeyecek kadar hızlı adımlarla yürümeye başladı. Ana terminal binasının sonuna geldi ve yeraltı treni istasyonuna inen merdivene koştu. Ama aşağıdaki salonda, merdiven ve eskalatörün dibinde üç polis telsizle konuşuyorlardı. Lang onların ne konuştuklarını tahmin etmek zorunda bile değildi, hiç kuşkusuz ondan söz ediyorlardı.

O anda, saldırdığı polisin tabancasını alırken telsizini de almadığına pişman oldu.

Aşağıdaki üç polis onu gördüler ve merdivene atıldılar. Lang aniden geriye gönüp kaçmaya başladı. Polisler arkasından, "Dur, polis! Olduğun yerde kal!" diye bağırıyorlardı. Lang koşarak, yolcu valizlerini elektronik kontrol bölgesine taşıyan hareketli bantların bulunduğu salona geldi.

Lang koşmaya devam ederken terminal binasının dışına açılan bir kapı arıyordu. Gördüğü ilk kapı kilitliydi ve polisler de peşinden geliyorlardı. Yine koşarak yolcu salonuna girdi ve kalabalığın arasında insanları iterek koşmaya devam etti. Biraz ilerde yolcular körüklü geçitten geçerek uçağa biniyorlardı. O da onların arasında koşarak uçağa girdi ve valizlerini baş üstündeki raflara koymaya çalışan yolcular arasından geçerek uçağın acil durum kapısının bulunduğu bölüme geçti. Arkasından koşan polisler de uçağa girmiş, ayakta valiz yerleştirmeye çalışan ve koltuklar arasındaki dar geçidi kapayan yolculara bağırarak koltuklara oturmalarını, yolu açmalarını söylüyorlardı. Lang uçağın acil durum kapısının önüne gelince kapının kolunu kuvvetle çekip çevirdi ve açılan kapıyı iterek aprona düşürdü.

Açık acil durum kapısının kenarına oturdu ve kanadın üstüne atladı. Üç metre kadar aşağıda, uçağın kargo kompartmanına bagaj yükleyen iki havaalanı işçisi kanat üstüne atlayan Lang'ı görünce şaşkınlıkla bağırmaya başladılar.

Lang kanadın kenarına oturdu ve aşağıya, aprona atladı, yere düşünce dizlerini kırarak yaylandı ve hemen ayağa kalktı. Doğruldu ve bagaj arabalarının arasından koşarak oradan uzaklaştı. Birkaç metre sonra, bagaj yüklü arabaların ön tarafında, ilk bagaj vagonuna takılı olan küçük çekici traktöre atladı, anahtarını çevirip motoru çalıştırdı ve aracı vitese takıp gaz pedalını kökledi. Taksiruttan uzaklaştı ve traktörü küçük uçakların park etmiş olduğu özel uçaklar terminaline doğru sürdü.

Özel uçaklar terminalinde güvenlik önlemleri oldukça zayıftı ve oradaki özel havacılık terminalinde çok polis olacağını sanmıyordu Lang.

O sırada pistten kesilip tırmanışa geçen büyük yolcu uçağının gürültüsünü duyunca başını kaldırıp onun arkasından baktı ve o anda bir iniş kalkış pistinin tam ortasında olduğunu anladı. Uçak sesi uzaklaşınca bu kez de polis arabalarının sirenleri geldi kulağına. Uçuş pisti üzerinde dört polis arabası sirenlerini çalarak, mavi ışıkları yanıp sönerek ona doğru büyük bir hızla geliyorlardı. Çekici traktörün gaz pedalı sonuna kadar basılıydı ama araç yeterince hızlı değildi ve polis arabaları hızla yaklaşıyorlardı. Lang özel uçaklar terminaline varmadan önce polisler onu yakalayacaklardı.

O anda aklına bir çare geldi. Polis arabaları ona yaklaşık on beş metre yaklaşmışlardı ki, Lang direksiyonu aniden çevirdi, ama arkadan gelen bagaj yüklü vagonların devrilerek traktörü de devirmesinden korktu. Fakat korktuğu olmadı ve bagaj yüklü vagonların hızla yaklaşan polis arabalarının önünde bir duvar oluşturdular. Lang traktörü durdurup aniden yere atladı ve araçla arkadaki ilk bagaj vagonunu birbirine bağlayan pimi çekerek çekici aracı serbest bıraktı.

Sağ öndeki polis arabasının şoförü önünde duvar gibi duran üstü açık ve dolu bagaj arabalarına çarpmamak için direksiyonu aniden sağa döndürürken acı bir fren yaptı. Ama beton zemin ıslak ve kaygan olduğundan polis arabası ani fren ve yön değişimi sonucu büyük bir hızla savruldu, solundaki arabaya çarptı. Diğer iki polis arabası da acı frenlere ve yön değiştirmelerine rağmen bagaj arabalarına ve birbirlerine çarpmaktan kurtulamadılar.

Sonuç olarak dört polis arabası da işe yaramaz hale geldiler.

Çekicinin arkasındaki bagaj yüklü arabalardan kurtulan Lang, hızını artırarak terminal binasına doğru sürdü aracı. Çekiciyi bir kapının önünde durdurup terminal binasından içeri koşarken iki polis arabası daha ona doğru korkunç bir hızla geliyordu.

İçerde önüne bir merdiven çıktı, büyük olasılıkla özel uçak sahiplerinin oturup uçaklarına binmek için bekledikleri lüks salona çıkıyor olmalıydı. İlk basamağa henüz basmıştı ki duvarda askılara asılmış, havaalanı teknisyenleri ve işçilerinin giydikleri yeşil tulumlar gördü. Hemen bunlardan birini alıp üzerine geçirdi. Sonra orada çalışan makinist ya da meydan işçilerinden biri gibi sakin bir halde merdivenden yukarı çıktı.

Terminal binasında polisler etrafta dolaşmaya başlamışlardı bile. Özel havayolu şirketlerinin yolcuları da korkulu gözlerle etrafa bakınıyorlardı. Terminal salonundaki hoparlörlerden herkese sakin olmaları, korkulacak bir şey olmadığı ve terminalde teröristlerin bulunmadığı söylenmekteydi.

Lang duvarlardaki otobüs ve taksi işaretlerinin çıkışı gösterdiğini tahmin ederek okların gösterdiği yöne doğru yürüdü. Levhalardaki Almanca *Ausgehen* sözcüğünün "çıkış" anlamına geldiğini biliyordu. Birkaç polis camlı çıkış kapısının önüne gelmeden birkaç saniye önce kapıyı buldu ve kendisini binanın dışına attı. Binanın dışında kimse yoktu, bir köşeyi dönüp etrafta insan göremeyince, duvarın dibine sokulup üzerindeki makinist tulumunu çıkardı ve hemen yanındaki çöp varilinin içine attı. Sonra terminal binasının ön tarafında bekleyen taksilerden birine doğru yürüdü.

BÖLÜM ON BEŞ

Frankfurt Am Main
Dusseldorf Am Hauptbahnhof Strasse
Bir buçuk saat sonra

Öğleden sonra girdiği küçük birahanenin içinde sosis ve lahana turşusu kokusundan geçilmiyordu ve bütün masalar boş gibiydi. İçerdeki tek garson elindeki peçeteyle boş masaları siliyordu. Bir masada oturan yaşlı bir adamla kadın domuz rostosu ile lahana salatası yiyorlardı.

Lang birahanenin büyük penceresinden bir zamanlar çalıştığı Teşkilatın bulunduğu binaya baktı ve karşıdaki meydanın çok temiz olmasına rağmen neden bu kadar kirli gibi göründüğünü düşündü. Hauptbahnhof Platz yani istasyon meydanı altmış yıl önce ABD ve İngiltere Hava Kuvvetleri tarafından onarılmış ve yeniden düzenlenmişti. Ama kömür yakan lokomotifleri pisliği sanki bir türlü temizlenmemişti buradan. Frankfurt bir ticaret, bankalar ve diğer finans kuruluşları şehriydi ama şehrin merkezi olan Romerberg'in kendine özgü bir güzelliği, bir çekiciliği vardı.

Lang köpüklü birasından büyük bir yudum aldı ve hardallı sosisli sandviçinden de bir parça ısırıp yemeye başladı. Bira bardağını masaya henüz bırakmıştı ki Gurt arkasından tekerlekli valizini çekerek içeriye girdi. Boş birahanede Lang'ı hemen gördü ve hafifçe gülümseyerek masaya geldi ve oturdu.

Lang masanın üzerinden uzanıp onu yanağından öptü ve "Seni merak etmeye başlamıştım," dedi.

Gurt başını iki yana salladı ve "Beni mi merak ettin? Sen mi?" diyerek güldü. "Havaalanını birbirine katmışsın, bütün yolları tutmuşlar, trenler çalışmıyordu, bir saat beklemek zorunda kaldım."

Lang arkasına yaslandı ve "Ne yaptım ki?" diyerek güldü.

"Silah çekip bir adamı soymuş, bir polise saldırmış ve silahını almışsın. Sonra da dört polis arabasının çarpışıp devrilmesine neden olmuşsun."

Gurt ona bunları söylerken sinirli miydi, yoksa zevk mi alıyordu Lang bir türlü anlayamadı. "Ben mi yapmışım bütün bunları? Bunu da nereden çıkardın, Tanrı aşkına?"

Genç kadın suratını astı ve ona cevap bile vermedi. Bir süre sustu ve sonra, "Bir saat bekledikten sonra tıka basa dolu trene de zor bindim," dedi. Sonra ona ceza vermek ister gibi, bira bardağını aldı kalan birasını bir dikişte bitirdi.

Lang, "Peki ama neden bir taksiye atlamadın sanki?" diye sordu.

Gurt elindeki boş bira bardağını masaya bıraktıktan sonra kaşlarını çatarak öfkeli bir ifadeyle onun yüzüne baktı ve "Taksi bekleyenlerin kuyruğu sonsuz gibiydi," diye cevap verdi. Her neyse, karnım çok aç, senin yaramazlıklarından söz etmek yerine bir şeyler yiyebilir miyim acaba?"

Gurt başını kaldırdı ve kendisine hayran gözlerle bakan garsona işaret etti. Üzerindeki blucin pantolon ve göğüslerini iyice belli eden bluzuyla trafiği kolayca durdurabilirdi. Garson onun işaretini alınca koşarak masaya geldi.

Gurt, "Yiyecek ne var burada?" diye sordu.

Lang orada çeşitli çorbalar, yemekler ve tatlılar da olduğunu biliyordu, çünkü geldiği zaman garsonun getirdiği menüye bakmıştı. Almanlar restoran ve birahanelerde menülere baktıkları zamanı savaşarak geçirselerdi belki de daha başarılı olabilirlerdi. Gurt garsonun eline tutuşturduğu menüyü uzun zaman karıştırıp inceledi ama sonuçta o da Lang gibi hardallı ve sosisli sandviç istedi.

Garson mutfağı salondan ayıran perdenin arkasında kaybolunca Gurt, "Havaalanını senin karıştırdığını nasıl mı öğrendim?" diyerek güldü. "Belki de tahmin ettim. Çünkü sen üzerinde adının yazılı olduğu etiketli valizini havaalanında bırakmışsın."

Lang üzerinde adının yazılı olduğu valizini havaalanında bıraktığına pişmandı ama bunu isteyerek yapmamıştı elbette. Bu tür olaylar bir insanın bulunduğu yeri inkar etmesini tamamen engellerdi. Valizlerini havaalanlarında bırakmaları Teşkilat ajanlarının en büyük kusurlarından biri sayılırdı, çünkü onların valizlerinde röntgen ışınlarıyla görülemeyen plastik kaplı silahlar, bomba parçaları ve benzer şeyler bulunurdu. Ajanların istenmeyerek de olsa unutulan valizleri onların başına büyük sorunlar açabilirdi. Gulfstream uçağı yüz saatlik bakıma girdiğinde Lang vakıf için kısa bir uçak yolculuğu yapacağı zaman bunları düşünmemiş ve valizine kendi adının yazılı olduğu kartı takmıştı.

O lanet kartta sadece adı değil, adresi de yazılıydı. Kartı gören Alman polisleri hiç kuşkusuz Amerikan polisiyle temasa geçmişlerdi bile. Başının büyük dertte olduğu belliydi.

Gurt garsonun getirdiği büyük bira bardağına sevecen gözlerle baktı ve "Ama korkma," dedi. "Ben bavulun sana ait olduğunu ama çalındığını söyledim polise."

"Teşekkür ederim, benim polisle konuşacak zamanım pek olmadı."

Gurt bira bardağından bir yudum aldı ve gözlerini kapayarak içini çekti. "Bu bira sevişmekten bile daha büyük zevk veriyor insana," deyince Lang güldü. "Bira konusunda seninle aynı fikirde olamam ben, Lang."

"Biliyorum, sen başın ağrırken bile biranı zevkle içebilirsin güzelim."

"Benim başım hiç ağrımaz diyebilirim."

Lang yine güldü ve "Peki ama polisler sana inandılar mı acaba?" diye sordu.

"Bira hakkında mı, seks hakkında mı?"

Lang başını iki yana salladı ve "Hayır, valizimin çalındığı konusunda," dedi.

Gurt omuzlarını silkti ve "Kim bilir?" dedi. "Bana kalırsa şu anda karşıdaki meydanı geçerek bizim arkadaşlardan yardım istemeye kalkmak pek de akıllıca bir şey olmayabilir. Bize yardım etmek için polisi ikna edemeyebilirler onlar da."

Bu konuda Lang da onunla aynı fikirdeydi. Almanlar topraklarında sorun yaratmak için Amerikan ajanı olma mazeretini bile kabul etmezler, suçluyu hemen yakalamak isterlerdi.

"Ama belki hikayenin doğru olup olmadığını kontrol etmek için seni dinlemeyi kabul edebilirler, bilemem."

Gurt ve Lang yarım saat kadar sonra, Mosel Sokağını geçerek pek göze çarpmayan dört katlı bir binaya doğru yürüdüler.

Taş binanın sürekli çiseleyen yağmurda kararmış ön cephesi göze hiç de güzel görünmüyor, bir hapishaneye benziyordu. Binaya yaklaşırlarken, ön cephe duvarına ve kurşun geçirmez camların arkasına gizlenmiş kameralar tarafından izlendiklerini biliyorlardı. Çatıdaki antenler sokaktan bakıldığında görünmüyordu. Pencereler kauçuk kaplı Venedik panjurlarıyla kapalıydı. Bu panjurlar indirildiği zaman dışardaki laser ya da diğer dinleme sistemlerini etkisiz kılıyorlardı.

Meydana açılan kapı da kurşun geçirmez, bombalardan etkilenmez bir yapıdaydı ve küçük bir fuayeye açılıyordu. Bir duvarda Amerikan Ticaret Ataşeliğine bağlı şirketlerin adları yazılıydı ama bu şirketlere hiçbir işadamı ziyaretçi gelmezdi, çünkü bunların hepsi sahteydi. Fuayeden geçilen salonda bir masa vardı ve burada özel güvenlik şirketi üniforması giymiş beyaz saçlı bir adam oturuyordu. Lang masanın arkasında bir rafta bir tüfek, bir televizyon monitörü ve yerde de bir alarm düğmesi olduğunu biliyordu. Masanın arkasındaki duvar bir yanı ayna olan bir camla kaplıydı ve arkası görünmeyen bu camın gerisinde silahlı nöbetçiler beklerdi.

Kapıdaki nöbetçi formalite gereği hafifçe gülümsedi ve "Yardımcı olabilir miyim, efendim?" diye sordu.

Aksanından adamın Alman değil, Amerikalı olduğu anlaşılıyordu.

Gurt kimlik kartını kaldırıp ona gösterirken, "İyi günler, Allie," dedi.

"İyi günler, hoşgeldiniz Bayan Fuchs."

Gurt nöbetçiye hafifçe gülümsedi ve "Eddie Reavers burada mı?" diye sordu.

Lang yüzü değil ama bu adı hatırlıyordu. Reavers da onun gibi Operasyonlar bölümünde göreve başlamış, sonra İstihbarata geçmişti. Ruslar tarafından yakalanıp da hayatta kalan birkaç ajandan biriydi, KGB'nin Lubyanka'daki zindanında iki yıl kalmış ve sonunda bir Rus casusuyla takas edilmiş, kurtulmuş bir kahraman gibi karşılanmıştı. Lang onun hâlâ emekli olmadığını duyunca şaşırdı.

Nöbetçi o gün gelecek olan ziyaretçiler listesine baktı ve "Bu listede adınız yok ama," dedi.

Gurt ona seksi bir ifadeyle bakarak gülümsedi ve "Evet, listede adım yok ama şehre bir arkadaşımla yeni geldiğimi ve kendisini birkaç dakika görmek istediğimi söyle," dedi.

Nöbetçi ona bir süre baktı, sonra arkasındaki telefonu aldı ve alçak sesle konuştu. Sonra masanın altından iki ziyaretçi kartı çıkarıp onlara uzattı ve "Bunları yakalarınıza takın ve girin," dedi. "Ama valizin burada kalacak Bayan Fuchs."

Gurt kendi kimlik kartını çantasına koydu ve nöbetçinin verdiği kartı yakasına iliştirdi. Sonra ne yapılması gerektiğini iyi bilen bir insan olarak iki kolunu da ileri uzattı ve ellerinin baş parmaklarını masanın üstündeki bir ekranın üstüne bastırdı.

Masanın sol tarafındaki bir kapı hafif bir ses çıkararak yana doğru açıldı, Gurt ve Lang küçük bir odaya girdiler. Beton ve çelikten yapılmış bu oda patlayıcılara karşı dayanıklıydı ve bir kişi burayı patlatacak kadar patlayıcı taşıyamazdı. Orada onları yanlarında koca bir Labrador köpeği olan tulumlu iki adam bekliyordu. Adamlardan biri elindeki M16A2 taarruz tüfeğiyle onları gözaltında tutarken, diğeri bir metal dedektörüyle Lang ve Gurt'un üzerlerini aradı ve köpek de üzerlerini koklayarak adama yardımcı oldu.

Dedektör Lang'ın kemeri hizasından geçerken ötünce Lang gülümsedi ve "Özür dilerim, unuttum," dedi.

Ceketinin eteğini kaldırdı ve adamın, havaalanındaki polisin tabancasını almasına izin verdi. Tabancanın bir Glock 9 mm olduğunu ancak o zaman fark etti. Adam tabancayı onun belinden alırken, "Üzerinde unuttuğun dinamit çubuğu filan gibi bir şeyler de olabilir mi acaba?" diye sordu.

Gurt kaşlarını çatarak öfkeli bir ifadeyle baktı adama ve "Onun benimle beraber olduğunu unuttunuz galiba," diye söylendi.

Adamların ikisi birden başlarını yana doğru salladılar ve "Özür dileriz, Bayan Fuchs," dediler. "Ama biz sadece verilen emirlere göre görevimizi yapıyoruz."

Lang o anda bu mazeretin Nuremberg mahkemelerinde pek işe yaramadığını hatırladı. Ama "Mesele yok arkadaşlar," dedi. "Siz görevinizi yapıyorsunuz elbette. Ama ben de buraya geri dönebilirim."

Gurt ve Lang arandıktan sonra bir asansöre bindiler ama asansörde katlara ait düğmeler yoktu ve dışardan bir yerden idare ediliyordu. Çıktıkları hol Lang'ın hatırladığı gibiydi, döşeme orta halli otellerin döşemelerinde kullanılan gri renkli halıyla kaplanmış, duvarlar soluk yeşil renge boyanmıştı. Dünyanın her yerinde Amerikan resmi büroları böyle dekore edilirdi. Lang bazen bu zevksiz döşemelerin renk körü olan zevksiz ve yaşlı bir kadın tarafından tavsiye edilip edilmediğini düşünürdü.

Boyalı metal kapılar kapalıydı ama arkalarından makine sesleri geliyordu. Onlar yürürken holün sonundaki kapı otomatik olarak yavaşça açıldı. Oraya doğru giderlerken içerden yumuşak bir sesin, "Umarım artık yuvana dönmüşsündür," dediğini duydular.

Güneyli, hayır batılı birinin aksanına benziyordu bu aksan. Lang bu sesi duyup adamın yüzünü de görünce Eddie "Yalnız Yıldız" Reavers'ı hemen hatırladı. Lang Teşkilattan ayrılırken bu adam da emeklilik yaşına yaklaşmıştı. Şu anda en azından yetmiş yaşında olmalıydı. Adam Batı Teksas'tan gençlik yıllarında ayrılmış olmasına rağmen memleket aksanını unutmamıştı. Kurallara göre ajanların halk içinde çalışmasalar bile dikkat çekmeyecek kıyafetler giymeleri gerekirdi. Ama Reavers kovboy botları ve geniş kenarlı kovboy şapkaları giymekten hoşlanırdı. Lang onun devlet malı Sig Sauer tabancayı da bir Colt Peacemaer ile değiştirip değiştirmediğini merak etti.

Yaşlı adam bir genç gibi dimdik duruyor, gözleri şahin gözü gibi parlıyordu. Köşeli çenesi ve sert kıvrımlı burnu onun yüzüne, hasmının üstüne atılmaya hazır bir savaşçı havası veriyordu. Saçları dökülen adamların çoğu yaşlı görünürlerdi ama Reavers'ın parlayan ve mermi şekilli başı ona Yul Brynner ya da Kojak gibi sert bir hava veriyordu.

Reavers Gurt'u pek de babacan kucaklamaya benzemeyen bir tavırla kollarına aldı ve "Yuvana hoş geldin hayatım," dedi. "Kendini iyice özlettin, biliyor musun?"

Lang adamın kovboy tarzı konuşmasını zevkle dinliyordu. Bu yaşlı kurt Gurt'la yatmış olabilir miydi acaba? Yaşlı adamın Gurt'a karşı zayıf olduğunu görmek hiç de zor değildi ama ileri yaşının kendisini engellediği belliydi.

Gurt kapının önünde onun kolları arasında yeterince uzun süre kaldıktan sonra gülerek sıyrıldı ve büroya girdi. Lang da elini uzatarak, "Ben Lang Reilly," dedi. "Beni hatırlaman zor olabilir..."

Reavers devlet malı olmadığı belli olan masanın yanına giderek Lang'a oturmasını işaret etti ve "Elbette hatırlıyorum seni genç adam," diyerek gülümsedi. "Sen bizim arkadaşlar arasında her zaman anılan bir kahramandın. Sen Doğu Berlin'e geçip Gurt'un babasını oradan kaçıran, kurtaran ajansın, nasıl unuturum seni?"

Lang bu kadar ünlü olduğunu hiçbir zaman düşünmemişti ama şimdi bunu duyunca mutlu oldu ve yine devlet malı olmadığı belli olan deri koltuğa oturdu. Aslında Reavers'ın bürosu Teşkilat istasyonunda, Sovyetler Birliğinin parçalanışı nedeniyle yapılan bütçe kısıtlamalarını yansıtmayan tek yerdi.

Lang, "Beni hatırlamana sevindim, teşekkür ederim," dedi.

Reavers elini Gurt'un elinin üstüne koydu ve Lang'a bakarak, "Üstün ıslak olduğuna göre dışarıda hâlâ yağmur yağıyor demek, öyle mi?" dedi.

Lang girdikleri büroda pencere olmadığını ancak bu sözü duyunca fark etti. Penceresiz bir büro azami güvenlikli bir yer demekti ve Reavers İstasyon Şefi olabilirdi. Aslında çok kıdemli bir ajandı ve bunu hak etmişti elbette.

Lang, "Evet, hâlâ yağmur yağıyor," dedi. "Gökyüzü kapkaranlık."

Reavers masasının arkasına geçti, koltuğuna oturup arkasına yaslandı ve "Hatırlarsın, bu hava günlerce devam edebilir," diye konuştu. "Bazen memleketi özlüyorum, yazları Batı Teksas'ta hiç yağmur yağmaz ve çocukluğumda bir gün, kaldırım taşlarının yumurta pişirecek kadar sıcak olduğuna dair bütün haftalığımla iddiaya girmiştim."

Gurt, "Ee, kazandın mı iddiayı?" diye sordu.

Reavers bir kahkaha attı ve "Kaldırımın sıcaklığını öğrenemedik hayatım," dedi. "Yumurtayı kaldırıma götürene kadar zaten pişmişti."

Lang da kahkahayla gülerken Gurt bunun ne anlama geldiğini anlamak ister gibi düşünüyordu.

Reavers kollarını uzatarak iki elini de masasının üstüne koydu ve "Sizin için ne yapabilirim çocuklar?" diye sordu. "Sanırım Gurt henüz göreve dönmeye hazır değil ve Lang, sen de yeniden eğitim görecek kadar genç sayılmazsın."

Bu ihtiyar çok kurnaz bir hergeleydi ama Lang yine de onu sevmeye başladığını hissetti. Hafifçe gülümseyerek, "Korkarım haklısın," diye cevap verdi ona. "Eğitim için tekrar Çiftliğe gidecek halim yok bu yaştan sonra elbette. Ama deneyimlerimden yararlanabilirim sanıyorum. Eski Berlin Bürosundan Don Huff'ı hatırlar mısın bilmem? Emekli olduktan sonra İspanya'da yaşıyordu ama orada öldürüldü. Kızı benden konunun aydınlatılması için yardım istedi."

Lang bunu söyledikten sonra olayla ilgili bütün bildiklerini ihtiyar kurta anlattı.

Reavers onu dinledikten sonra başını iki yana salladı ve "Hayır, Huff'ı tanımadım," dedi. "Ama bir arkadaşımızın Berlin'de başarıyla görev yaparak emekli olduktan sonra öldürüldüğünü duymak üzdü beni, dostum. Fakat hayat çok acımasız ve bunu hepimiz biliriz. Peki, bu konuda size nasıl yardımcı olabilirim, söyleyin. Anladığım kadarıyla zor durumdasınız, öyle mi?"

Gurt oturduğu koltukta ona doğru hafifçe eğilerek göğsünün üst kısmını hafifçe açığa çıkardı ve "Korkarız Frankfurt polisi Lang'ın peşinde, onu arıyor," diyerek hafifçe gülümsedi. "Valizini havaalanında bırakmak zorunda kaldı . . . valizin üzerinde de kendi kartı var."

Lang karşısındaki ihtiyarın güzel Gurt hatırına bir şeyler yapabileceğini seziyordu. Yaşlı kurt onlara yardımcı olacak gibi görünüyordu. Bavul konusunu duyunca yüzünü buruşturdu ve başını iki yana sallayarak, "Bavulu orada unutman kötü olmuş elbette," dedi. "Bu konuda ne yapabilirim düşünmem gerek."

Gurt, "Onlar bavuldaki karta bakarak Lang'ı kendi adıyla arıyorlar," diye konuştu. "Başka bir isme çıkarılmış sürücü belgesi, pasaport ve birkaç kredi kartı onun çok işine yarayabilir, değil mi?"

Reavers başını yavaşça iki yana salladı ve "Lang, memlekette politikacılar bütçemizi nasıl kıstılar duymuşsundur," diye konuştu. "Biz sadece Komünistleri düşmanımız sanırdık. Ülkede enflasyon olmasına rağmen Teşkilat bütçesi yirmi yıl önce bile bugünkü bütçenin üç katıydı. Almanya'da istediğimiz işleri yapmak için, açıktan para ödemek bir yana, öyle zaman oluyor ki telefon faturalarımızı bile zor ödüyoruz, dostum. Bazı aylar parasızlıktan ne yapacağımızı şaşırıyoruz. Washington'daki politikacılarımız bu Arapların, petrolü ellerinde tutarak dünyayı idare etmek istediklerini iyice anlamalılar... Ama dur bakalım..."

Reavers kalkıp kapıya doğru yürüyünce Lang şaşırdı. Yaşlı casus, "Sana sahte kimlik sağladığım duyulursa kıçıma tekmeyi vururlar, biliyorsun," diyerek güldü. "Ama ben de o zaman Gurt'un bana silah çekerek hayatımı tehdit ettiğini söylerim onlara. Hadi gelin bakalım benimle. Alt kata inerek fotoğrafını çektir Lang, bir saat içinde senin kimliğini tamamen değiştirmiş oluruz. Ondan sonra ne istersen yapabilirsin, dostum. Başka bir istediğin var mı?"

Gurt hemen atıldı ve "Heidelberg," dedi. "Orada Huff'ın birlikte çalışmış olduğu bir adam var."

Yaşlı ajan kapıyı açarak Gurt'un çıkmasını bekledi ve hafifçe gülerek, "Her neyse, ben tamamen küflenmeden şu yağmur çiselemesi bitse çok iyi olacak," dedi.

BÖLÜM ON ALTI

Heidelberg, Almanya (Hauptstrasse)
Haus zum Ritter
O akşam

Frankfurt'tan buraya kadar olan seksen dört kilometreyi arabayla olaysız katettiler. İkisi de yeni kimlikleriyle, Macon, Georgia'dan gelmiş Mary ve Joel Coch adlı evli çift olmuşlardı. Pasaportlarındaki giriş damgasına bakılırsa Frankfurt'a daha o sabah gelmişlerdi. Teşkilat onlara yeni adlarıyla birkaç tane de banka kredi kartı vermişti. Otele girdiklerinde onlara otel restoranında masa isteyip istemedikleri sorulunca Lang hemen evet dedi.

Lang otelin üçüncü katındaki dairelerinin penceresinden dışarıya bakınca, aşağıdaki boş meydanın karşı tarafındaki on dördüncü yüzyıl kilisesini ve hava yavaşça kararırken gökyüzünün koyu rengini yansıtan Nekar'ın ağır ağır akan sularını gördü. Gurt bir sigara yakmıştı ama Lang bunun o günün ilk sigarası olduğunu sanıyordu ve Gurt aşağıdaki manzarayı seyretmek yerine, 1592 yılında inşa edilmiş bu büyük evin nasıl olup da lüks bir otel haline getirildiğini düşünüyordu.

Gurt masanın üstünde bir zamanlar üzerine mumlar konulan, ama daha sonra kollarına ampuller takılarak lüks bir aydınlatma aracı haline getirilen yaldızlı şamdanı inceliyordu. "Sana masa isteyip istemediğini sorduklarında hiç düşünmeden evet dedin Lang. Daha önce yemek yedin mi bu otelin restoranında?"

Lang o sırada pencerede yana doğru eğilmiş, ilerdeki tepe üzerinde bulunan şato harabesini görmeye çalışıyordu. "Yıllar önce Teşkilat bir araştırma ekibi göndermişti buraya," diye cevap verdi. "Ruslarla ilgili araştırma yapan bazı üniversite hocaları Komünistlerin bazı özel durumlarda nasıl davranacakları konusunda çalışma yapıyorlardı. Ben de ayda bir bu şehre gelir ve hep bu otelde kalırdım. Alman arkadaşlardan biri tavsiye etmişti buranın restoranını. Yemekleri çok güzeldi."

Gurt hafifçe gülümsedi ve "Bizim ülkenin salçalı dana etlerini çok sevdiğini biliyorum. Ama burada çok kalırsak Amerika'ya şişman olarak dönebilirsin," dedi.

Lang onun yüzüne bakarak gülümsedi ve sonra gözlerini yatağa çevirerek, "Sen de beni şurada zayıflatabilirsin," diye cevap verdi.

"Ama sen yemek yemeyi sevişmekten daha çok seviyorsun."

Lang geniş yatağın kenarına otururken onu da tutarak kendine doğru çekti. "Öyle mi diyorsun? İstersen yemek öncesi bir deneme yapalım, ne dersin?"

Gurt onun yanına uzanırken şuh bir kahkada attı ve "Herr Blucher'i arasak daha iyi olmaz mı?" dedi. "Buraya gelmemizin nedeni o değil mi?"

Lang onun söylediğini düşününce odadaki romantik havanın bir anda uçup kaybolduğunu hissetti. Gurt onu istediği

JULIAN SIRRI

gibi yönetmeyi çok iyi biliyor, her zaman öncelikleri hatırlatıyordu ona.

"Tamam, tamam, arayalım bakalım. Numara şurada olacaktı."

Cüzdanından numarayı çıkaran Lang onu ve cep telefonunu Gurt'a uzattı. Gurt telefonda birkaç cümle konuştuktan sonra Lang'a, "Buranın adresi nasıl?" diye sordu.

"Hauptstrasse Haus zum Ritter. Adam buraya mı gelmek istiyor yoksa?"

Gurt telefonla biraz daha konuştu, sonra neşeli bir sesle, "*Auf Wiedersehen*," diyerek kapadı ve başını iki yana sallayarak, "Hayır," dedi. "Yarın saat onda şatoda buluşacağız."

"Şatoda mı? Burada ya da kendi evinde buluşmak istemedi, öyle mi? Arada Jacob olduğu halde bize güvenmiyor olmalı, bizimle buluştuğu zaman etrafta başka insanlar da olmasını istiyor demek ki."

Gurt onu yatağın üstüne itti ve "Pekala," dedi. "Biraz önce ne yapmak istiyordun sen bakalım?"

Lang o akşam restoranda güzel yemekleri biraz fazla kaçırdı ve schnapps denen hazmettirici içkisini yudumlayıp midesini ovmaya başlarken, "İstersen biraz yürüyüş yapalım, ne dersin?" dedi.

Dışarda yağmur çiselemesi durmuş, bulutlar kaybolmaya başlamıştı. Caddedeki ışıklara rağmen gökyüzündeki yıldızlar hafifçe görünüyordu. El ele tutuşarak Gotik ön cephesi projektörlerle aydınlatılmış olan kiliseye yürüdüler. Biraz daha gidince nehrin kenarındaki Lauerstrasse'ye geldiler. İskeleye bağlanmış yaklaşık otuz metre boyunda iki tane üzerleri camlı tur teknesi suda hafifçe sallanıyorlardı.

Gurt birden, "Frankfurt havaalanında polisten aldığın tabanca yanında mı?" diye sorunca Lang o sakin ortamda ona ne diyeceğini şaşırdı ve yanlış duymuş olabileceğini düşündü.

"Ne dedin? Yanlış anladım galiba."

"Hayır hayatım, polisten aldığın tabanca yanında mı diye sordum."

Lang elini hemen sırtına götürdü ve beline sıkıştırdığı Glock tabancayı yoklayarak, "Evet," dedi. "Ama şimdi neden sordun bunu?"

Gurt cilveli bir ifadeyle hafif bir kahkaha attı ve burnunu hafifçe onun yanağına sürerken, "Bir, belki de iki adam takip ediyor bizi," diye fısıldadı.

Lang bulundukları ortamın bir anda romantik olmaktan çıkarak tehlikeli olduğunu hissetti. Hava iyice kararmıştı, etrafta başka dolaşan çiftler yoktu ve nehrin kararmış suları bulundukları yeri mükemmel bir cinayet mahalli haline getiriyordu, adamlar onları oracıkta öldürüp rahatça kaçabilirlerdi. Sol eliyle Gurt'un elini tutarak sağ eliyle gerektiğinde tabancayı hemen çekebilecek şekilde hazırlandı ve sırtlarını yavaşça duvara doğru çevirdi.

Etrafta iskele babalarına çarpan nehir sularının şıkırtısından ve arada sırada geçen otomobillerin motor sesinden başka ses duyulmuyordu. Burada çok kolayca tuzağa düşürülebilirlerdi. Kilise önlerindeydi ve nehir kenarındaki dükkanların hepsi kapanmıştı. Her taraf bomboştu.

Lang önünden geçtikleri binanın karanlık kapı eşiğine doğru yaklaşırken tabancayı belinden çıkardı ve emniyetini açtı. Silahın şarjörünü çıkarıp yoklayınca dolu olduğunu anladı ve rahatladı. Şarjörün yerinden çıkarılıp tekrar takılması bir uyarı sesi çıkarmıştı ve sessiz ortamda onları takip eden adam ya da adamlar da bu sesi duymuş olmalıydılar.

Onlar ne tarafa gitmeleri gerektiğini düşünürken, karanlıkların içinden birden bir adam birkaç metre önlerinde beliriverdi. Lang silahını doğrulturken adam iki kolunu havaya kaldırdı ve "Ateş etmeyin Bay Reilly," diye seslendi. "Ben Franz Blucher'im."

Lang birden irkildi, tabancayı Gurt'a verdi ve onu binanın karanlık kapı eşiğine doğru itip ateş hattından çıkarmaya çalışırken adama doğru, "Olduğun yerde kal, Herr Blucher," diye seslendi. "Ellerini de görebileceğim şekilde yukarda tut."

Franz Blucher ufak tefek, yaşlıca bir adamdı, üzerinde eski bir kadife pantolon ve bir dirseği yırtılmış koyu renkli bir süveter vardı, karmakarışık saçları yakındaki sokak fenerinin ışığında parlıyordu.

Lang onun silahsız olduğunu anlayınca, "*Sprechen Sie Englese?*" diye sordu.

Bunu sorması saçmalıktı aslında çünkü adam ona hitap ederken zaten İngilizce konuşmuştu. Şimdiye kadar tanıdığı Batı Almanların içinde iyi İngilizce konuşmayan bir adam hiç görmemişti Lang. Kendisi de onların dilini o kadar iyi konuşmak isterdi doğrusu.

Yaşlı adam cebinden bir gözlük çıkarıp taktı ve "İngilizceyi yeterince iyi konuştuğumu sanıyorum," diye cevap verdi. "Siz Bay Reilly'siniz, değil mi?"

Adam eğitimli İngilizler gibi ve onların aksanıyla düzgün bir İngilizce konuşuyordu. Lang, "Siz Franz Blucher olduğunuza göre ben de Reilly'yim," dedi.

Blucher başını salladı ve belki de kimlik kartı göstermek zorunda olduğunu düşündü. Pantolonunun arka cebinden yıpranmış bir pasaport çıkardı ve Lang'a uzattı. Lang pasaportu aldı ve sokak lambasının altına giderek baktı ama tam olarak okuyamadı. Fakat adama inandığını göstermek için pasaportunu ona iade etti ve "Pekala, ben Lang Reilly'yim," derken karanlık köşeden çıkan Gurt'u göstererek, "Bu da Gurt Fuchs," diye ekledi. "Akşam üzeri onunla telefonda konuştunuz."

Adam dikkatle Gurt'a baktı ve başını salladı. "Evet, evet, onunla konuştum ben."

Lang ellerini cebine soktu ve başını iki yana sallayarak, "İnsanların karşısına karanlıkta böyle aniden çıkmak tehlikeli olabilir, Herr Blucher," dedi.

Blucher onların beklediği kişiler olduğunu anladıktan sonra gözlüğünü çıkarıp tekrar cebine koydu ve "Tamam, Frau Fuchs..." derken, Gurt evli olmadığını belirtmek için, "Fraulein Fuchs," diye düzeltti onu.

"Pekala, Fraulein Fuchs nerede kaldığınızı söyledi bana. Onunla konuştuktan sonra yarına kadar beklemek istemedim ve otelinize telefon ettim, bana yemekte olduğunuzu söylediler. Sizi görmek için otele gittim ama yemeği bitirip çıktığınızı öğrendim. Bu tarafa doğru yürüdüğünüzü söyledikleri için ben de bu tarafa geldim."

Lang ve Gurt otele doğru yürümeye başladılar ve yaşlı adam da onların ortasına girdi. Ama sık sık omzunun üzerinden arkaya bakıyor, sinirliymiş gibi görünüyordu. Lang onun bu halini görünce, deliğinden çıkıp korkudan ne yapacağını bilemeyen bir fareye benzetti onu.

Adam birkaç kez daha arkasına bakınca, "Birini mi bekliyorsunuz, Herr Blucher?" diye sordu.

Blucher başını iki yana salladı ve "Hayır," dedi. "Ama dostunuz Donald Huff'ı öldüren katillerin bizim peşimize de düşmesinden korkuyorum doğrusu."

"Peki ama kim olabilir bu adamlar?"

Yaşlı adam başını iki yana salladı ve "Bilemiyorum," diye cevap verdi. "Ama onların, Huff'ın kitabının yayınlanmasını istemeyen kişiler olduğunu düşünüyorum."

Lang elinde olmadan yaşlı adam gibi omzunun üzerinden arkalarına bir göz attı ve sonra kendine kızdı, paranoya ona da geçmişti. "Evet ve adamlar amaçlarına ulaştılar diyebiliriz. O halde neden...?"

Blucher durdu ve Lang'ın yüzüne bakarak, "Adamlar sırlarının ortaya çıkmasını istemiyorlar," dedi.

Lang otele yaklaştıklarını anlayınca rahatladı ve "Nedir onların sırrı?" diye sordu.

"Pek emin değilim ama Huff'ın araştırmasıyla ilgili bir şey olmalı, ben de bu araştırma için yardım ediyordum ona."

Gurt o sırada araya girdi ve "Herr Blucher," dedi. "Otelin barında bir şeyler içerek rahatça konuşabiliriz."

Adam başını iki yana salladı ve "Hayır, orası karanlık," dedi.

Otelin barı ve restoranı gerçekten de karanlık denebilecek kadar loştu. Cilalı eski masalar ve küçük ampullü masa lambaları salona adeta bir mahzen havası veriyordu.

Gurt, "O halde bizim daireye çıkabiliriz," dedi. "Orası yeterince aydınlık ve bizi kimse rahatsız edemez orada."

Blucher buna itiraz etmedi, birkaç dakika sonra otel dairelerinde bir masaya oturdular ve kahvelerini içerek konuşmaya başladılar.

Lang kahvesinden bir yudum aldıktan sonra, "Don'ın yazdığı kitabın konusu neydi?" diye sordu.

Blucher elini kaldırıp Gurt'un uzattığı şeker kabını geri çevirirken, "Savaş suçluları," diye cevap verdi. "Alman savaş suçlularıyla ilgili bir kitap yazıyordu."

"Siz de onun araştırmalarına yardım ediyordunuz, öyle mi?"

Yaşlı Alman başını hafifçe sallayarak güldü ve "Araştırma mı?" dedi. "Bu konuda araştırma yapmama bile gerek yoktu ki. O ahlaksız adamların çoğunu zaten tanırdım ben."

Lang, "Yani Himmler, Goering gibi adamları mı?" diye sordu.

Blucher başını iki yana salladı ve "Hayır, hayır," dedi. "Ben cezalandırılmamış olanları tanıyordum. Aslında onları çok iyi tanımazdım. Savaş bittiği zaman ben yedi ya da sekiz yaşımdaydım. Onları babam iyi tanırdı. Babam Herr Goebbels'in propaganda bakanlığına bağlı bir gazetede çalışıyordu. Radyo ya da gazete için bu adamlardan bazılarıyla röportajlar yapardı. Adamlar bazen röportaj öncesi babamla görüşmek için Berlin'deki evimize gelirlerdi. Babam bana bu adamların günün birinde çok ünlü olacaklarını ve onlarla tanışmam gerektiğini söylerdi."

Blucher kahvesinden bir yudum alıp biraz düşündü ve sonra, "Babamı da bu ünlü adamlar mahvettiler," diye devam etti. "Babamı alıp Berlin'i Ruslara karşı savunacak olan Volksturm adlı çocuklar ve yaşlı adamlar ordusuna götürdüler. Babam annemi, kardeşimi ve beni şehirden çıkarmak ve Müttefiklere sığınmak için onların elinden kaçtı. Ama onu yakaladılar ve o ünlü adamlardan birinin emriyle bir sokak lambası direğine astılar."

Gurt, "Peki ama bu adamlar cezalandırılmaktan nasıl kurtuldular?" diye sordu.

"Çünkü işe yaradılar bu adamlar. Binlerce masum sivili öldüren bir silah sisteminin yapılması için esirler ordusunu zorla çalıştıran bu adamlar bazılarının çok işine yaradılar."

Lang, "Ama bütün Nazilerin Nuremberg mahkemelerine çıkarıldığını sanıyordum ben," dedi.

"Ama sizin uzay programınızın kurucusu olan Wernher von Braun cezasız kaldı. Londra'yı harap eden V-1 ve V-2 roketleri onun eseriydi. O adam esir kamplarındaki Yahudiler, Polonyalıları ya da diğer esirleri yorgunluktan ve açlıktan düşüp ölecekleri ana kadar çalıştırdı. Buna rağmen ceza görmeyecek kadar değerli bir adamdı o ve..."

Lang fincanını ağzına götürürken vazgeçti ve "Yani Amerikan uzay programının kurucusu olan aynı von Braun muydu bu adam?" diye sordu.

Yaşlı adam başını salladı ve "Rusların elindeki Alman bilim adamlarıyla size bağlı Alman bilim adamları arasındaki bir yarıştı bu," diye devam etti. "Ay'a önce kim çıkacak yarışıydı bu. Von Braun Amerikan askerlerine teslim oldu ama onun grubundaki diğerleri onun kadar şanslı değillerdi. Onlar Komünistlerin eline düştüler."

Lang meraklı bir ifadeyle, "Başkaları da mı vardı?" diye sordu.

"Elbette vardı, sizin istihbarat teşkilatı OSS ve ondan sonra kurulan teşkilat, Ruslara karşı kullanmak için bir sürü Naziyi Almanya'dan kaçırdı. Hatta bu operasyona Kağıt Klipsi diye bir de isim verdiler."

Lang bir an düşündü ve sonra, "Yani Don'ın bunları açıklamasını istemeyenler bu eski Naziler miydi?" diye sordu.

Gurt başını iki yana salladı ve "Bu mümkün değil," değil, dedi. "Bu adamlar şimdi yaşasalar bile en azından seksen, doksan yaşlarında olmalılar. Don Huff bir tekerlekli sandalye tarafından çarpılarak ya da koltuk değnekleriyle vurularak öldürülmedi, değil mi?"

Blucher kahvesinden bir yudum alarak fincanını masaya bıraktı ve "Almanya'dan kaçanlara yardım eden *Die Spinne,* yani örümcek denen bir organizasyon vardı," diye devam etti. "Hitler'in sekreteri Bormann ve esirler üzerinde deneyler yapan Mengele gibi adamları bu organizasyon kaçırdı. Çoğu da Vatikan pasaportlarıyla kaçtılar."

Lang bir zamanlar Gurt'un da bu teşkilattan söz ettiğini hatırlayarak başını salladı ve "Peki ama…" derken sustu.

"Senin arkadaşını bir Nazi organizasyonunun öldürdüğünü sanmıyorum. Fraulein Fuchs'un dediği gibi bu adamların çoğu öldü ve yaşayanlar varsa bile onlar da ölmek üzeredir. Belki de arkadaşın farkında bile olmadan başka bir bilgiyi açığa çıkarmak üzereydi."

Lang dudaklarını büzdü ve başını iki yana sallayarak, "Peki ama sen ve Don nasıl bir araya geldiniz?" diye sordu.

Blucher omuzlarına sanki bir ağırlık yüklenmiş gibi öne doğru eğildi ve bir süre boşluğa baktı. Sonra, "Savaştan sonra ben liseyi bitirdim ve burada, Heidelberg'de üniversiteye başladım," diye devam etti. "Tarihle ilgilendim ve bu alanda doktora yaptım. Ama pek de popüler bir konu olmayan, cezadan kaçmış savaş suçluları konusu üzerinde çalıştım. Almanlar savaş konusunda ulusal hafıza kaybına uğramış gibi davranırlar. Popüler bir konu değildir bu ve ben de bu yüzden eğitim çevrelerinde pek sevilen bir hoca değildim. Çok şükür ki İngiltere'ye, Cambridge'e davet edildim ve kariyerime orada devam ettim."

"Buraya döndüğüm zaman eski tanıdığım hocalar ve öğrencilerin çoğu buradan gitmişlerdi. Döndükten bir yıl sonra karım da öldü ve ben de can sıkıntısından öleceğimi sanmaya başladım. Sonra arkadaşın bir gün bir rastlantı sonucu benim tezimi bulmuş, beni arayıp buldu ve yazdığı kitap konusunda kendisine yardımcı olup olamayacağımı sordu. Ben de o sıralarda bahçeyle uğraşmaktan iyice bıkmıştım ve ona severek yardımcı olabileceğimi söyledim. Hemen her gün e-postayla ve telefonla haberleşmeye başladık. Bu durum o öldürülene kadar devam etti."

Odada derin bir sessizlik oldu, kahvelerini unutmuş ve soğutmuşlardı ama bir süre hiçbiri konuşmadılar.

Sonunda Lang ayağa kalktı ve "Sana göstermek istediğim bazı resimler var," dedi. Yatak odasına gitti ve bir sürü resimle geri döndü. "Bu resimleri Don'ı öldüren adamın alamadığı CD'den tab ettirdim. Bunlara bak bakalım içlerinde tanıdıkların çıkacak mı?"

Blucher gözlüğünü yeniden çıkarıp gözlerine taktı ve resimleri önüne çekerek bakarken, çok geçmeden, "Skorzeny!" diye söylendi.

"Kim?"

Gurt araya girdi ve Lang'a, "Jessica'nın söylediğine göre babası bu adam hakkında yazıyormuş," dedi. "Otto Skorzeny."

Blucher, Vatikan önünde üniformasıyla poz vermiş olan adamın resmini havaya kaldırıp bir kez daha dikkatle baktı ve "Evet, Otto Skorzeny bu adam," diyerek başını salladı.

Lang sandalyesinde arkasına yaslandı ve "Bize ondan söz eder misin?" dedi.

Blucher gözlüğünü çıkarıp yine cebine koydu ve "Bu adam Avusturyalıdır," diye anlatmaya başladı, üniversite eğitimlidir ve bir öğrenci kavgasında yaralanmıştır. SS ve Hitler hayranıdır, bazıları ona Hitler'in komandosu derlermiş. Mussolini'yi kurtarmak için bir planörle bir dağ tepesine uçmuş. Kıbrıs'a bir paraşütçü birliği indirerek İngilizleri şaşırtmış. Hitler daha sonra onu Montsegur'a göndermiş..."

Lang bu sözcüğü hatırlar gibi oldu ve "Nereye?" diye sordu.

Gurt, "Fransa'da, Languedoc'ta bir yer," dedi. "Don'ın kartlarından birinde de vardı bu yerin adı."

Lang bir şeyler anlar gibi oldu ama yine de tam olarak çıkaramadı ve, "Özür dilerim dostum," dedi. "Sen devam et."

Blucher başını salladı ve "Evet, Montsegur," diye devam etti. "Cathar'ların son yerlerinden biriydi, yani şu garip mezheplerin yeriydi orası."

Lang bir yıl kadar önce o bölgede yaşadığı macerayı o anda hatırladı ve başını sallarken, Profesör Blucher, "Evet, on üçüncü yüzyıl başlarında Haçlıların kurbanlarından biri olmuş bir mezheptir bunlar," diye devam etti. "Hepsi kılıçtan geçirilmişler. Ama dine nasıl karşı gelmişler bilmiyorum. Belki de Hz. İsa'nın öldükten sonra bedenen değil de ruhen dirildiğine inanıyorlardı. Ya da Papa'nın istediği bir şeye sahip olup bunu ona vermekten kaçındılar, bilemiyorum. Hitler'in de bu tür batıl inançları vardı —örneğin Hz. İsa'nın Kutsal Kasesini arar dururdu– ve Skorzeny'yi bir gün eski şato ve mağaranın kalıntılarına gönderdi..."

Lang dayanamadı ve "Mağara mı?" diye sordu ama sonra adamın sözünü kestiği için pişman oldu.

Yaşlı adam bu kez Skorzeny'yi kısa deri pantolonlu olarak gösteren başka bir resmi alarak havaya kaldırdı, onlara gösterdi ve "Evet bir mağaraya gönderdi Hitler onu. Bu resim orada çekilmiş olabilir. Arkasındaki duvarda kazılı yazıya benzer bir şey var. Aslında Skorzeny resminin çekilmesinden pek hoşlanmaz, herkese görünmek istemezdi. Belki de ilerde Müttefiklerin kendisini arayacaklarını tahmin edebiliyordu."

"Peki ama neden? Anlattıklarına bakılırsa bir savaş suçlusundan çok bir kahramana benziyor adam."

"Evet ama ikisi arasındaki çizgi çok incedir. Hitler 1944'de Skorzeny'yi Budapeşte kalesini ele geçirmesi için Macaristan'a gönderdi. Ruslar o sıralarda Macaristan'ı işgale hazırlanıyorlardı ve Macarlar da Almanların müttefikiydiler. Ayrı bir barış anlaşması yapmak istediler. Hitler Ruslarla anlaşmaya yanaşmadı ve Macar lideri Amiral Miklos Horthy ve Macar kabinesini ele geçirmek üzere Skorzeny'yi oraya gönderdi. Skorzeny birkaç SS birliğiyle Macar hükümetini devirdi ve yerine kukla bir hükümet kurdu."

Lang başını salladı ve "Çok ilginç," dedi. Kendi Teşkilatı da bazı ülkelerde aynı oyunu birkaç kez oynamıştı. "Peki ama savaş suçlusu sayılması neden?"

Yaşlı adam, "1944 Aralık ayında Skorzeny Ardenlerde, Amerikalılar gibi çok iyi İngilizce konuşan birkaç yüz Alman askerine Amerikan üniforması giydirerek Amerikan birlikleri arasına dağıttı," diye devam etti anlatmaya.

Lang, "Evet, onlar yakalanıp casus olarak kurşuna dizilmiş olabilir, ama burada da savaş suçu işlenmesi gibi bir şey söz konusu olamazdı," dedi.

Yaşlı adam hafifçe başını salladı ve "Evet ama, Skorzeny'nin adamları yüz kişiyi esir alıp bağladılar ve sırtlarından kurşunlayıp öldürdüler," dedi.

"O halde Skorzeny neden yargılanmadı bu suçla?"

"Adam savaştan sonra ortadan kayboldu, adeta uçtu gitti. Birkaç yıl sonra İspanya'da ortaya çıktı, Franco'nun himayesine girdi ve onun ordusunu düzene soktu."

Lang ayağa kalkıp profesörün omzu üzerinden resme bir kez daha baktı. Bu yüzü sanki daha önce bir yerde görmüş gibiydi ama nerede olduğunu hatırlayamıyordu. "Müttefikler onun İspanya'da olduğunu öğrendilerse neden Franco'dan istemediler adamı? İspanya ile suçluların iadesi anlaşması yapıldığına eminim."

Blucher hafifçe gülümsedi. "Şimdi bir avukat gibi konuştun işte."

"Ben zaten avukatım."

Yaşlı adam Gurt'a bakarak göz kırptı ve "Ben mahvoldum," dedi. "Bilmeden kendimi bir avukata teslim etmişim," diyerek ayağa kalktı ve "Skorzeny'nin İspanya'dan neden çıkarılmamış olduğunu tam olarak bilemiyorum," diye devam etti. "Evimde bazı malzemeler var ki ilginç bulacağınıza eminim. Vakit geç oldu, ben artık gideyim. Yarın şatoda buluşuruz ve onları da oraya getiririm."

Gurt, "Bence yine burada buluşalım," dedi. "Burası bir şato harabesinden çok daha güvenlidir."

"Olabilir, ama gün ışığında etrafta da çok insan varken kendimi daha çok güvende hissederim ben."

Lang telefona uzanarak, "Sana bir taksi çağırayım," dedi. "Her ihtimale karşı adresini de bırakırsan memnun olurum Profesör."

Blucher bir kağıda adresini yazdı ve sonra çıkıp gitti.

Lang şaşkın bir ifadeyle Gurt'a baktı ve "Onu öldürenler eski Naziler, dazlaklar ya da benzeri bir grup değilse eski Nazilerle ilgili bir kitap kimi ilgilendirir ki?" diye sordu.

Gurt sigarasını kül tablasına bastırıp söndürdü ve "Bilemem," dedi. "Belki de yaşlı adamın dediği gibi, kitapta hiç bilmediğimiz başka bilgiler vardı."

Lang onun soyunmasına daldı ama sorduğu soruyu hatırlayarak, "Her neyse," dedi. "Bunu belki de yarın öğrenebiliriz."

Fakat sonra yine soyunan sevgilisini seyretmeye başladı. Onu her akşam bu halde görmesine rağmen bunu yapmaktan bir türlü vazgeçemiyordu. Gurt, "Açlıktan ölmek üzere olan bir adamın hamburgere bakması gibi bakmasana bana," dedi.

"Böyle bakmamı istemiyorsan sen de git pijamanı banyoda giy."

"Bakmanı istemiyorum dedim mi ben sana?"

Lang uykusu gelmiş gibi gözlerini hafifçe kapayınca Gurt, "Çok mu uykun geldi?" diye sordu.

"Gelmişti ama birden açıldım."

"Bak aklıma ne geldi, Lang. Karşımızda *Die Spinne* ya da benzeri bir organizasyon olabilir mi, ne dersin?"

"Her şey olabilir. Ölüm döşeğinde olan yaşlı adamlar bile hapse girmek ya da bir ülkeden kovulmak istemezler elbette. Bence kiralık katil tutacak kadar zengin eski Naziler vardır pekçok yerde."

Bu konuda daha fazla konuşarak uykularını kaçırmak istemediler ve yattılar.

BÖLÜM ON YEDİ

Heidelberg, Almanya (Hauptstrasse)
Haus Zum Ritter
Ertesi Sabah

Kat görevlisinin dairelerine tekerlekli arabayla getirdiği kahvaltı tepsisinde sandviçler, peynirler, reçel, yumurta, sosis ve kahveden başka, haberlerle dolu, katlanmış bir *Frankfurt Allegemeine Zeitung* da vardı. Lang fincanlara kahve koyarken Gurt da gazeteye göz atmaya başladı ve hemen, *"Mein Gott!"* diyerek içini çekti.

Lang gazetenin ilk sayfasında kendi resmini ve altında da büyük puntolarla tercümesi "Havaalanını karıştıran kaçağın bir Amerikalı işadamı ve avukat olduğu anlaşıldı," demek olan yazıyı görünce önüne kahve döktüğünü bile fark edemedi.

Gurt sanki odada başkaları da varmış da onlara bakıyormuş gibi başını çevirip etrafa bakındı. "Bu resmi nerden buldular peki?"

Lang üzerine dökülen kahveyi silerken, "Lanet olsun!" diye söylendi. Gazeteyi Gurt'un elinden kaptı, resmine dikkatle baktı ve "Belki de güvenlik kameraları tarafından çekildi resim," dedi.

"Ama havaalanlarında güvenlik kameralarına gülerek poz vermiyorsun sen, değil mi? Ayrıca bu resimde daha genç görünüyorsun."

"Şimdi de beni mi kıskanıyorsun sen? Bu resmin Teşkilattaki dosyamdan alındığına yemin edebilirim."

Gurt gazetedeki resme bir daha baktı ve "Olabilir," dedi. "Hatırlarsın, geçen yıl da Londra'da Teşkilat bilgisayarlarına girip dosyandan senin fotoğrafını almışlardı."

"Evet ama Frankfurt polisi benim Teşkilat dosyasında resmim olduğunu nasıl bilebilir ki?"

Gurt biraz düşündü ve "Atlanta'da senden pek hoşlanmayan şu siyahi dedektifi düşünsene bir..." dedi ve sustu.

"Rouse mu? Yok canım! O adam aslında beni kardeşi gibi sever, hayatım. Biz orada sana rol yapıyorduk."

Gurt başını iki yana salladı ve "Bir kez olsun biraz daha ciddi ol," diye konuştu. "Bu resmi görenler seni hemen tanıyabilirler. Rouse senin eskiden Teşkilatta çalıştığını da biliyor, değil mi?"

"Ben ona Donanma'da görev yaptığımı söyledim ama bana inanmadı tabii."

"Elbette, Frankfurt polisi de bavulunda adını ve adresini bulunca hemen Atlanta polisiyle temasa geçti, çok doğal bir prosedür bu, öyle değil mi hayatım?"

Lang içinden bir küfür savurdu ve "Ee, şimdi ne yapacağız öyleyse?" dedi.

"Senin Teşkilatta çalıştığını Frankfurt polisine Rouse denen bu adam söylemiştir."

"Biliyorsa söylemiştir elbette ama ben bildiğinden emin değilim."

"Frankfurt polisi de Teşkilattan senin resmini istemiştir. Kolayca bulunman için resmini gazetelere dağıtmışlardır elbette."

Lang resmine bir kez daha baktı ve sonra sakinleşmeye çalıştı. Şöhretli bir sanatçı ya da bir politikacı olmayan insanların, resimlerini gazetelerin birinci sayfalarında görmeleri hiç de doğal bir olay sayılmazdı. Buna alışmak kolay değildi elbette.

"Bilemiyorum, Teşkilat çoğu zaman ajanlarının resimlerini dışarıya vermek bir yana, onların görevli olduklarını bile kabul etmeye yanaşmaz, kaçınır bundan."

Gurt başını salladı. "Evet, haklısın, o zaman senin resmini nasıl ele geçirdiler peki?"

Lang gazetedeki resmi yüzüne iyice yaklaştırarak bir süre daha dikkatle baktı ve "Bana sorarsan bu bir fotoğraf değil de bir çizim olabilir," dedi. "Benimle çatışan polisin harika bir görüşü ve hafızası olabilir ve beni mükemmel tarif ettiyse, polis ressamları da bu kadar harika, fotoğraf gibi bir resim çıkarmış olabilirler derim. Bence bu sabah Blucher'le konuştuktan sonra Reavers'tan bir iyilik daha isteyebilirsin, yani pasaporttaki resmime bir bıyık filan ekleyip yüzümü değiştirebilir."

"Neden kendin istemiyorsun bunu?"

"Dün oradayken gözlerini benim değil, senin bluzunun önüne dikmişti de ondan."

Bir saat kadar sonra Lang ve Gurt, şehre tepeden bakan şato harabelerinin olduğu tepeye çıkan dar ve dönüşlü patikadan yukarı doğru tırmanmaya başladılar. On sekizinci yüzyıl başlarında bir yıldırım düşmesi sonucu yanmış olan şato, on üçüncü yüzyıldan beri Alman Wittleback hanedanının ve Kutsal Roma Prenslerinin yuvası olmuştu. Bu nedenle mimarisinde Roma, Gotik, Rönesans ve Germen mimarilerinin izini görmek mümkündü.

Tepeye çıkınca harabenin bahçesi kadar eski olduğunu tahmin ettikleri bir meşe ağacının altında bir banka oturdular. Biraz ilerde bir Alman rehberin önderliğinde gezen bir Japon turist grubu durmadan fotoğraf çekiyordu. Yan tarafta bir grup okul çocuğu da sınıftan kurtulmanın neşesiyle etrafta bağrışarak koşuyorlardı.

Lang bir süre sonra saatine baktı ve "On buçuk oldu," dedi. "Blucher geç kaldı."

"Evet ama yaşlı bir adam o, bu yokuşu koşarak çıkamaz herhalde, değil mi?"

Fakat saat on bir olunca yaşlı adamı iyice merak etmeye başladılar. Gurt onun evine telefon etti ama sadece bir bant kaydından otomatik bir cevap aldı. Lang ayağa kalkıp üstündeki tozları silkeledi ve "Sen burada kal ve Blucher gelirse bana telefon et," dedi. "Ben onun adresini almıştım, bu civarda bir yerdeymiş, hemen gidip bakarım."

Profesör yakın bir mahallede, pencerelerinde teneke kutular içinde çiçekler olan iki katlı evlerden birinde yaşıyordu. Etrafta fazla ağaç olmadığı için Lang bu semtin henüz yeni olduğunu anladı. Elindeki adrese bakarak evi kısa zamanda buldu, evin kapısına çıkan bahçe yolunda küçük bir VW araba duruyordu.

Lang kiralık arabasını kaldırıma yanaştırıp durdu ve inerek kapının zilini çaldı. Zili birkaç kez çalmasına rağmen içerden bir cevap alamayınca, ahşap kapıya elinin tersiyle vurdu ama birden şaşırdı, kapı hemen ardına kadar açılmıştı.

Başını kapıdan içeri uzatıp loş hole baktı ama midesine kramp girmiş gibi oldu. Böyle temiz ve güvenli bir semtte bile insanlar kapılarını açık bırakmazlardı herhalde. İçeriye girmeden, kapının eşiğinden, yüksek sesle, "Herr Doktor Blucher!" diye seslendi. "Evde kimse var mı?"

Evin içi tamamen sessizdi. Lang daha fazla beklemedi, kapıyı iyice açtı ve içeri girdi.

Sokak kapısından doğruca girdiği yer bir odaydı, içerde normal ev eşyaları ve bir de piyano vardı. Lang sağ tarafta bir şömine, solda ise mutfak-yemek odası gördü. Lang'ın gördüğü kadarıyla burası oldukça zevkli döşenmiş bir örnek daireye benziyordu.

Blucher çok düzenli ve titiz bir adam olmalıydı. Mutfağın arka tarafındaki küçük bir kapı yine küçük bir bahçeye açılıyordu ve bahçe yeni kazılmış, atılacak olan gübreler de duvarın dibine bırakılmıştı. Bahçeyi çeviren tahta perde yeterince yüksek değildi, belki tavşanların içeriye atlamasını engelleyebilirdi ama yandaki evlerin ikinci katından bakanlar içerisini kolayca görebilirlerdi.

Lang bahçeye baktıktan sonra tekrar içeriye girdi ve Blucher'e birkaç kez daha seslendi. Ama yine cevap alamadı. İçinde bir huzursuzluk vardı ama yine de dayanamadı ve üst kata çıkan merdivene gitti.

Üst kattaki küçük holün her iki ucunda da birer yatak odası vardı ve Lang önce büyük olan odaya girdi. Evin alt katı gibi bu yatak odası da çok düzenli ve tertemizdi. Kapısı yarı açılmış olan gardıropta, eski ama ütülü elbiseler asılıydı. Yerde de muntazaman dizilmiş ayakkabılar vardı.

Evin içindeki derin sessizlik sinir bozucuydu. Döşemeler gıcırdamıyor, hiçbir yerden bir çıtırtı duyulmuyordu. Kulak kabarttı ama saat tıklaması bile duyamadı Lang. Sanki başka bir evrende, ya da hayaletler diyarındaydı.

Büyük yatak odasından çıkıp her yer gibi tertemiz olan banyonun yanından geçti, diğer odanın kapısında durdu. Aralık kapıdan gördüğü kadarıyla burası çalışma odasıydı ve bir duvarı tamamen kitap doluydu. Masanın üstünde bir bilgisayar, kâğıtlar ve birkaç kitap vardı. Kapıyı iterek sonuna kadar açtı ve yere dağılmış kâğıtlar gördü, halının bir ucu da kıvrılmıştı. Evin diğer kısımlarına göre burası oldukça dağılmıştı. Kapıyı sonuna kadar açıp başını içeri uzatınca profesörü gördü.

Blucher kapının arkasında yere sırtüstü uzanmış, cansız gözlerini tavana dikmişti, gözlüğü hâlâ elindeydi. Yüzünde sanki öldürüleceğini önceden anlamış gibi bir dehşet ifadesi vardı.

Lang onun öldüğünden emin olmasına rağmen, yana açılmış bacaklarının üstünden atlayarak başucuna gitti, yere diz çöktü ve başını çevirince ensesindeki yarayı gördü. Yaranın çevresindeki yanmış saçlar ve barut kokusu silahın yakın mesafeden ateşlendiğini gösteriyordu. Ucuna susturucu takılı küçük kalibreli bir tabanca ile ateş edildiği belliydi.

Don Huff da aynı tarzda ve yine aynı nedenle öldürülmüştü.

Kan donmuş ve vücut soğumuştu, bu durumda Blucher dün gece öldürülmüş olabilirdi. Vücudun ölümden ne kadar sonra katılaştığını Teşkilat eğitimi sırasında öğrenmiş ama unutmuştu.

Ama bunu hatırlasa ne olacaktı ki? Adamı öldürmüşlerdi işte. Şimdi önemli olan şey, ölen bu adamın ona göstermek istediklerini bulabilmekti. Acaba o belgeler, resimler ya da başka şeyler hâlâ burada olabilir miydi? Blucher'i öldürenler de hiç kuşkusuz burada bir şeyler aramışlardı, belli oluyordu bu.

Ayağa kalktı ve aramaya nerden başlayacağını düşünüyordu ki birden alt kattan birinin, "Herr Doktor Blucher?" diye seslendiğini duydu. Odanın penceresinden, perde aralığından bakınca kendi arabasının arkasında bir polis arabasının durduğunu gördü. Belki de komşulardan biri evin kapısını açık görünce polise haber vermişti.

Resmi gazetelerde olduğuna göre, onu burada bulurlarsa, Blucher'in uzun zaman önce öldürülmüş olduğu belli olsa bile, polisler kim bilir onun hakkında neler düşüneceklerdi? Gerekirse olanları daha sonra anlatabilirdi polislere, ama şu anda burada bulunmaması gerekiyordu, hemen kaçmalıydı bu evden.

Fakat evde bir tek merdiven vardı ve o da aşağıya, polislerin bulunduğu oturma odasına iniyordu. Etrafa bakındı ve hiç ses çıkarmamaya dikkat ederek arka tarafa bakan pencereye gitti. Pencerenin mandalını kolayca açtı ve yaklaşık üç dört metre aşağıdaki çürümüş yapraklarla karışık gübre yığınına baktı.

Pencere eşiğine çıkarak aşağıya sarktı, bahçeye atlamadan önce pencereyi dışardan mümkün olduğunca kapamaya çalışmak için kendine doğru iyice çekti. Polisler bu odaya çıkınca pencerenin fazla aralık olduğunu fark etmemeli, onun oradan kaçtığını en azından hemen anlamamalıydılar.

Orada yapılacak araştırma ve parmak izi çalışması sonucunda hiç kuşkusuz onun parmak izlerini bulacaklardı ama bu konuda yapabileceği hiçbir şey yoktu. Kendini bıraktı ve gübreyle karışık çürümüş yapraklar yığını üzerine sessizce yumuşak iniş yaptı. Fakat beklemediği bir şey oldu, üst kattan bakan komşulardan biri onu görüp bağırmaya başladı ve Lang hiç vakit kaybetmeden bahçe kapısına koştu.

Lang bütün hızıyla koşarak sokağın köşesini dönerken polislerden biri de ön kapıdan dışarı fırladı. Komşu bağırarak ona Lang'ın kaçtığı yönü gösterdi.

Lang polisin bağırdığını duyan Almanların onun peşine düşeceklerinden emindi. Arkasından koşan polis elini tabancasına attı ve peşinden gittiği adamın, gazetede resmini gördüğü Amerikalı olabileceğini düşünerek, İngilizce olarak bağırmaya başladı. "Kimsin sen, Profesörün evinde ne arıyordun?"

Polis ona yetişti ama o daha birkaç metredeyken ve tabanca kılıfını açmadan Lang belinden Glock tabancayı çekerek onun başına doğrulttu. "Pekâlâ, dostum, şimdi tabancanı kılıfından çıkar ve namlusundan tutarak yerden bana doğru kaydır bakalım."

Polis onun gözlerindeki ifadeden hiç hoşlanmadı ve onun kanlı bir katil olduğunu düşünerek söylediğini hemen yaptı.

"Çok güzel dostum! Şimdi de telsizini gönder bana bakalım!"

Lang diğer polisin ortada olmadığını görünce onun ters tarafa gittiğini anladı ve esir aldığı polisi oldukça yakında olan polis arabasına götürdü, onu direksiyona kelepçeledi ve arabanın telsizini de bozdu. Sonra motor kaputunu açarak distribütör kapağını çıkardı, onu da polisin tabancası ve telsiziyle beraber uzağa fırlattı.

Sonra diğer polisin gittiği yönün tersine koşarak uzaklaştı oradan. Otele yaklaşırken bir eczaneye girdi, saç boyası, pamuk, bir ortopedik korse ve numarasız bir gözlük aldı. Sonra bir mağazaya girerek kendine bir blucin ve birkaç İtalyan triko gömlekle spor ayakkabı ve yeni çoraplar satın aldı.

Otelde kendine makyaj yaptı, saçlarını boyadı, kıyafetini değiştirdi ve sarı saçlı, hafif göbekli ve yüzü hemen tamamen değişik tipte bir Avrupalı olup çıktı. Artık pasaportundaki adama hiç benzemiyordu ama Avrupa'da kaldığı sürece sorun olmayacaktı bu. Ortak Pazar ülkeleri arasında pasaport artık sorulmuyordu.

Gurt otele dönüp onun makyaj malzemelerini görünce, "Profesörün evinde işler yolunda gitmedi galiba, öyle mi?" diye sordu.

Lang önündeki aynadan arkasında duran genç kadına baktı ve "İşlerin yolunda gitmediğini söylemek biraz hafif kalacak," diye konuştu. "Blucher'i de aynı Don gibi öldürdüler. Ben henüz evden ayrılmadan polisler geldi. Birini yakalayıp polis arabasının direksiyonuna kelepçeledim."

Gurt onun anlattıklarına pek de şaşırmamış gibiydi. Lang polislerle köşe kapmaca oynamayı âdet haline getirmeye, sevmeye başlamıştı.

"Ya diğer polisler?"

"Sadece bir tane daha vardı ve o da ters yöne koştu, beni görmedi."

Gurt onun anlattıklarını anlamaya çalışır gibi yavaşça başını salladı, sonra elini kocaman çantasına daldırıp bir paket sigara çıkardı. O sigarasını yakarken Lang aynadan geri dönerek kaşlarını çattı. "Bu sigaralar günün birinde öldürecek seni hayatım."

Gurt sigarasından bir nefes çekip dumanı üflerken, "Önce polis kurşunlarıyla ölmezsem elbette," diyerek başını iki yana salladı.

Lang yüzünü ekşiterek başını salladı, genç kadın hiç de haksız sayılmazdı.

Gurt etrafa bakınıp bir kül tablası buldu ve elindeki yanmış kibriti onun içine attı ve Lang'ın yüzüne baktı. "Pekâlâ, Blucher'in evinde polislerden başka bir şey bulabildin mi bari?"

"Öldürüldüğü odayı iyi aramışlardı, her yer karmakarışıktı, yerde dağılmış kâğıtlar vardı. Ben gelip arama yapmadan önce Gestapo gelmişti eve."

Gurt kül tablasını alıp yatağın kenarına oturdu ve onu döndürerek oynamaya başladı. "Bu durumda Heidelberg'de kalamayız herhalde, değil mi? Hemen gitmeliyiz buradan."

Lang tekrar aynaya dönerek saçlarının boyasını kontrol etti ve "Elbette," diyerek başını salladı. "Resmim gazetelerde yeniden çıkmadan uzaklaşmalıyız buradan."

"Peki ama nereye gideceğiz? Bütün havaalanlarında bizi bekleyeceklerdir."

Lang saçlarını kurutmak için otelin saç kurutma makinesini alırken, "Bir araba bulup onunla Montsegur'a gitmeye ne dersin?" dedi.

Gurt sigarasını kül tablasına bastırıp söndürdü ve kurutma makinesinin uğultusunda sesini duyurmak için yüksek sesle, "Neden Montsegur'a gideceğiz?" diye sordu.

Lang darmadağınık boyalı saçlarla ona döndü ve sırıtarak sevgilisine baktı. "Eğer Skorzeny denen adamın o zamanlar ne aradığını öğrenebilirsek, bu adamların kimler olduğunu ve bizi neden öldürmek istediklerini de öğrenebiliriz belki."

BÖLÜM ON SEKİZ

Berlin (Wilhelmstrasse)
Reich Şansölyeliği
Mart 1944

Adolph Hitler çoğu zaman büyük mermer masasının arkasında ayakta durarak çalışırdı. O gün yerinde bile duramıyor, beklediği haber yüzünden sabırsızlıkla aşağı yukarı dolaşıp duruyordu. Avrupa'nın ve belki de dünyanın en güçlü adamı sabırsızlık içinde dolaşırken, Fransa kıyılarının savunma planları, birliklerin hareket emirleri de bekleyebilirdi.

Gelecek olan haberi sabırsızlık içinde beklemesine rağmen, çalışma odasının kapısı aniden vurulunca adeta yerinden sıçradı.

Kapının eşiğinde sağ kolunu selam vermek için ileri uzatmış, mükemmel üniformalı bir SS *Feldwerbel,* bir çavuş hazır vaziyette bekliyordu. Çavuşun boyu bir seksenin üstündeydi ve mavi gözleriyle onun resmini SS birliklerine asker alma ilanlarında kullanabilirlerdi. Çavuş gözlerini Hitler'in başının üstünden ileride bir noktaya dikmiş olarak, *"Mein Fuhrer!"*

diye bağırdı, "Reichsfuhrer Himmler geldiler efendim!"

Heinrich Himmler uzun boylu çavuşun yanından aynı şekilde selam vererek Hitler'in odasına girerken, çavuş kapıyı sessizce kapatarak çekildi. Himmler'in gözlük camları pencereden gelen ışıkla parladığı için Hitler çalışma arkadaşının gözlerini göremiyordu. Himmler SS'lerin siyah tören üniformasını giymişti, çizmeleri pırıl pırıldı ve göğsü askeri madalyalardan ziyade parti madalyalarıyla doluydu. Hem Gestapo ve hem de kendi istihbarat teşkilatı Sicherheitsdienst SD ile birlikte SS birliklerine kumanda eden Himmler Almanya'nın en korkulan adamıydı. Bugün Hitler'in yanına SD'nin bir konusu için gelmişti.

Genelde Nazi partisinden olan eski arkadaşlarını selam ve hal hatır sorarak karşılayan Hitler o gün çok heyecanlıydı ve Himmler'e doğrudan doğruya, "Ee, ne buldun bakalım?" diye sordu.

Himmler her zamanki sertliğini bir yana bırakıp hafifçe gülümsedi ve "Haberler iyi, *Mein Führer!*" diye konuştu. "Rahip Kaas rivayeti doğruladı."

Hitler şaşırmış gibi baktı ona. "Kaas mı?"

"Ailesi Münih'te yaşayan şu Vatikan rahibi işte. Son Papanın mezarı hazırlanırken kazılan yerde keşfedilen bulguyu doğruladı."

Hitler'in gözleri ilerde bir noktaya takılıp kalmış gibi daldı gitti. "Harika!" diye mırıldandı. "Artık bunu kendimiz doğrulamalıyız. Vatikan'da sızlanıp duran Papa'nın da susturulması gerek artık!"

Himmler Papalık tarafından yapılacak olan açıklamaların durumu değiştireceğini pek sanmıyordu. Ne de olsa

Vatikan'daki İsviçreli Muhafızların sayısı yüzden pek fazla değildi, ama Almanya liderine soru soramayacağının da bilincindeydi. Hitler ne de olsa generallerin tereddüt içinde oldukları bir zamanda Rheinland, Avusturya ve Çekoslovakya'ya saldırı tavsiyesinde bulunmuş olan müneccimine çok güveniyordu.

Hitler'in dinsel inançları güçlüydü, büyüye inanırdı, batıl inançları vardı. Hz. İsa'nın bedenine saplandığı rivayet edilen Longinus adlı kargıyı ele geçirmek için büyük paralar harcamıştı Hitler. Üzerinde On Emir'in yazılı olduğu taş tabletlerin bulunduğu sandığı bulmaları için İngilizlerin kontrolündeki Filistin'e bir ekip göndermek için hiçbir masraftan kaçınmamıştı Hitler, ama ekip eli boş dönmüştü geriye. Hitler güneybatı Fransa'daki bir mağarada bulunan bir sürü eski kaya parçalarını toplatmış ve Himmler o mağaranın ortaçağda bazı mezhep mensuplarının sığınağı olduğunu öğrenmişti. Hitler Hz. İsa'nın kâsesinin de güneybatı Fransa'da belirli bir yerde bulunduğunu söylemiş ama savaş koşulları oraya kadar uzanmasını engellemişti.

Fakat önce yasal yollardan Almanya'nın Şansölyesi ve sonra da dâhi komutanı olan Hitler'in inançlarına ve arzularına karşı gelebilir miydi Himmler? Eğer *Der Führer* Papa'nın susturulmasını istiyorsa Papa da susturulacaktı elbette.

Hitler, "Düşünsene Himmler," diye devam etti. "O adam artık dünya meselelerine hiç karışmamalı." Durup sanki odada başkaları da varmış gibi çevresine bakındı ve sonra, "Aslına bakarsan Papa için başka planlarım da var," diye ekledi.

Himmler onun bazen karşısındakini sıkıntıdan patlatacak kadar uzun konuştuğunu bilirdi ama yapabileceği bir şey olmadığının da farkındaydı. Hitler'i sabırla dinledi ve onun emirlerini nasıl yerine getireceğini düşünmeye başladı.

Hitler "...ve elinde böyle bir adam var işte," diyerek bitirdi konuşmasını.

Himmler onu ne zamandan beri dinlediğini unutmuş gibi kendini toparladı ve "Kim ki bu adam, *Mein Führer?*" diye sordu.

Hitler'in söylediği adı duyunca pek şaşırmadı. Ama bu konuda onun da çok parlak bir fikri vardı ve bunu da Hitler'le paylaşmak istedi. "Neden uğraşalım bununla, *Mein Führer?*" diye konuştu. "İlerde başımıza sorun çıkarması muhtemel olan bu Papa'yı gizlice alıp bir yere kapatmak daha mantıklı olmaz mı acaba? Bunu yaparsak çenesi kapanır ve ona ayrıca Katolik Kilisesinin hazinesinden de biraz rüşvet verebiliriz."

Bunu duyan Hitler'in mavi gözleri parladı ve Himmler onun, kendi planını beğendiğini anladı.

Hitler yardımcısının yüzüne baktı ve hafif bir sesle, "Bundan kimseye söz etme de biraz düşüneyim," diye konuştu. "Ama önce Vatikan'ın altında kazıda çıkan şu yeni bulgu hakkında bir şeyler yapmalıyız."

Himmler odadan çıkar çıkmaz Hitler telefonu kaldırdı ve santrale, "Bana hemen Roma'daki SS komutanı General Wolff'u bul," dedi.

BÖLÜM ON DOKUZ

Güneybatı Fransa
Montsegur
Şimdiki Zaman

Skorzeny denen o adam o zamanlar bu korkunç tepeye nasıl tırmanmıştı acaba? Lang'ın durduğu yerde tepenin ön yüzü bir duvar gibi dimdikti ve tepede taş yığınları ya da harabeye benzer bir şeyler görünüyordu. Tepenin doğu ve batı yanları ön yüzden bile daha dikti. Lang'ın tahminine göre, tepenin bu dimdik kuzey yüzüne ancak deneyimli dağcılar kaya çatlaklarına metal çiviler çakarak ve halatlar kullanarak tırmanabilirlerdi. O halde Almanlar tepeye kuzey cephesinden teknik bir tırmanış yapmış ve oradan da mağaranın ağzına inmişlerdi.

Gurt arabanın camından başını çıkarıp kaldırarak tepeye baktıktan sonra, "Herhalde o tepeye tırmanmayacaksın, değil mi?" dedi.

Tuttukları rehber Guillaume, "Zaten orada artık hiçbir şey kalmadı," dedi. Montsegur turistlere satılan haritalarda görünmüyordu. "Mağaranın yarısı da birkaç yıl önce zaten çökmüştü."

Lang tepenin dibinde biraz dolaşıp birkaç kez daha başını kaldırıp yukarıya, tepeye baktı ve "Mağara çökmüş de olsa benim oraya tırmanmam gerekiyor," diye söylendi.

Guillaume laf anlamayan insanlara aldırmadığını belirtmek isteyen Galliler gibi omuz silkti. Bu Amerikalılar imkânsız denen şeyin üstüne gitmeye bayılıyorlardı ve istediklerini her zaman da yaparlardı. Ama o anda Montsegur'a tırmanmak sadece imkânsız değil, aynı zamanda yararsızdı da. Oralarda Languedoc bölgesini yukardan seyretmek için çok daha kolayca tırmanılabilecek başka tepeler vardı ve hele batıda Pireneler mavi rüya gibi uzayıp gidiyordu. O tepelerin yakınlarında yemekleri hiç de fena olmayan küçük restoranlar vardı ve bölgenin yerlileri şaraplar konusunda hiç aldanmazlardı.

Guillaume bütün bunları akıllı davranıp güneşe çıkmadan arabanın içinde kalmış olan uzun boylu Alman kadınına ve hiç de akıllıca davranmayan Amerikalıya anlatmıştı. Fakat Amerikalı nedense bu tepeden vazgeçmiyordu. Ama rehber kazanacağı parayı düşünüyor ve ona fazla itiraz etmek istemiyordu. Çünkü Amerikalıların çoğu gibi bu da onunla hiç pazarlık etmemiş, istediği parayı ödemeyi kabul etmişti.

Rehber bunları düşünerek biraz yürüdü ve arkasına dönüp bakınca Amerikalının ortadan kaybolduğunu görerek şaşırdı. Adam sanki buharlaşıp yok olmuştu. Guillaume bir an için adamın ona parasını vermeden kaçtığını düşündü ama sonra bunun mümkün olmayacağını anlayarak rahatladı.

Çok geçmeden adam tepenin eteğindeki kayalıkların arkasından tekrar meydana çıktı ve arabaya doğru seslendi. "Gurt, buraya gel de şuna bir bak hele!"

Uzun boylu Gurt arabadan biraz eğilerek indi, doğruldu ve Lang'ın, "Şuraya bak!" dediği noktaya doğru ilerledi.

Gevşek taşların üzerinde kayıp düşmemek için dikkatle yürüyerek Lang'ın gösterdiği yere giden Gurt, onun işaret ettiği yere bakınca, "Küçük bir deliğe benziyor bu, ne var ki bunda?" diye sordu.

"Evet, bir delik elbette, ama kenarlarına baksana."

Gurt eğilip deliğin kenarlarına elini sürdü ve "Evet," dedi. "Deliğin kenarları sanki düzeltilmiş gibi, pürüzsüz, dümdüz."

Lang yere diz çöktü ve deliğin ağzındaki taşları alıp kenara atmaya başladı. Çok geçmeden deliğin ağzında yaklaşık bir metre derinliğinde bir çukur çıktı meydana. Lang uzanıp deliğin içine baktı ve "Çok garip," diye mırıldandı. "İçerde sanki dar bir keçi yolu var gibi görünüyor."

Lang çukurun içine atladı ve çok geçmeden geri döndü, sırıtıyordu. "Ne buldum biliyor musun?" dedi. "İçerde yukarıya çıkan bir merdiven var, tepeye çıktığına eminim."

Gurt başını salladı ve "Demek Skorzeny de o zaman yukarıya bu merdivenden çıktı," dedi.

Lang doğruldu, üstündeki tozları temizledi ve "Bilemiyorum," dedi. "İçerde bir sürü kaya parçası var." Durdu ve olanlarla ilgilenmeye başlayan Guillaume'a döndü. "Birkaç yıl önce mağaranın bir kısmının çöktüğünü söyledin, değil mi? Bu çökme olayı ne zaman oldu, hatırlıyor musun?"

Guillaume kaşlarını çatarak bir süre düşündü. Mağara tavanının bir kısmı uzun zaman önce çökmüştü, bazen tepelerden yuvarlanan kayalar yolları kapardı, bazen de yağmurlar sellere neden olurdu. Ama bu tür olayların tarihleri kimin aklında kalırdı ki? Havanın sıcak olması ve yağmurların tarım ürünlerini nasıl etkileyeceğini insanların çoğu düşünmezdi bile.

Ama Amerikalı böyle şeyleri de bilmek isteyebilir ve belki Guillaume'a bazı bilgiler için fazladan ödeme bile yapabilirdi. Rehber onun sorusuna cevap verebilmek için bir süre derin derin düşündü. Sonra başını kaldırdı ve "Sanırım kız kardeşimin ilk çocuğunun doğduğu yıl Paskalya Yortusundaydı," dedi.

Lang onun yılı da hatırlayacağını düşünerek bekledi. Guillaume başını sallayarak, "İki, yok yok üç yıl önceydi," dedi. "Aud taştı ve tepelerden yollara çamurlar aktı. Ben de bir gün arabayla buradan geçiyordum ve yukarı bakınca tavanı görünen mağaranın delindiğini, tavandan gökyüzünün göründüğünü fark ettim."

Lang, "Dağ içindeki tünel de çamurlarla tıkanmış olmalı," dedi. "Aynı şekilde akan kayalar da tepeye çıkan yolu kapamış olmalılar."

Gurt araya girdi ve "Tünelin bir kısmı da yıkılmış olabilir," diyerek söze karıştı. "Orada bir tünel var idiyse tabii."

Lang eğildi ve çukurdan içeriye tekrar baktı. "Burası yıllardan beri böyle tıkalı kalmış olmalı, bir zamanlar ben yine gelmiştim buralara ama böyle bir şeyden söz edildiğini hiç duymadım. Cathar'lar tepeye yiyecek içecek çıkarmak için belki de başka bir yol kullandılar. Tepeye dışardan çıkacak bir yol olsaydı kralın askerleri onu çoktan bulmuş olurlardı."

Gurt, "O zaman bu girişi de bulmuş olurlardı," dedi.

"Bu giriş belki de kayaların ve otların arkasında gizli kaldı, kimse görmedi onu. Giriş bulunsaydı bile dar olduğu için merdivenden insanlar birer birer çıkabilir ve yukarda bekleyenler onları kolayca engelleyebilirlerdi."

Lang, "Ee, giriyor muyuz?" diye sorunca Gurt eğilerek delikten çukura girdi. Lang arkada duran rehbere baktı ve "Geliyor musun?" diye sordu.

Guillaume başını iki yana salladı. Merdiven sağlam olsa bile tepeye çıkmak için uzun süre tırmanmak gerekecekti.

Deliğin açıldığı dehlizin genişliği yaklaşık bir metre kadardı. Duvarın içine boyu yaklaşık otuz, genişliği de yirmi beş santim kadar olan basamaklar kazılmıştı. Dönerek çıkan merdiven daha ilk dönemecinde taş parçalarıyla tıkanmıştı. Ayakları kayıp düşerlerse yaralanabilirlerdi.

Lang durdu ve "Geri dönüp yanımıza halat ve cep feneri alalım," dedi.

Gurt geriye doğru korkulu adımlarla inerken, "Halatı ne yapacaksın ki?" diye sordu.

"Bellerimizden birbirimize bağlanırız ve birimiz kayıp düşmeye başlarsa diğeri onu tutabilir."

"Ya da o da onunla beraber düşer."

Gurt her zaman kötümserdi zaten.

Guillaume karısı Fabian'ın, o hafta Rochefort'daki ablasını görmeye gittiğine seviniyordu. Amerikalıdan ne kadar para kazandığını ona söylemek zorunda kalmayacak ve parayı kendi zevkine istediği gibi harcayabilecekti.

Karısı olmadığı için o akşam birahaneye gidip biraz şarap içmek, bir şeyler yemek ve müşterilerin dedikodularını dinlemek istedi. Sonra Amerikalıdan aldığı paranın bir kısmıyla karısına ufak bir hediye alıp almamayı düşündü. Birahanedeki sekiz masanın ancak yarısı doluydu ama Guillaume içeri girip nereye oturacağını düşünürken, masalardan birinde yalnız başına oturan ve hiç tanımadığı bir adam onu masasına davet etti.

Guillaume masaya yaklaşınca adam garip bir Alman aksanıyla, ama Fransızca olarak, "Sen Guillaume Lerat'sın, değil mi?" diye sordu.

Guillaume adamın kıyafetine bakınca onun bölge halkından biri olmadığını hemen anladı. Buralarda hiç kimse Amerikan malı blucin alıp giyemezdi. Guillaume buraya gelmeden önce başka bir yerde içtiği şarabın da etkisiyle başını sallayıp gülümsedi ve bu adamın da rehber arayan bir yabancı olabileceğini düşündü.

Adam onun ne yaptığını sanki biliyormuş gibi, "Sen buralarda çalışan deneyimli bir rehbersin," dedi.

Guillaume yine başını salladı ve "Evet," diye cevap verdi.

Aslında Guillaume belgeli bir rehber değil, sadece turistlere şoförlük yapan bir adamdı ama lisanslı bir rehberle bölgeyi tanıyan bir şoför arasındaki farkı kim söyleyebilirdi ki? Böyle farkları ancak devlet memurları, resmi kişilikler bilebilirdi.

Adam ona bölge hakkında soru soracak yerde birahanede kuşkulu gözlerle etrafına bakındı ve elini masanın üstüne uzattı, elinin altında bir deste Euro vardı. Guillaume adamın eli altındaki paranın miktarını tahmin etmeye çalıştı ama başaramadı bunu.

Adam ona "Bugün müşterilerin vardı, değil mi?" diye sordu.

Guillaume adamın elinin altındaki paraları yeniden tahmin etmeye çalışırken başını salladı ve "Evet," dedi.

Adam elini hafifçe kaldırıp paraları ona gösterdi ve "Peki, kimdi onlar?" diye sordu.

Guillaume önce adamın yüzüne, sonra da altında para olan eline baktı ve "Bazı bilgiler değerlidir bayım," dedi.

Adam önce hafifçe gülümsedi ve sonra dudaklarını büzdü. Guillaume ona bakarken bir an için bir gün sahile vurmuş olan yaralı köpek balığını hatırladı. Adam elinin altındaki para destesinden bir banknot çekip çıkardı ve "Haklısın, dostum," dedi. "Bugünkü müşterilerin kimlerdi?"

Guillaume parayı alıp cebine atarken onu yeterli bulmamış gibi dudaklarını büzdü ve "Adam Amerikalı, kadın da yanılmıyorsam Alman'dı," dedi.

Yabancı adam bunu duyunca hiç şaşırmamış gibi başını salladı. Bir banknot daha çıkarıp ona uzattı ve "Nereye gittiler peki?" diye sordu.

"Eski kale ve şatoların harabelerini görmek istiyorlardı."

"Ben onların nereye gittiklerini biliyorum, dostum. Ben sadece onların özellikle nelerle ilgilendiklerini öğrenmek istiyorum."

Guillaume onun yüzüne baktı ve bir banknot daha uzatmasını bekledi. Ama adamın yüzündeki berbat ifadeyi görünce fazla ısrarcı olmanın iyi sonuç vermeyeceğini anladı ve müşterilerinin Montsegur'da yaptıklarını anlattı ona.

Adam elinin altındaki diğer banknotları da onun önüne itip masadan kalkarken, garson da Guillaume'un sipariş ettiği beyaz şaraplı yarım tavuğu ve şarabını getirdi. Adam oradan ayrılmadan önce Guillaume'a doğru eğildi ve "Unutma iyi para verdim sana," diye fısıldadı. "Benimle konuştuğunu sakın kimseye söyleme."

Guillaume o anda hayatında ilk kez olarak, önüne bırakılan lezzetli tavuk yemeğini ve şarabı sanki fark etmemiş gibi davrandı ve korkulu gözlerle adama baktı. Esrarengiz adam birahaneden çıkıp karanlıklar içinde kaybolduktan sonra, Guillaume zorla yutkundu ve bir yudum şarap içtikten sonra tavuğunu yemeye başladı, ama birkaç dakika önceki iştahı kalmamış gibiydi.

BÖLÜM YİRMİ

Güneybatı Fransa
Montsegur
Ertesi sabah.

Lang o geceyi Lyon'da geçirmelerini istemiş, akşamüstü orada çarşıya çıkarak bir spor malzemeleri satan mağazaya girmişler, birkaç kangal naylon halat, birkaç el feneri, dağ botları ve dağcıların kullandığı kanca ve büyük çivilerden almışlardı. Lang daha sonra bir kamera da satın aldı. Arabayla park yerinden çıkarlarken Lang aynı malzemeleri bir yıl önce yine aynı yerlerden aldığını hatırladı, ama o zaman aldıklarını bir tepenin yamacında bırakmıştı.

O da başka bir hikâyeydi.

Güneş daha doğmadan onlar bir gün önce ziyaret ettikleri tepeye doğru yola çıkmışlardı bile.

Kiraladıkları Mercedes büyük, rahat bir arabaydı ama motoru karosere göre oldukça küçük ve güçsüzdü. Gurt arabadan inerek, karton bardakta soğumaya başlayan kahveden bir yudum aldı.

"Bunlar ne kadar zamandır buradaymış? Yedi, sekiz yüz yıl mı?"

Lang arabanın bagajından malzeme çıkarırken, "Harabeler mi?" dedi. "Sanırım öyle."

Gurt boş karton kahve kupasını kırıp arabanın içindeki naylon çöp torbasına attı ve "O halde yine burada kalacaklar, neden bu kadar erken geldik buraya?" diyerek güldü.

Lang bagaj kapağını kapadıktan sonra doğrulup ona baktı ve "Kimse buraya geldiğimizi öğrenmeden önce işimizi bitirip buradan gitmemiz gerekiyor da onun için küçük hanım," dedi.

Gurt onun peşinden bir gün önce buldukları deliğin ağzına kadar yürüdü, delikten içeri girdiler. Lang beline halatı bağlarken Gurt ona yardım etti ve el fenerini de kemerine taktı. Lang iki basamak çıkıp halatın ucuna bağlı olan kancayı yukarı doğru fırlattı. Ama kanca yukarda bir yerde bir kayaya çarptı ve geriye, onların yanına düştü.

Lang kancayı iki kez daha attı ama yine bir yere tutturamadı, kanca her seferinde kayalara çarpıp geri geldi. "Delik çok dar, kancayı yeterince yukarıya atamıyorum."

Gurt halatın diğer ucunu da kendi beline bağladı ve "O halde birlikte mi tırmanıyoruz?" dedi.

"Hayır efendim, ben yalnız başıma tırmanacağım, aşağıya düşersem en azından beni hastaneye götürecek biri aşağıda sağlam kalsın istiyorum."

"Tepeden aşağı yuvarlanırsan hastaneye gidecek halin de kalmayabilir ama."

Lang onu umursamadan daracık baca gibi yerde sırtını bir duvara vererek tırmanmaya başlamadan önce belindeki tabancayı çıkarıp ona uzattı ve "Üzerimde hiç ağırlık kalmasın," dedi. Gurt tabancayı alıp kendi beline taktı ve Lang tırmanırken halatı yavaşça bırakmaya başladı. Bir süre baca gibi yoldan yukarı tırmanan Lang'ın homurtularını, inlemelerini dinledi ve sesler kesilince, "Lang!" diye seslendi.

Gurt çok geçmeden halatın yukardan çekildiğini hissetti ve Lang'ın, "Tamam, oldu!" diyen sesi duyuldu. "Halatın bu ucunu bir kayaya bağladım. Şimdi seni yukarı çekeceğim."

Gurt onun göremeyeceğini bildiği halde başını iki yana salladı ve "Beni çekmene gerek yok!" diye seslendi. "Ben de senin aldığın eğitimi aldım ve ayrıca senden daha gencim, kendim tırmanabilirim."

Çok geçmeden deliğin diğer ucundan küçük bir düzlüğe çıktılar. Cathar'ların saldırıya uğrayıp katledildiği bu yerde kayalar parçalanmış, etrafa saçılmıştı. Bu düzlüğün arka tarafında mağaranın ağzı görünüyordu ama içerisi karanlık olduğundan ne kadar derin olduğu belli olmuyordu. Fakat burada yaşayan insanlar oraya sığınıp kendilerini bir süre savunmuş olabilirlerdi.

Rehberin bir gün önce söylediği gibi mağaranın tavanı bir yerde çökmüştü ve buradan gökyüzü görünüyordu. Mağaranın içi beyaz kaya parçalarıyla doluydu. Çöken tavanın altında kalan bir şeyler varsa bile görünmüyordu.

Lang ve Gurt hiç konuşmadan karanlık mağaranın içinde dolaşmaya başladılar. Bazı yerlerde asmalar yeşermiş, duvarları sarmıştı. Burası fotoğrafı Blucher'in CD'sinde görünen mağara ise duvarlarındaki kazılmış yazıları bulmak kolay olmayacaktı. Birkaç yıl sonra yaprakların, ısı farklarının da aşındırmasıyla kazılmış yazılar daha çok aşınacak, gözden kaybolacaktı.

Lang fenerinin ışığını mağara duvarlarında ve kaya parçaları dolu zeminde gezdirip her yeri dikkatle inceliyordu. İki kez duvarlarda ilginç bir şeyler gördüğünü sanarak durdu, heyecanlandı ama kazılmış yazı sandığı şeylerin duvarlardaki çatlaklar olduğunu anladı. Skorzeny bu mağaradan dört kamyon dolusu bir şeyler alıp götürdüyse, ya jeolojik örnekler almıştı, ya da mağara son altmış yılda iyice soyulmuştu.

O sırada karanlıkların içinden Gurt'un, "Lang, buraya gel!" diye seslendiğini duydu. Onun yanına gittiğinde Gurt fenerini duvara, zeminden yaklaşık bir buçuk metre yüksekte bir noktaya tuttu. Fenerin aydınlattığı yerde, mağara duvarında oyulmuş deliklerin üzerinde insan eliyle kazıldığı belli olan harfler görülüyordu.

Gurt mağara duvarına muntazam aralıklarla kazılmış delikleri göstererek, "Arı... arı..." dedi ama arkasını getiremedi.

Lang, "Arı kovanına benziyorlar," diyerek yumruğunu deliklerden birinin içine soktu. Çapı yaklaşık yirmi santim kadar olan deliklerin derinliği altmış santim kadardı.

Gurt şaşkın gözlerle deliklere bakarak, "Acaba bunlar şarap rafları olabilir mi?" diye sordu. Lang başını iki yana salladı ve "Şarabın mümkün olduğunca serinde kalması için yeraltında tutulması gerekir," dedi. "Burası belki de bir kütüphaneydi."

"Kitaplar için mi?"

"Hayır, rulolar için sanırım."

"O zaman kitaplar yok muydu yani?"

Lang başını salladı ve "Elbette vardı," dedi. "Eski İncilleri görmedik mi? Ama eski zamanlarda İskenderiye kütüphanesi gibi yerlerde yazılı eserler rulolar halinde toprak tüplere konur ve buna benzer deliklerde muhafaza edilirlerdi."

Skorzeny'nin kamyonlara yükleyip götürdüğü şeyler belki de bu deliklerde bulduğu rulolardı ama Lang'ın aklında şimdi başka bir soru vardı.

"Fakat on üçüncü yüzyılda Avrupa ülkelerinde yazılı eserler kitap haline getirilirken Cathar'lar neden yazılarını düz parşömenlere yazsınlar ki?"

Gurt ona deliklerin üstüne kazılmış harfleri gösterdi ve "Bunlardan bir şey çıkar mı dersin?" dedi.

Lang uzandı ve harflerin bir kısmını kapatmış olan bir asma dalını çekerek, "Bunu kesmek gerekiyor," dedi.

Gurt asma dalını koparmak için hızla çekmeye kalkınca Lang onun kolunu tuttu ve "Böyle çekersen duvardaki kaya parçaları kırılabilir, yazılar da bozulabilir," dedi. "Onun için dalları çekip koparmak yerine kesmeliyiz."

Gurt onun söylediğini anlayarak elindeki feneri ona uzattı ve çantasından sustalı bir bıçak çıkardı. Lang bu sustalı bıçağı daha önce hiç görmemişti onda ve Gurt'un havaalanı güvenliğinden bunu nasıl geçirdiğini de anlayamadı. Gurt bıçağını kullanarak duvarın önünü kapayan dalları tamamen kesti, o bölgeyi temizledi.

Lang hafifçe geriye çekildi ve el fenerini harflerin üzerine tutarak kazılı yazıyı okumaya çalıştı, ama zaman, rutubet ve diğer doğal nedenler yüzünden bazı harfler silinmiş, yerleri boş kalmıştı.

IMPERATORIULIANACCUSAT (-----) REBILLISREXUS
IUDEAIUMIUBITREGI (-----)UNUSDEISEPELIT

Lang yüksek sesle, "İmparator Julian...." diye okudu.

Gurt da yazıyı el feneriyle aydınlatıyor, onun okuduğu yeri görmeye çalışıyordu. "Kim dedin?"

Lang başka yere bakmadan, "Julian," diye tekrarladı. "On dördüncü yüzyıl sonlarındaki Roma imparatoru. Hıristiyan eserlerinde ona 'Din Değiştiren Julian' derler. Hz. İsa'ya inananları katleden son dinsiz imparator Constantine'den sonraki Hıristiyan olmayan ilk imparatordu."

Gurt kendi el feneriyle duvardaki yazılara bakarak, "Roma imparatoru buradaki insanları mı kesmiş yani?" diye sordu.

Lang dikkatle duvara bakarken başını iki yana salladı ve "O emir vermiş olabilir," dedi. "Şu IUBIT sözcüğü galiba emir anlamına geliyor. Tahta çıktıktan sonra Julian'ın buraya gelmiş olabileceğini sanmam. Tahta çıkmadan önce Galya'nın bu bölgesinin valisiydi. Uzun süre de imparator olarak kalmadı. Onunla ilgili yazılar fazla değildir."

"Bu yazıların Cathar'lar tarafından yazılmadığını nerden biliyorsun? Bu tür yazıları herkes taklit edebilir, yani bunlar sahte de olabilir, değil mi?"

Lang yazıya bir daha baktı ve kaşlarını çattı. Ya Latinceyi yanlış okuyordu, ya da anlamadığı bir şeyler vardı burada. Lang parmağını yazının üzerinde gezdirirken mağaranın tavanındaki açık yerden rüzgâr uğultusu duyuldu.

Gurt merakla, "Ne diyor?" diye sordu.

"Emin değilim. Örneğin şu *accusat* sözcüğünün sonu boş kalmış, kimin kimi itham ettiği belli değil burada. Sonra şu *regi* sözcüğünü de anlayamadım, sarayla ilgili bir şey olmalı ama sonundaki harflerin yok olmasıyla Julian'ın sarayla olan ilgisini çıkaramadım."

Yazıda bazı yerlerde harflerin silinmiş olması nedeniyle tam olarak okumak ve bir anlam çıkarmak çok zordu. Almancada bile bir yazıda kelime sonlarının silinmesi halinde bazı cümleler anlaşılmaz hale gelebilirdi.

Gurt, "Latincede de kelimelerin bazılarının silinmesi halinde o cümleden anlam çıkarmak zor olmalı, değil mi?" dedi.

Lang duvardaki yazıya iyice dalmıştı ve ona cevap vermedi. Dillerin çoğunda da aynı şey olabilirdi ama bazılarında eksik sözcük ve ifadelere rağmen insan bazen bazı anlamlar çıkarabilirdi.

Lang sonunda, "Burası yeterince aydınlık değil ve el feneri ışığında da her şeyi tam olarak görüp okuyabilmek kolay değil," diye söylendi. "Sen fenerini kelimeler üstünde ağır ağır gezdirirsen ben belki onları kopya edebilirim ve sonra fotoğraflarını da çekebiliriz."

Lang on dakika kadar uğraşarak az silinmiş olan kelimelerin kopyalarını çıkarmaya çalıştı, sonra görünen tüm sözcüklerin ve cümlelerin fotoğraflarını flaşlı makineyle çekti. İşlerini bitirmek üzereydiler ki gittikçe yaklaşan ve motor sesini andıran garip sesi duyarak birbirlerine baktılar. Türbinli olmayan, normal, pistonlu motorlu küçük bir helikopterin sesini andırıyordu bu ses.

Ses çok geçmeden mağaranın tepesinden gelmeye başladı. İkisi de başlarını kaldırınca mağaranın çökerek açılmış olan tavanından gördüler onu, paralı adamların kullandığı küçük özel bir Skorsky helikopterdi bu, ama onların bulunduğu noktadan sivil havacılık kayıt işareti ve numarası görünmüyordu.

Lang, "Bu da kim acaba?" derken mağaranın açık olan tavanına iyice yaklaşan helikopterin yan tarafından gözlerinde uçuş gözlükleri olan bir adam eğildi ve aşağıya bir şey attı. Atılan cismi daha yere düşmeden, havada, sadece birkaç saniye gördüler ama onlar için yeterliydi bu.

Lang Gurt'u bütün gücüyle duvardaki girintilerden birine doğru itti, sığ bir girintiydi bu ama yine de hiç yoktan iyiydi. Atılan cismin yere çarptığını duyar duymaz fırladı. Ondan kurtulabilmesi için beş saniyeden az bir zamanı vardı, ama bombayı atan adam deneyimli olup da atmadan önce iki ya da üçe kadar saydıysa bomba yere çarpar çarpmaz patlardı. Lang plastik silindiri mağaranın zemininde, kendisine otuz santim kadar mesafede gördü. Bombanın üzerine uçtu, saniyede kaptı ve mağaranın ağzına doğru fırlattı, aynı anda yüzükoyun yere kapanarak ellerini başının üstüne koydu.

Ağzına burnuna bir şeyler dolarken kendini mağaranın zeminine nasıl attığını bile anlayamadı, ama bomba mağaranın dışında patlamasına rağmen, zeminin deprem olmuş gibi sarsıldığını ve ufak kaya parçalarının uçarak yanına düştüğünü hissetti.

Hemen ayağa fırladı ve başını sallayarak kendini toparlamaya çalışan Gurt'un yanına koştu. "Lanet olsun! Neydi bu Lang?"

Lang onu mağaranın ağzına doğru çekerken, "Sonra konuşuruz," diye bağırdı. Helikopterden mağaranın açık olan tavanından içeri atılan cismin, şekli İkinci Dünya Savaşı'ndan bu yana pek değişmemiş olan taarruz el bombalarından biri olduğunu hemen anlamış ve gereken önlemi almayı başarmıştı. Helikopterden mağaranın içine atılan el bombası pimli, gecikmeli tapalı, plastik kaplamalı ve yüksek patlayıcı içeren korkunç bir silahtı. Adamların böyle bir silah seçmelerinin nedeni belliydi: MkIIA1 el bombası mağarayı tamamen çökertecek, Lang ve Gurt parçalanan kayaların isabetiyle ölmeseler bile ağır yaralanarak mağaranın içinde canlı canlı gömülüp kalacaklardı.

El ele tutuşarak mağara önündeki düzlüğe koştular. Arkalarında bir bomba daha patlayınca adamların bu saldırıdan kolayca vazgeçmeyecekleri iyice belli oldu. Helikopter yukarıya çıktıkları kuyunun ağzına onlardan önce vardı, havada durup bekledi onları, ondan kurtulmaları kolay olmayacaktı. Lang etrafa bakındı, çıktıkları dar delikten aşağıya inmeye kalkmak intihar olacaktı. Delikten aşağıya atılacak bir bomba onları mutlaka öldürecekti. Etrafta onları koruyacak ağaç ya da çalılık bile yoktu.

Helikopterde pilotun yanında oturan adam yine dışarıya doğru eğilerek bir bomba daha attı ve Lang da aynı anda Gurt'u yere itip düşürdü, üzerine kapandı. Yere düşen bomba yine çevrede bir deprem yarattı ama onlar yaralanmadan kurtuldular. Her yerde barut kokusu vardı ve nefes alırken bu kokuyu da ciğerlerine çekiyorlardı.

Etrafta uçuşan taş toprak parçaları yere düşüp çevreleri sakinleşince Gurt onu kenara iterek ayağa fırladı, ama yeniden atılacak bir bombanın hedefi olabilirdi. Lang onu bacağından tutmak istedi ama yakalayamadı ve arkasından o da ayağa fırladı. Fakat ne yapacağını, nereye kaçabileceklerini bilemiyordu. Etraflarında her şey sanki ağır çekim bir film gibi yavaş hareket ediyordu şimdi.

Gurt Lang'dan alıp beline sıkıştırdığı Glock tabancayı çekerken aniden döndü ve iki eliyle birden tutup kollarını yukarıya, helikoptere doğru kaldırdı. Helikopterdeki adam da şimdi eline bir bomba daha almış, diğer eliyle de bombanın pimini çekmeye hazırlanıyordu. Pimi çekip bombayı tam Gurt'un üzerine doğru atmak üzereyken ardı ardına iki el silah sesi duyuldu.

Bombayı atma fırsatı bulamayan adam bir anda şaşırmış gibi ağzını açtı ve aşağıya, Gurt'a baktı. Alnında iki delik açan mermilere mi, yoksa atmaya fırsat bulamadığı, elinde pimi çekili olarak kalmış olan bombaya mı şaşırmıştı, belli değildi. Sonra bir anda arkaya, helikopterin içine doğru devrildi.

Lang o anda neler olacağını anladı ve Gurt'u uyarmak için bağırdı. Ama o da olacakları anlamıştı elbette.

Helikopter o anda içinde patlayan bombayla bir ateş topu haline geldi, paramparça oldu ve birkaç saniye içinde parçalar halinde yere çarptı. Lang onun kendisinden biraz uzakta yere vurmasıyla beraber yere düştü ve bayılacağını sandı, gözlerini kapadı. Ama sadece sersemlemişti ve birkaç saniye içinde kendini toparlayarak doğruldu. Etrafında hâlâ yanmakta olan helikopter parçaları ve paramparça olan kayalar vardı ama yaralı değildi. Ayağa kalkarken biraz ilerisinde bilekten kopmuş ve yanmış bir insan eli görünce midesinde safra kabardığını hissetti, elin bir parmağında hâlâ bir yüzük vardı.

"Gurt!" diye bağırdı ama ondan cevap alamadı.

Midesinin bulantısına aldırmadan iyice doğruldu ve etrafına bakındı, her yer toz duman içindeydi. Bir an için Gurt'un ölmüş olabileceğini düşündü ve umudu söndü ama kendine moral vermeye çalıştı.

Patlamalar insanlarda garip etkiler yapardı. İkinci Dünya Savaşı'nda Londra'nın Alman uçakları tarafından bombalanmasıyla ilgili garip hikâyeler duymuştu. Anlatılanlara göre, evlerine bomba isabet eden kadınlar üzerlerindeki giysiler paramparça olmuş ama hiç yaralanmamış olarak sokaklara fırlamışlar, enkaz altında kalan insanlar sapasağlam dışarı çıkmışlardı.

Gurt da mutlaka bir yerden çıkacaktı elbette ama hâlâ ortalarda görünmüyordu. Lang birden yine umutsuzluğa kapıldı ve ne yapacağını şaşırmış gibi çevreye bakındı. Gurt'u parçalanmış olarak bulmak düşüncesi bir anda mahvetti onu. O anda yere diz çöktü ve kusmaya başladı.

Bir süre sonra kusması bitince sendeleyerek ayağa kalktı. Gözlerinde biriken yaşlar nedeniyle etrafı da bulanık görmeye başlamıştı. Hayatında hiçbir zaman kendini bu kadar yalnız hissetmemiş, Dawn öldüğünde bile bu kadar kötü olmamıştı. Çünkü o zaman onun öleceğini biliyordu ve kendini bu düşünceye mümkün olduğunca hazırlamıştı.

Gurt kaybolmuştu, ortalarda görünmüyordu. Başını kaldırıp gökyüzüne baktı ve birkaç dakika önce ölüm yağmış olan göğün bu kadar masumane mavi oluşuna şaşırdı. Ama yıllar önce aldığı eğitimleri hatırladı ve güçlü olması gerektiğini düşündü, kendini toparlamaya çalıştı.

Aşağılarda bir yerlerde hiç kuşkusuz bu patlamaları duyan ve havada patlayıp yanan ve düşen helikopteri görenler olmuştu. Polisler büyük ihtimalle buraya doğru yola çıkmış olmalıydılar. Etrafta her şey paramparça olduğu için patlamalarda kaç kişinin öldüğünü anlamak da hiç kuşkusuz zaman alacak, adamlar bunu ancak DNA incelemeleri sonucunda anlayabileceklerdi.

Lang bunları düşünürken bir robot gibi hareket ediyor, ne yapması gerektiğini o anda tam olarak bilemiyordu. Birkaç adım atınca yere düşerken bıraktığı kamerayı yerde gördü ve eğilerek aldı. Kameraya bir şey olmaması, sağlam kalması şaşırttı onu. Beline sarılı duran halatın yardımıyla delikten

GREGG LOOMIS

aşağıya indi, arabanın bagajını açarak Gurt'un çantasını çıkar-
dı, bu koca çanta ile alay ederek onu kızdırdığını hatırlayınca
gözleri doldu. Çantayı biraz karıştırdı ve bunu yapmanın ken-
disine bir yarar sağlamayacağını anlayınca onu yine bagaja bı-
raktı, kapağı kapadı. Arabanın ön koltuğuna oturdu ve gözden
Gurt'un pasaportunu çıkarıp iç cebine koydu. Şu anda işe onu
da karıştırmanın bir anlamı yoktu.

Polis kiraladıkları arabadan başlayarak yapacağı araştır-
mada Joel Coch adlı bir kadın hakkında bilgi edinmeye çalışa-
caktı. Dağda bulunacak olan insan parçaları ve Lang'ın pasa-
portu yüzünden polisler en azından DNA araştırması sonucu-
na kadar Lang Reilly'nin de öldüğünü sanacaklardı.

Hâlâ dumanlar tüten tepenin dibinde bir süre durdu ve
başını kaldırıp oraya baktı. Sonra yumruğunu sıkıp oraya doğ-
ru salladı ve dişlerini gıcırdatarak, "Namussuz hergeleler!"
diye bağırdı. "Kim olursanız olun, nerde olursanız olun, sizi
bulacak ve canınıza okuyacağım. Benden asla kurtulamaya-
caksınız!"

Bunu yaptıktan sonra içini boşaltarak biraz rahatlar gibi
oldu. Kız kardeşiyle yeğeninin katillerini bulmuştu ve eğer ge-
rekiyorsa ömrünün sonuna kadar uğraşacak ve Gurt'u öldü-
renleri de bularak onun da intikamını mutlaka alacaktı. Kendi
kendine söz verdi.

O anda Latince cümleyi yazmış olduğu kâğıdı hatırladı ve eli-
ni cebine attı. Elinde hiç olmazsa bir başlangıç noktası vardı ve ta-
mamen boşlukta sayılmazdı. Mercedes'in anahtarını cebine attı,
arabayı orada bıraktı ve daracık kır yolunda yürümeye başladı.
Bulacağı ilk sokak telefonundan arabayı kiraladığı şirketi araya-
rak Mercedes'in çalındığını bildirecekti. Şimdi öldüğü sanılacak
olan Langford Reilly'nin suçları gittikçe kabarıyordu.

Bir mil kadar yürümüştü ki iki polis arabası sirenlerini çalarak hızla yoldan geçtiler ve onun geldiği yöne doğru gittiler. Bir süre daha yürüdükten sonra iyice yoruldu ve gittiği yöne doğru giden traktörlü bir çiftçinin buğday yüklü römorkuna atladı. Köylü yüzünü görmesin diye ona sırtını döndü ve dolan gözlerini silerek başını önüne eğdi.

BÖLÜM YİRMİ BİR

Frankfurt
141 Mosel Strasse
Ertesi gün

Reavers ellerini masanın üstüne koydu ve "Gurt öldü mü?" dedi. "Emin misin?"

Lang üzgün bir ifadeyle başını salladı ve "Bütün cesetler parçalanmıştı," dedi. "Ölenlerin kimliklerini ancak DNA incelemesiyle ortaya çıkarabilirler."

Reavers hiç kımıldamadan koltuğunda oturuyor, dalgın gözlerle ilerde bir noktaya bakıyordu ama o gözlerde bir yırtıcı hayvan gözlerinin parıltısı vardı sanki. Bir süre sonra Lang'a döndü ve "Etrafı iyice aradın mı?" diye sordu.

Lang dağda, enkaz arasında elinden gelen her şeyi yaptığını sanıyordu ama içinde sanki hâlâ yapabileceği bir şeyler kalmış gibi bir his vardı. "O sırada mağaranın içinden başka saklanacak bir yer kalmamıştı," dedi. "Oraya kaçıp saklanmış olsaydı onu mutlaka bulurdum."

"Pekâlâ, demek bütün bu olanlardan sonra Huff'ı öldüren hergeleleri aramaya devam edeceksin, öyle mi?

Washington'daki namussuzlar sana yardımcı olmamız için gereken bütçeyi vermezler bize, bundan eminim. Aslında güvenlik bütçesini düşünmeyen o politikacılar müzelere bolca para veriyorlar ama."

"Haklısın dostum, aslında Gurt'un ölümünden onlar da sorumlu sayılırlar."

"Sana nasıl yardımcı olabilirim, söyle Lang?"

Lang o anda Gurt'un ölümünden başka bir şey düşünemiyordu. Yaşlı kurdun sorusunu duyunca başını kaldırıp ona baktı ve "Aslında Couch kimliğini muhafaza etmek, ama onun yanında başka bir adla bir Avrupa Birliği vatandaşı kimliği de almak isterim," dedi. "Yanımda yedek bir sahte kimlik olması işimi kolaylaştırabilir. Kredi kartları harcamalarını ödeyeceğimi garanti ederim sana..."

CIA İstasyon Şefi eliyle boş ver gibi bir işaret yaptı ve "Sen şimdi kredi kartı ödemelerini düşünme dostum," dedi. "Biz dostlarımıza zarar veren hergeleterin üstüne giderken bütçe kısıtlamalarını düşünmeyiz, sen de bilirsin bunu, değil mi?"

Lang seksenli yıllarda CIA bütçesiyle ilgili Kongre tartışmalarını hatırladı. O dönemden sonra bu konuda herhalde bir rahatlama dönemi başlamış olacaktı. Ya da politikacılar şimdi daha önemli başka sorunlarla uğraşıyorlardı.

"Söylesene bana Lang, bu adamların izini nasıl bulacaksın acaba?"

Lang koltuğunda arkasına yaslandı ve bir süre düşündükten sonra omuz silkerek, "Mağara duvarında bazı yazılar bulduk," dedi. "Suçlama ve Tanrı sarayına benzer bazı sözcükler vardı orada."

"Yani bu çok eski dinsel yazıların sana bazı ipuçları verebileceğini mi söylemek istiyorsun?"

Lang bir süre daha düşündü ve sonra içini çekerek, "Mağara duvarına kazılmış o yazılar dördüncü yüzyıla kadar gidiyor sanıyorum. Skorzeny o mağaradan bir şeyler alırken de oradaydı o yazılar elbette. O da aynı yazıları görmüş olmalı."

"Ee, bundan ne anlam çıkarıyorsun peki?"

"Onları okuyup ne dediklerini öğrenebilirsem çok iyi olur, belki bazı ipuçları elde edebilirim diye düşünüyorum. Almanlar belki de bunu başardılar, onların anlamını öğrendiler. Bunu ben de yapabilirsem belki bizi neden engellemek istediklerini de öğrenebilirim diyorum."

Reavers masanın üstündeki kalemlerden birini alıp parmakları arasında çevirerek oynamaya başladı. "Yani sen şimdi Huff ve Gurt'u öldüren o hergelelerin yüzyıllar öncesinin bir dinsel sırrını muhafaza etmek istediklerini mi söylemek istiyorsun?"

"Şu anda ancak bunu düşünebiliyorum."

Lang o anda ona, bir yıl önce yine böyle bir sır yüzünden kendisini öldürmek isteyen insanlarla boğuştuğunu söylemek istemedi. "Ya böyle bir şey var, ya da bir organizasyon eski Nazilerin ortaya çıkarılmasını önlemek istiyor."

CIA Şefi elinde çevirip durduğu kalemi yine masaya bıraktı ve Lang'a, hayal kuran bir adamın yüzüne bakar gibi baktı. "Ben bundan bir şey anlamadım ama sana yardım edeceğim, dostum."

Yaşlı kurt çekmecesini açarak kare şeklinde küçük bir cihaz çıkardı, ona uzattı ve "Bu bir cep telefonu ama içinde elektronik karıştırma ve global pozisyon sistemi de var," dedi. "Kendine üç rakamlı bir şifre ayarla, bunun düğmesine bastı-

GREGG LOOMIS

ğın zaman seni kolayca bulabilir ve yardımına gelebiliriz. Bizim için özel olarak yapıldı bunlar."

Lang cep telefonunu cebine koyarken, "Teşkilat bunu bana verdiğini öğrenirse başın derde girebilir," dedi.

Reavers arkasına yaslanarak sırıttı ve "Sana sadece bunu değil, sahte kimlikler ve pasaport da verdim, değil mi? Bu yaştan sonra beni kovsalar bile gam yemem dostum. O güzel kadını öldüreni ben de en az senin kadar bulmak istiyorum, Lang."

"Bana yardımcı olduğun için sana nasıl teşekkür edeceğimi bilmiyorum dostum."

"Bunu sadece sana yardımcı olmak için yapmıyorum, ben de o hergelelerin peşinde olacağım, merak etme."

Lang ayağa kalktı ve "Her neyse, yine de çok teşekkürler," dedi.

Reavers da ayağa kalkarak ona elini uzattı ve "Ben de bu işin içindeyim," diye tekrarladı. "Her an sana yardıma hazır olacağım."

Bu Teksas'lı yaşlı kurdun ona yardıma hazır olduğunu bilmek rahatlattı Lang'ı.

BÖLÜM YİRMİ İKİ

Frankfurt
Dusseldorf Am Hauptbahnhof Strasse
O akşam

Lang yatağa sırtüstü uzanmış, dalgın gözlerle tavandaki çatlaklara bakıyordu. Caddede vitrinlerinde seks dükkânlarının, porno filmlerin ve ucuz restoranların reklâmlarını yapan neon ışıklarının pencereye vuran parıltıları ilgisini çekmiyordu onun. Birisi sorsaydı, tren istasyonu yakınında o geceyi geçirdiği ucuz otelin adını bile söyleyemezdi.

Çok dalgındı ve kendine acıyordu.

Önce karısı Dawn'ı, sonra kız kardeşi ve yeğenini, şimdi de Gurt'u kaybetmişti. Tüm sevdikleri hiç beklemediği zamanlarda hayatından çıkıp yok oluyor, bir daha da geri gelmiyorlardı, sonsuza kadar kaybediyordu onları. Dindar değildi, hurafelere inanmazdı ama yine de kötü bir kaderi olduğunu görüyordu.

O anda, bir süre önce satın aldığı yeni elbiseyi ona gösterirken sarı saçlarını dalgalandıran Gurt geldi gözlerinin önüne. Sevişmeleri geldi aklına ve onun kokusunu duyar gibi oldu. Onun İngilizce bazı deyimleri hatalı, yanlış kullanışını hatırlayarak acı acı gülümsedi. Neşeli konuşmalarını, pişirdiği yemeklerin kokularını hatırladı.

Bunların hepsi uçup gitmişti. Gurt onunla evlenmeyi kabul etseydi acısı acaba daha mı büyük olurdu?

Ama sanmıyordu, yine aynı büyük acıyı hissederdi, emindi bundan.

O anda teselliye ne kadar ihtiyacı olduğunu düşündü. Dirseği üzerinde doğrulup saatine baktı. O sırada Atlanta'da saat akşamın beşini biraz geçiyor olmalıydı. Yataktan kalkıp cep telefonunu şarja bağladı.

Sonra odasındaki telefonu açtı ve santrale bir numara vererek bağlamasını istedi. Telefon zili iki kez çaldıktan sonra hattın diğer ucundan, sanki okyanus ötesinden değilmiş de sokağın karşı tarafından geliyormuş gibi, çok net bir ses cevap verdi ona.

"Francis?"

Muhatabı mutlu bir sesle, "Beni arayan kişi şu çok sevdiğim dinsiz mi yoksa?" diye sordu.

Lang onun sesini duyar duymaz birden rahatlar gibi olduğunu hissetti. "Francis, sana kötü haberlerim var, dostum."

Sonra ona Huff'ın öldürülmesini ve Gurt'un başına gelenleri anlattı, Montsegur'da başlarına geleni ayrıntılı bir şekilde aktardı ona.

"Gurt'un öldüğüne emin misin, Lang?"

Lang birden sinirlendi ama kendini hemen toparladı. Birkaç saat içinde ikinci kez soruyorlardı bu soruyu ona. Gurt'un öldüğünden emin olmadan onu orada bırakıp kaçtığını mı sanıyorlardı yoksa?

"O tepede her yere baktım ama bulamadım onu, Francis. Her yer ceset parçalarıyla doluydu, gördüğüm en büyük insan parçası kopmuş bir eldi ve o da ona ait değildi."

Karşı taraftaki sessizlik o kadar uzun sürdü ki, Lang hattın kapandığını sandı. Fakat Francis sonunda, "Peki ne yapacaksın şimdi?" diye sordu.

"Şu anda aklımda bir tek şey var, bu korkunç olayın sorumlusunu bulmak."

Francis bir süre düşündü ve sonra, "Bu işi polise bıraksan daha iyi olmaz mı, dostum?" diye sordu.

Lang bir an düşünüp zorla yutkundu ve sonra hafif bir sesle, "Fransız polisine gidip de birkaç kişi parçalanıp ölürken orada bulunduğumu söyleyemem, Francis," diye konuştu. "Polisler hakkımda yapacakları soruşturmaya başlamadan önce Frankfurt ve Heidelberg polisi tarafından arandığımı öğreneceklerdir."

"İntikam hırsıyla hareket etmek sana yanlış şeyler yaptırabilir, Lang."

"Francis, senin insanlara acıma ve affetme işinde olduğunu biliyorum, ama ben şu anda bana tokat atana diğer yanağımı da çevirmek niyetinde değilim."

Francis birkaç saniye düşündü ve sonra, "Lang, sana her türlü yardıma hazır olduğumu biliyorsun," diye konuştu. "Gurt'u ben de çok severdim, onun ruhu için hep dua edeceğim, dostum."

"Bence sen katili için dua et, Francis, çünkü sonunda bulacağım onu."

"Sözünü ettiğin şu mağara duvarındaki yazılar için ne düşünüyorsun peki?"

Lang onun başka konulara atlayarak kendisine Gurt'u unutturmaya çalıştığını anlamıştı. Yine de "Emin değilim," diye cevap verdi. "İstersen söyleyeyim de yaz kelimeleri, bu konuda senin fikrini de almak isterim doğrusu."

Francis, Lang'ın söylediği kelimeleri bir kâğıda yazdı ve bir süre inceledikten sonra, "Pek bir anlam çıkaramadım," diye konuştu. "Ama 'İmparator Julian, Yahudi kralının suçlanması ve bir tek tanrı sarayına gömülmesini emrediyor,' gibi bir şey olabilir sanırım. Silinen yerler olduğu için tam anlaşılmıyor. Kelimeleri doğru olarak yazdığına emin misin?"

Lang onunla tartışırsa acısını biraz unutabileceğini düşündü. "*Dcemo bona verba.*"

"Ben sana hiçbir zaman kötü sözler ettiğini söylemedim. Senin konuşmanın zor anlaşılmasına neden olan şey aslında klasik dili güney aksanıyla karıştırman, dostum. Sen konuşurken..." Lang kendini tutamadı ve hafifçe gülümsedi. Bu rahip mucizeler yaratıyordu. Ama yine birden ciddileşti ve "Peki ama ya *solus dei* ve Yahudilerin kralına ne diyorsun?" diye sordu.

"Hz. İsa çarmıha gerilirken ona Yahudilerin kralı diyerek alay etmişler, ama o cümle Hz. Davut ya da Hz. Süleyman gibi bir Eski Ahit kralından da söz ediyor olabilir. Aynı şekilde 'tek tanrı' sözcüğü de Yahudilerin, Müslümanların ve Hıristiyanların Tanrısı anlamına gelebilir."

Lang yatağın kenarına oturdu ve "Ama bu da bir soruna neden olabilir: Julian, Hıristiyanlara ibadet etme hakkı tanıyan Constantine yasalarını iptal etti," dedi. "O onlardan nefret etti, Roma'yı panteizm yolundan saptırdıklarını düşündü."

"Onun hakkında bana başka neler söyleyebilirsin?"

"Bütün okuryazar Romalılar gibi o da bulmacaları severdi ve sanırım burada da bir tane olabilir. Tek tanrı sarayı ne anlama geliyor?"

Francis birkaç saniye düşündü ve "Hıristiyanlarda cennet anlamına gelebilir," dedi.

"Evet ama bir insanı cennete nasıl gömebilirsin, sanırım burada mecazi bir anlam olmalı."

"Bunu ancak Manuel'de yemek yerken tartışabiliriz."

Lang bunu duyunca birden memleketini özlediğini hissetti. Memleketinin yemekleri ve oradaki entelektüel ortam hiçbir zaman ona bu kadar uzak gibi gelmemiş, oraları hiç böyle özlememişti.

Birden kararını verdi ve "Birkaç gün sonrası için bir masa ayırt," dedi. "İlk fırsatta geliyorum oraya."

BÖLÜM YİRMİ ÜÇ

Atlanta, Georgia
Lindberg MARTA İstasyonu
İki gün sonra

Lang aslında yatma zamanı geldiğini hissediyordu ama o trenden inerken güneş hâlâ parlıyordu. Aslında havaalanında taksiye binebilirdi ama çok hızlı olmasa da Hızlı Tren denen havaalanı treni şehre yine de taksiden hızlı gidiyor ve büyük ihtimalle Afrikalı olacak taksi şoförü ile Svahili, Tutsi ya da başka bir Afrika dilinde konuşma zorunluluğu doğmuyordu. Taksi şirketlerinin zenci şoförlere İngilizce konuşma mecburiyeti getirmemesi çok kötüydü.

O yine de taksiye binmeye karar verdi ve şoförün, adres olarak söylediği "Peachtree Yolu" sözünü anladığını görünce memnun oldu. Lang kendisini karşılayacak kimse beklemiyor, özellikle de karşısında SWAT timini görmek istemiyordu.

Ama taksi apartman binasının çevresindeki araba yoluna girince taksinin arkasında birden bir polis arabası, arkasında da bir kamyonet yolu kapadılar. On tane miğferli, kurşungeçirmez kıyafetli ve ellerinde Mac 10 makineli tüfekler olan on tane polis, apartman kapıcısı ve birkaç daire sakininin korkulu bakışları altında, takside sanki Usama bin Ladin varmış gibi arabayı sardılar. Lang taksinin arka camından dışarı bakınca zayıf, sivil kıyafetli bir siyahînin de resmi olmayan başka bir arabadan indiğini gördü.

Demek Alman polisi kendi topraklarında olanları hemen Amerikan polisine bildirmiş, FBI ve Amerikan polisi de burada gerekli önlemleri almıştı. Lang arabadan inerek ellerini havaya kaldırdı ve kendisine doğru gelen zenciye, "Tekrar görüştüğümüze sevindim, Dedektif," dedi.

Rouse sırıtarak ona baktı ve "Ben de çok sevindim, Bay Reilly," diye karşılık verdi. "Ama bu kez elimizden kolay kurtulamayacaksın Bayım, uluslararası bir tutuklama emri var hakkında. Artık başın iyice dertte demektir, dostum."

Lang Amerikan gümrüğüne girmeden önce Almanya'da yaptığı makyajdan ve ağırlıktan kurtulmuş, normal görüntüsüne dönmüştü. Sadece sarı saçları kalmıştı ama o da havaalanında onu bekleyen polisleri kandırmaya yetmemişti elbette. İki polis onun ellerini arkasına çektiler ve kelepçelediler.

Dedektif gülerek onun yüzüne bakarken Lang, "Sana tekrar teşekkür ederim, Dedektif," dedi. "Senin sayende güzel bir Almanya seyahati daha yapacağım."

Dedektif Rouse başını salladı. "Rica ederim, Bay Reilly. Sen gidince bu şehir biraz daha sakin olacaktır sanırım."

Polislerden biri Lang'ın ceplerini aradı ve "Adam temiz," dedi. "Üzerinde sadece anahtarlar, bir cüzdan ve iki de cep telefonu çıktı."

Rouse şaşkın bir ifadeyle Lang'a baktı ve "Bu pahalı telefonlardan iki tane birden mi taşıyorsun, Bay Reilly?" dedi. "Bir tanesi yetmiyor mu sana?"

"Her avukatta iki cep telefonu vardır ve bu sayede bir avukat ağzının iki yanı ile de konuşabilir. Adamlarına söyler misin zavallı taksi şoförünün parasını ödesinler?"

"Oh, tabii. Valizini alıp dairene kadar da çıkaracaklar elbette."

Lang makyajını sildikten sonra Couch adına çıkarılmış olan sahte pasaportu valizinin gizli gözüne saklamıştı. Sahte bir pasaportla seyahat ettiğini öğrenirlerse onu sorgulamak isteyecek bir sürü başka devlet kuruluşu da çıkacaktı ortaya.

Polis arabasının içi Lizol ve kusmuk kokuyordu. Atlanta polisinin mahkeme öncesi tutukluları götürdüğü hapishane ya da resmi adıyla Mahkeme Öncesi Tutukevi şehrin güneyinde, Garnett Sokağındaydı. Hapishane civarında bir sürü eski beton bina ve bunlarda da çeşitli adlarla kefalet büroları vardı.

Hapishane binasının dış cephesi yeni gibi görünüyordu ama içinde zemin taşları ve duvarlar çok yıpranmış, parkeler birçok yerde kırılmıştı ve dezenfektan kokusu Lang'ın gözlerini yaşarttı. Kendisini götüren iki polisin bazı kapıları anahtarsız açması şaşırtmadı onu. Mahkûmlar içerdeki kapıların çoğunda kilitleri ve camlı kapıların camlarını kırmışlardı. Şehrin eski valilerinden biri bir zamanlar hapishanelerin yenilenmesi gerektiğini söylerken herhalde burasını düşünmüş olacaktı.

Lang'ın üzerini aradıktan sonra mokasen ayakkabılarını alıp ona banyo terliği benzeri hapishane terlikleri verdiler. Üzerindeki spor kıyafeti çıkarıp parlak portakal rengi, kemersiz bol bir tulum verdiler ona, sonra el ve ayak bileklerine zincir vurarak ter kokan bir asansöre bindirdiler onu.

Lang yanındaki gardiyanlardan birine, "Hey, telefon hakkım var, değil mi?" dedi.

Uzun boylu, iriyarı siyahî gardiyan onun yüzüne bakmadan, "İstediğin kadar telefon edebilirsin," dedi. "Dinlenme salonunda paralı bir telefon var, günde dört saat TV izleyebilir, dama ya da satranç oynayabilir veya dergi okuyabilirsin."

Diğer gardiyan sırıtarak, "Yani burası sosyal bir kulüp gibidir," dedi.

Lang, "Evet ama bütün bozuk paralarımı aldılar, nasıl telefon edeceğim ben?" diye sordu.

İriyarı zenci yine ona bakmadan, "Bak buna üzüldüm işte," dedi. İki gardiyan da kahkahayla güldüler. Lang müvekkillerini görmek için daha önce de gelmişti buraya ama sadece temiz ve rahat ziyaret odalarını görmüştü. Sırayla hücrelerin bulunduğu dört katlı asıl hapishane binasını ilk kez görüyordu. Bu demir parmaklıklı hücrelerde mahkûmların bağırışları ve yüksek sesle, küfrederek konuşmaları da insanın sinirlerini bozuyordu.

Lang'ın önünde yürüyen saçsız gardıyan bir süre sonra durdu ve belindeki anahtarları gözden geçirdi. Lang'ın baktığı hücrenin kilidi büyük olasılıkla anahtarla açılıp kapanan normal kilitlerden birine benziyordu ama bütün kapıların kilitleri elektrikli kumandayla otomatik olarak da açılıp kapanabilirdi.

Gardiyanlardan biri hücre kapısını açtıktan sonra Lang'ın el ve ayak bileklerindeki zincirleri çıkarırken, diğeri biraz geriye çekilip ani bir saldırıya karşı tetikte durdu, onu gözetledi. Lang'ı iterek hücreye soktular ve demir parmaklıklı kapıyı kapayarak kilitlediler.

Hücrenin eni de boyu gibi yaklaşık üç metreydi ve duvarın dibinde çift katlı bir karyola vardı. Yerde yan yana iki tane pamuklu şilte duruyordu ve diğer duvarın dibinde de çelik bir lavabo ve kapaksız bir tuvalet vardı. Arka duvarda tavana yakın bir noktada daracık bir pencereden içeriye hafif bir gün ışığı sızıyordu.

Lang bir zamanlar bu hapishaneden kaçmış mahkûmlarla ilgili haberler duymuştu ama kaçışlar herhalde bu hücrelerden yapılmamıştı. Herhalde bazıları gardiyanlara iyi rüşvetler vererek ya da temizlik yaparken, güvenliği zayıf olan alanlardan kaçmış olacaklardı.

Lang burada uzun zaman kalacağını hiç sanmıyordu, yani kaçış için zayıf noktaları araştırmak zorunda kalmayacaktı. Alttaki yatağın kenarına oturdu, karşı duvara bakmaya başladı, ama orada duvardaki çatlakları değil de güneybatı Fransa'daki bir dağ tepesini, patlayan bombaları ve yanan helikopteri gördü.

Ve Gurt'u da orada yitirmişti.

İyice dalmış yaşadığı korkunç olayı düşünürken, birden hücrenin dışından gelen seslerle başını kaldırdı, yine portakal rengi tulumlar giymiş, biri beyaz, ikisi zenci üç kişi gördü. Hücre kapısı açılıp adamlar içeri girince Lang şaşkın bir ifadeyle ayağa kalktı.

Zencilerden biri Lang'ın gardiyanı gibi iriyarıydı, boyu bir seksenin, kilosu yüzün üzerinde olmalıydı. Hücrenin gerisinde duran Lang'a baktı ve kendi kendine konuşur gibi, "Burada bir beyaz daha var," diye söylendi.

Lang ona elini uzattı ve "Ben Lang Reilly," diyerek kendini tanıttı.

İriyarı zenci onun eline umursamaz bir ifadeyle baktı ve kalın sesiyle, "Adın ben ne dersem o olacaktır, bunu sakın unutma bayım," dedi.

Lang bu hücrenin patronunun bu dev yapılı zenci olacağını hemen anladı. Diğer zenci daha zayıf, ufak tefek ve yaşlıydı ve Lang'ın elini sıkarak, "Benim adım da Eddie Johnson," dedi. "Sen Leroy'a aldırma, o daha yeni, birkaç saat önce geldi buraya." Sustu ve beyaz adamı göstererek, "Ben ve Wilbur birkaç aydan beri bu hücrede kalıyoruz," diye ekledi.

Wilbur da ufak tefekti ve fare yüzüne benzer bir yüzü vardı. Bir gözünün altını morartmışlar, alt dudağını patlatmışlardı, ama kan kurumuştu. Kısa bir süre önce iyi bir dayak yediği belliydi.

Leroy öfkeli bir ifadeyle Lang'a baktı ve "Hey, benim yatağıma oturmuştun," diye homurdandı.

Wilbur hemen atıldı ve "Aslında orası benim yatağımdı," dedi ama Leroy bu kez öfkeli bakışını ona çevirdi.

Lang kaşlarını çattı, iriyarı zencinin gözlerine hiç çekinmeden baktı, bunu bir hapishanede, bir müvekkilinden öğrenmişti. Sonra yüzündeki ifade yumuşadı, hafifçe gülümsedi ve "Sen de buraya benden birkaç saat önce geldin, dostum," diye konuştu. "Benden çok fazla kıdemli sayılmazsın herhalde, değil mi?"

İriyarı zenci sorun çıkaracaksa Lang bunu hemen öğrenmek istiyordu. Zencinin ona uyurken ya da sırtı dönükken saldırmasını istemezdi elbette.

Leroy öfkeli bir ifadeyle ona baktı ve "Buraya ne zaman geldiğim seni hiç ilgilendirmez beyaz çocuk," diye homurdandı. "Burada benim sözüm geçer, kuralları ben koyarım, tamam mı?"

Wilbur ve Eddie Johnson durumun kötüye gittiğini görünce hücrenin dibine doğru çekilip sindiler. Lang sakin görünmeye çalışıyordu ama onlar iri zencinin patlamak üzere olduğunu anlamışlardı.

Lang zencinin saldırısını tahmin etmemiş olsaydı yediği yumruk onu duvara çakabilirdi. Lang sağa doğru eğilirken dengesini iki ayağı üzerinde korudu ve birden yaylanıp savurduğu sağ kroşesiyle böyle bir saldırı beklemeyen zencinin sol çenesini buldu, sarstı koca adamı. Sonra onun kaburgalarına korkunç bir yumruk daha indirdi, makineli tüfek atışı gibi, birbiri ardına savurduğu yumruklarla adamı serseme çevirdi.

Leroy ne olduğunu anlamadı ve yüzünde şaşkın bir ifade olduğu halde koca gövdesiyle yere devrildi, düşerken başını yatağın demir kenarına vurdu. Lang diğer mahkûmların içerdeki kavganın gürültüsünü duyduklarını anladı. Hiç kuşkusuz gardiyanlar da durumu öğrenip biraz sonra geleceklerdi.

Leroy'un bayıldığını sanan Lang onun yanına diz çöktü ama dev gibi zenci hiç beklenmeyen bir şekilde birden ayağa fırladı. İki rakip şimdi yeniden ayaktaydılar. Lang etrafına bakarak çekilecek yer aradı, dev zenci bu kez onu yakalarsa canını almadan bırakmazdı. Durduğu yerde sağa sola sıçrayarak zenciyi şaşırtmaya çalıştı.

Gardiyanlar gelene kadar onu oyalayabilirse kurtulurdu. Binanın karşı tarafındaki hücrelerden onları görenlerin bağırmaları kulakları sağır edecek kadar yükselmişti.

Leroy'un dudakları kanıyordu ve dev zenci kudurmuş gibiydi. Lang'ın sağa sola sıçraması onu şaşkına çevirmiş, sersemliği biraz daha artmıştı. Fakat gözlerinden öfke kıvılcımları fışkırıyordu ve birden durdu, Lang'a baktı ve ani bir kararla elini tulumunun içine atarak ufak bir bıçak çıkardı.

Leroy hapishaneye daha o gün geldiyse ona bu küçük bıçağı kim ve nasıl vermiş olabilirdi? Ama şimdi bunu düşünecek zamanı yoktu, kendini korumak için bir şeyler düşünmeliydi. İriyarı zenci bıçağı ilerde tutarak hafifçe eğildi ve Lang'ın hareketlerini dikkatle izlemeye başladı, bıçağı ona saplamak için uygun bir pozisyon bekliyordu. Bıçakla yapılacak bir saldırı bir tabanca saldırısına benzemez, başarısı rakibin hareketlerine bağlı olurdu.

Zencinin hemen atılmadığını, onu öldürmek için uygun pozisyon beklediğini gören Lang, onun bir profesyonel olduğunu anladı.

Lang ter içinde kalmıştı ve şimdi iki adam da diğerinin harekete geçmesini, saldırmasını sabırla bekliyordu. Beklemek Lang'ın lehineydi, biraz sonra en azından bir ya da iki gardiyan gelecek ve Leroy'u yakalayıp elindeki bıçağı alacaktı.

Gardiyanların geleceğini Leroy da düşünmüş olacaktı ki Lang'ın işini bir an önce bitirmek için sağa sola yaylanmaya başladı, onun harekete geçmesini istiyordu. Lang bir ara iki katlı karyolaya baktı ve rakibinin üstüne atlayacakmış gibi dizlerini hafifçe büktü. Leroy şimdi bütün dikkatiyle onun en küçük hareketini izliyor, bıçağı ona saplamak için fırsat kolluyordu.

Lang birden kendini karyolanın karşı tarafındaki duvara doğru attı. Yere düşerken tespih böceği gibi büzüldü ve yerdeki ince pamuklu şiltelerden kendine yakın olanı aniden kavrayarak vücuduna sardı.

Leroy da harekete geçerek bıçağı onun beline doğru salladı, ama bıçak sadece şilteyi deldi ve içindeki pamuk ve kırpıntılar etrafa saçıldı. Lang şilteyi savurdu, Leroy'un bıçağı tutan eli havaya kalktı ve vücudu birkaç saniye için açıkta kaldı. Lang onun bu zayıf anını kaçırmadı, rakibinin sol dizine bütün ağırlığını koyarak müthiş bir tekme savurdu. Leroy kırılan bacak kemiğinin çatırtısıyla beraber korkunç bir çığlık attı, elindeki bıçak havaya fırladı.

Leroy kırılan bacağını tutarken, Lang havaya fırlayan bıçağı yere düşmeden önce, havada yakaladı. Koca zenci kırılan dizini tutarak acı içinde yere çöktü ve Lang onun artık tehdit olmaktan çıktığını anlayınca, bıçağı beton zemine koyup üzerine bastı ve ikili karyolaya dayanıp bütün gücüyle kıvırarak kırdı, işe yaramaz hale getirdi.

Kırılan bıçağı Leroy'un tulumunun içine koymaya çalışırken, bir gardiyanın kapıya gelip kilidi açmaya çalıştığını gördüler. Onun arkasına ellerinde coplar olan üç gardiyan daha duruyordu.

Elinde anahtarlar olan gardiyan, "Hey, neler oluyor burada bakalım?" diye bağırdı.

Lang, "Leroy bize bazı numaralar yapıyordu ama hareket sırasında dizini incitti galiba," dedi. "Dizini oldukça ciddi şekilde yaralamış olabilir bayım."

Gardiyan onun alaycı konuşmasına bozulmuş gibiydi, suratını asarak, "Evet, evet, salla bakalım," dedi. "Hücrede kavga çıkaran adam karanlık hücreye gider," diyerek Lang'ı duvara doğru itti ve diğerlerinden biri de gelip kelepçelenmesi için onun kollarını arkaya doğru kıvırdı. "Karanlık hücrede belki aklın başına gelir."

Dışarıda kalan diğer iki gardiyan Lang'ı alıp asansöre doğru götürürken üçüncüsü telsizle Leroy için bir sedye istedi.

Lang daracık hücrede ne kadar kaldığını bilmiyordu. Burada pencere olmadığı için gece gündüz karanlıktı içerisi. Midesi de gurulduyordu ve uzun zamandır bir şey yemediği belliydi.

Hücrenin dışında ayak sesleri duyunca yiyecek bir şeyler getirdiklerini düşünerek umutlandı ve kapının aralanmasını bekledi. Ama kapının sürgüsü berbat bir gıcırtıyla çekildi ve kapı ardına kadar açıldı. Lang gözlerini ovup dışarıya bakınca kapının önünde Dedektif Rouse'u gördü ve şaşırdı.

Daracık yataktan doğrulup ayağa kalktı ve gülümseyerek, "Bu ne büyük zevk, Dedektif," dedi. "Seni içeri davet etmek isterdim ama görüyorsun, bana bile dar geliyor burası, misafir ağırlayacak yerim ne yazık ki yok."

Rouse, başını iki yana salladı ve "Gevezeliği bırak da çık dışarı bakalım," diye homurdandı. "Seni serbest bırakıyorlar."

Lang birden şaşırdı ve sırıtarak onun yüzüne baktı. "Bunun için kime teşekkür etmem gerekiyor peki?" diye sordu.

"Almanya'ya, Frankfurt polisine teşekkür etmelisin, Bay Reilly. Sen dünyanın en şanslı adamı olmalısın, dostum. Onlara hemen e-posta mesajı göndererek seni yakaladığımızı bildirdik, ama onlar da bize saldırdığın adamın..."

Lang hücreden çıkarken, "Saldırdığım söylenen adam," diyerek düzeltti onu.

Dedektif Rouse suratını asarak başını salladı ve "Tamam, tamam, öyle olsun bakalım," diye homurdandı. "Alman polisi aradığı adamı bulamamış, adam galiba yanlış adres vermiş onlara."

Lang onun söylediklerine hiç de şaşırmış görünmüyordu. "Başka bir şey yok mu yani?" diyerek yine sırıttı.

Rouse onu dirseğinden tutarak asansöre doğru götürürken, "Gevezeliği bırak işte," diye söylendi. "Bizim gibi Alman polisinin de başında bir sürü dert var tabii. Ama harap olan polis otoları için bir şeyler yapmamız gerektiğini de bildirdiler elbette."

Asansöre binerlerken Lang, "Ee, sen ne söyledin onlara peki?" diye sordu.

"Her neyse, bunlar önemli sayılmaz şimdi. Dört polis arabasını nasıl harap ettiğini sormayacağım bile sana, Bay Reilly."

Asansör alt kata, tutuklamaların yapıldığı yere indi, dışarı çıkarlarken Lang, "Söyle onlara faturayı bana göndersinler, Dedektif," diyerek gülümsedi. "Alman polisinin zararını ödemek isterim."

Lang cezaevine girerken bıraktığı eşyalarını almaya giderken Rouse şaşkın gözlerle baktı arkasından ve başını iki yana salladı. Lang eşyalarını alıp cüzdanının içindekileri ve parasını kontrol ederken, tel örgünün diğer yanında saçları boyalı olduğu belli olan sarışın, orta yaşlı kadın polis meraklı gözlerle ona bakıyordu.

Lang hafifçe gülümseyerek ona baktı ve "Hücremdeki arkadaşlardan biri, Leroy adlı arkadaş birkaç saat önce bacağını incitmişti, iyileşti mi acaba?" diye sordu.

Kadın karşısına gelenlerin hep kötü adamlar olduğunu düşünür gibi, kuşkulu gözlerle baktı ona ve cevap vermedi.

Lang ona sempatik görünmeye çalışarak en şirin haliyle gülümsedi ve "Bu arkadaş daha bu sabah gelmişti buraya," dedi.

Kadın polis tezgahın diğer ucuna gitti ve elini saçlarının arasından geçirirken, "Hücre numarasını biliyor musun peki?" diye sordu.

Lang ona hücre numarasını verince kadın bir bilgisayarın önüne gitti ve tuşlara basarak araştırmaya başladı.

"Adını ne demiştin?"

"Sadece adını biliyorum, Leroy idi, soyadını sormadım."

Kadın polis bir süre sonra başını iki yana salladı ve "Numarasını verdiğin bu hücrede Leroy adında bir mahkûm yok," dedi. "Aslında bugün buraya Leroy adında hiçbir suçlu da gelmemiş," diye ekledi ve sigaradan sararmış dişlerini göstererek sırıttı. "Ama bilemezsin, akşama kadar her şey olabilir."

Lang birden titrediğini hissetti ve "Emin misin?" diye sordu.

Kadın başını salladı ve "Elbette eminim," dedi. "Ben de bazen hata yaparım ama bu onlardan biri değil."

Lang soracağı sorunun cevabını biliyordu ama yine de kendini tutamadı ve sordu. "Buraya bugün hiçbir zanlı gelmediyse bu dev gibi siyahî vatandaş nasıl geldi benim hücreme?"

Kadın polis başını iki yana salladı ve "Benim görevim burada olduğu için bunu bilemem elbette," dedi.

BÖLÜM YİRMİ DÖRT

Atlanta, Georgia
Manuel'in Birahanesi
Ertesi Akşam

Lang ve Francis birahanede boş bir bölme bularak masaya oturdular, masanın üstünde uzun yıllardan beri kazılmış bir sürü isimler, simgeler ve tarihler vardı. Lang buranın yemeklerini pek beğenmezdi ve uzakta olduğu süre içinde düzelmiş olacağını da pek sanmıyordu ve yemekleri geldiğinde de yanılmadığını anladı. Burası her zaman siyaset tartışan öğrencilerle dolu olurdu ve o akşam da öyleydi, çok gürültülüydü.

Blucin pantolon, lastik spor ayakkabı ve tişört giymiş, önüne kirli bir önlük asmış olan garson masaya gelince, Lang, "Lezzetli, ne var bu akşam?" diye sordu.

"Lezzetli olan sadece bira var, Bayım. Doğru dürüst bir şey yemek isterseniz bence hamburger yiyin, daha doğrusu McDonalds'a gidin." Adam müşteriyle açık konuşuyordu doğrusu.

Francis, "Somon balığı taze değildir herhalde, değil mi?" diye sordu.

Genç garson sırıtarak, "Peder, bir rahibe yalan söyleyecek değilim," diye cevap verdi. "Bana sorarsan bu balıklar sudan çıkalı epey zaman olmuştur."

Suratları asarak ikisi de hamburger istediler. Francis içinde kızarmış patatesler olan yağlı plastik sepeti Lang'a doğru iterken, "*Cuisus est divisio, alterius est electio*," dedi. Biri böler, diğeri de seçer anlamına geliyordu bu.

Lang kızarmış patateslerin yarısını kendi tabağına aktardı ve sepetin dibinde olanların yanıp karardığını görünce, "Bunu bile doğru dürüst kızartmıyorlar," diye söylendi.

Francis iyi pişmiş olarak istediği hamburgerin ortasının çiğ kalıp kırmızı olduğunu görünce başını iki yana salladı ve "Biz buraya iyi bir şeyler yemek için gelmiyoruz ki zaten," diyerek güldü.

Lang, "Ama ben günahlarımın cezasını çekmek için de gelmedim buraya," diyerek söylendi.

"Evet ama Atlanta'da yiyip içerek önemli bir konuyu tartışmak için en uygun ortamlardan biri de bence burası, dostum. Burada kimse rahatsız etmez bizi."

Avrupa birahanelerinde olduğu gibi, bir müşteri sadece bir bira alarak bir masayı uzun zaman işgal edebilirdi burada. Birahane sahibi Manuel Maloof müşterilerini birden fazla bira içmeleri ya da bir şeyler yemeleri için asla zorlamazdı.

İkisi de önce sessizce başladılar yemeye, ikisi de Gurt'tan söz etmek için acele etmek istemiyor, birkaç kez onlarla birlikte buraya gelen genç kadını hatırlayarak acı çekmeyi yeğliyorlardı. Lang birkaç kez başını kaldırdı ve sanki Gurt'u içeri girerken görecekmiş gibi kapıya baktı.

Hamburgerinin yarısını ancak yemişti ki daha fazla dayanamadı, tabağını masanın ortasına doğru itti ve Montsegur mağarasındaki yazıların kopyasını Francis'e uzattı. "İşte mağara duvarında yazılı olan kelimeler burada. Bak bakalım bir şeyler çıkarabilecek misin?"

Onun gibi Francis de hamburgerinin yarısını yemeden bıraktı. Gurt'un hayali onun da gözlerinin önünde olmalıydı. Masada oturup hiçbir şey olmamış gibi rol yaparak yemeklerini rahatça yiyemeyeceklerini o da anlamıştı. Elini cebine atarak gözlüğünü çıkardı ve taktı. Sonra Lang'a baktı ve "İmparator Julian'ın adı Fransa'da bir mağara duvarına neden kazılmıştı dersin?" diye sordu.

Lang bir süre düşündü, bir şey yapmış olmak için tabağından bir dilim kızarmış patates alıp ağzına attı ve çiğneyip yuttuktan sonra, "Roma'nın son dinsiz imparatoru olarak Hıristiyan dininden nefret ediyordu Julian," diye konuştu. "Ona göre Hıristiyanlık Roma kültürüne tersti ama kabul ediliyordu. Julian imparator olmadan önce Galya'nın o bölgesinde valilik yaptı."

Francis onun yüzüne bakarak başını salladı. "Bu yazıların Cathar'ların son zamanına denk gelmesine ne diyorsun peki?"

Lang bir patates daha almak için elini tekrar tabağına uzattı ama sonra vazgeçti ve geri çekti. "Ben bundan emin değilim. Bildiğin gibi Cathar'lar kilise inancına karşı geldiler ki bu da Dördüncü Haçlılar zamanında mıydı?"

Francis başını salladı. "Evet, On Üçüncü yüzyıl, 1208. Cathar'lar Hz. İsa'nın insan olarak doğuşunu reddetmeseler bile sorguladılar, onun bir melek olduğunu söylediler. İbadet ettikleri yer önemli değildi onlar için, yani bir mağarada bile yapabiliyorlardı ibadetlerini. Simon de Monfort, Papa Innocent III'ün emriyle orayı yaklaşık dört yıl süreyle kuşatma altında tuttu."

Lang masanın üstüne doğru hafifçe eğildi ve "Ya Merovingian kralları konusu neydi?" diye sordu.

"Aman Tanrım! Bu akşam çok eski tarihlere gidiyorsun sen, Lang. Onlar beşinci ve yedinci yüzyılların konusu. O hanedanın kralları güneybatı Fransa'da hüküm sürdüler, Hz. İsa'nın hem bedensel ve hem de ruhsal mirasçıları olduklarını söylediler, çünkü onlara göre Hz. İsa'nın ailesi çarmıha gerilme olayından sonra Filistin'den oraya kaçmıştı. Bazı ilginç özellikleri vardı onların: O zamanın diğer Avrupalı krallarının aksine, onlar Yahudilere dostça davranır ve güçlerini saçlarından aldıklarını söylerlerdi."

"Sampson gibi yani."

"Evet, çok ilginçtir bu konu. Pek çok insan Hz. İsa'nın Nazarite olduğuna inanır ve Sampson da bir Nazarite idi. Bazıları Hz. İsa'dan söz ederken bu Nazarite sözcüğünü Nazareth diye söyler. Merovingianlara gelince, onların soyu ile ilgili asılsız rivayetler hâlâ duyulur."

Lang, "Kilise de bu rivayetlerden rahatsız olur," diyerek araya girdi.

Francis kaşlarını kaldırıp ona bakarken hafifçe gülümsedi ve "Evet," dedi. "Pek dindar olmayanlar da bunlardan hoşlanırlar."

Aslında iki dostun sık sık tartıştığı bir konuydu bu ama bu akşam konuşup tartışacakları daha önemli konular vardı.

"Aslına bakarsan Fransa'nın Languedoc bölgesinde pek çok din savaşı yaşandı ve Hz. İsa ile ilgili çok efsane yaratıldı."

"Bu konuda seninle aynı fikirdeyim, Peder."

Lang yine tabağındaki soğumuş kızarmış patateslere bakıyordu ama o sırada garson gelip tabağı aldı ve "Tamam mı?" dedi.

Lang başını salladı. "Evet, alabilirsin."

Garson yarısı tabaklarda kalmış hamburgerlere bakarak başını iki yana salladı ve "Size McDonald'a gitmenizi söyledim," dedi.

Francis, *"Veritas nihil veretur nisi abscondi,"* dedi.

Garson, "Latince bilmem," dedi. "Ama siz yine de bahşiş bırakın isterseniz."

Lang uzaklaşan garsonun arkasından bakıp başını iki yana salladı ve "Ee, nerede kalmıştık?" dedi.

"Languedoc'un karmaşık tarihinden söz ediyorduk."

"Oh evet. Sanırım Montsegur'daki en önemli yer kütüphane gibi kullanılan bölümdü, belki de Cathar'lar ilk Hıristiyanların yazdıklarını orada muhafaza ettiler, belki Hz. İsa ailesinden geriye kalanlar da bir şeyler getirdiler oraya. Julian'ın ilgisini çektiğine göre Hıristiyanlıkla ilgili şeyler olmalıydı bunlar. İmparator Hıristiyanları sevmediği gibi, ayrıca gösterişten hoşlanan bir adamdı. İlk kiliselere karşı bir şeyler yapmaktan zevk alırdı. Cathar'lar belki de bu kütüphaneyi buldular ve orasını bir kilise gibi kullandılar..."

Francis, "Şato da var işin içinde," diyerek onun sözünü kesti. "Söylediklerin mantıklı, Lang. Montsegur kuşatıldığı zaman Cathar'lar teslim olacaklarını ama tepeden aşağıya ancak birkaç gün sonra ineceklerini bildirdiler. Belki de mağarada bulunan kütüphane gibi bazı yerleri ve eşyaları saklamak istediler."

Lang garsona işaret ederek yeniden bira isterken, "Hitler o kütüphaneye sahip olmak için her şeyi yapardı," dedi. "Biliyorsun, doğaüstü ve dinle ilgili her şeye çok meraklıydı. Skorzeny de o mağarada birkaç kamyon dolusu bir şeyler bulmuş zaten."

Garson bir sürahi bira getirdi, boşalmış olanı alıp götürdü. Francis bardağını birayla doldurdu ve "Pekâlâ, bu kadar konuşma yeter, şu yazıları biraz daha inceleyelim bakalım," dedi. "Anladığım kadarıyla burada, 'İmparator Julian itham eder...' gibi bir şey yazıyor."

Lang, rahibin hatasını bulduğu için memnun olmuş gibi, hafifçe baş salladı ve gülümseyerek, "*Accusatem* kelimesi fiil değil, bir isim," dedi.

"Ben biliyordum bunu, senin bilip bilmediğini anlamak için öyle söyledim. Ama aslına bakarsan bunun bir isim mi, yoksa fiil mi olduğunu kesin olarak bilemeyiz, çünkü sonu silinmiş."

"Bu bir şiir parçası olabilir mi acaba, Peder?"

Francis hafifçe gülümsedi ve başını sallayarak, "Evet, olabilir," dedi. "Bilirsin, Latin şiirinde bazı özel yazı tarzları vardır, herkes anlayamaz bunları."

"Ama burada öyle bir şey yok, değil mi?"

Rahip yine alaycı bir gülümsemeyle onun yüzüne baktı ve "Sen Latin şiiri konusunda oldukça çok şey biliyorsun, değil mi?" dedi.

"Siz rahipler göreve başlarken tevazu yemini etmez misiniz yani?"

Francis onun bardağına da bira koydu ve "Tamam, tamam," dedi. "Ama bu yazılan büyük ihtimalle bir şiir parçası değil. Bak, burada *ibit* ile açık bir fiil var—üçüncü şahıs olan biri emir veriyor."

Lang birasından bir yudum aldı ve "Bunun imparator olduğunu çekinmeden söyleyebilirim," dedi. "Onlar her zaman emir verirlerdi."

"Evet ama verdiği emir neydi acaba? Bir suçlama konusunda mı emir verdi? Ne olduğunu bilemiyoruz."

"Bir sinonim suçlama olabilirdi. Farz edelim ki fiziksel bir suçlama yaptı, o zaman yazı . . . ne olabilirdi ki?"

Francis yazıyı daha iyi anlayabilecekmiş gibi gözlüğünü düzeltti. "Diğer fiil ise *sepelit,* yani gömmek ya da mezara koymak."

Lang elindeki diğer kopyaya dalmış, düşünüyordu. "Suçlamanın gömülmesi için mi emir veriyor yani? Tamamen saçma bir şey bu. Kolay anlaşılan şu kısma bakalım, *rexis iudeaium* diyor ki bu da bana göre açıkça 'Yahudilerin Kralı' anlamına geliyor."

İkisi de başlarını kaldırıp göz göze geldiler.

Lang, "Hz. İsa olabilir mi bu?" diye sordu. "Çarmıha gerdikleri Hz. İsa'ya alaycı bir ifade olarak böyle demiş olamazlar mı?"

Francis başını salladı ve "Olabilir, ama bunu alaycı bir ifade olarak kullanmış olduklarını sanmıyorum ben," diye konuştu. "Şuna bir baksana sen."

"Nasıl yani?"

"Bir arkadaşım var, Emory'de Yahudi Tarihi dersleri verir."

Lang bira bardağını ağzına götürürken vazgeçti ve masaya bıraktı. "Emory'nin bir Metodist Okulu olduğunu sanırdım ben. Orada Yahudi Tarihi dersleri de mi var yani?"

"Öyleymiş. Leb Greenberg ve ben arada sırada aynı ders programına göre konuşmalar yapar, ders veririz. Bu derslerde Yahudi, Katolik ve Protestan hocalar ibadet özgürlüğünden ve Amerikalıların bütün dinlere hoşgörü gösterdiğinden söz ederler. Okula bir ara bir de Müslüman imam geldi, bir Şii din adamıydı. Ama bir süre sonra bir de Sünni geleceğini öğrenince ayrıldı okuldan."

Din ve ibadet özgürlüğü bazılarına göre farklı oluyordu demek.

Lang birasından bir yudum aldı ve "Pekâlâ," dedi. "Profesör Greenberg bu konuda ne söyleyebilir acaba bize?"

Francis de bir yudum bira aldı ve sonra dalgın gözlerle karşıya baktı. "Aslında ben şu 'Yahudiler Kralı' ifadesine Hıristiyanlık dışından bakmak isterdim. Bunu yapabilirsek belki o zaman Julian'ın yazısını daha doğru olarak tercüme edebiliriz, ne dersin?"

Lang hâlâ bir Metodist okulda Yahudilik Tarihi dersinin nasıl okutulduğunu düşünürken, "Bunu yapabilirsin elbette," dedi.

Francis sürahide kalan birayı ikisi arasında paylaştırdı ve "Ben de öyle sanıyorum," diyerek başını salladı. "Leb ile iyi anlaşırız ama seninle konuşurken bir Yahudi'nin tarihsel görüş açısı konusunda benden daha açık olacağına eminim. Ben bir rahibim ve sen de zaten yarı dinsizin birisin."

Lang hesap için garsona işaret ederken, "İltifatına teşekkür ederim," diyerek gülümsedi. "Ama benim yarım değil, sadece küçük bir parçam dinsiz olabilir."

"Bu konu seni üzmesin, dostum."

Lang hesabı ödeme konusunda yine yazı tura attı ama

bunu yaparken Francis'in yine kazanacağını biliyordu. Çünkü rahip hemen her zaman kazanır, hesabı hep Lang öderdi ve rahibin bu konuda bir yerlerden destek aldığına inanmaya başlamıştı.

Dışarıda durdular ve Francis, Lang'ın sokak lambasının ışığı altında pırıl pırıl parlayan yeni siyah arabasına hayran gözlerle baktı. "Bu kez Mercedes mi aldın? Senin şu küçük Alman spor arabaları Porsche'lerden hoşlandığını sanırdım. Bunda arka koltuk bile var."

Lang ona Porsche arabasının başına gelenleri anlatmamış ve daha az göze çarptığı için Mercedes aldığını söylememişti. Onun yaşadığı bölgede bunun gibi yüzlerce Mercedes araba vardı ve artık herkes alışmıştı bu arabalara.

"Bu araba istendiğinde üstü açık spor araba da olabiliyor, bak şimdi."

Lang arabanın kontak anahtarını çevirdi ama motoru çalıştırmadı, sonra bir düğmeye bastı, yan pencereler kapıların içine girerken, karoserin üst kısmı kalkıp açılarak geriye gitti, ama tamamen kaybolmadı ve yarı açık olarak kaldı.

Francis, "Güzel oyuncak," diyerek güldü. "Ama arabanın üstü tamamen açılmadı, onu tamamen açmak istersen ne yapıyorsun?"

Lang düğmeye tekrar bastı ama karoserin üst kısmı olduğu yerde kaldı, hiç kımıldamadı. Francis güldü ve "Arabanın tepesi bu durumdayken fazla uzağa gidemezsin Lang," dedi. "Şu sokağın içinde bir MARTA istasyonu var, oraya git de arızayı düzeltsinler."

Lang, "Dünyanın parasını ödedikten sonra da böyle şeylerin olmasına bir türlü aklım ermez doğrusu," diye söylendi.

"Bana yardım edersen arabanın üstünü elle de kapatabiliriz, Peder. Yağmur yağabilir, bir de ıslanmayalım."

Fakat arabanın üstünü elle de kapatamadılar ve yakındaki servis istasyonundan bir tamirci göndermek üzere orada, kaldırım kenarında öylece bıraktılar.

BÖLÜM YİRMİ BEŞ

DeKalb İlçesi, Georgia
Emory Üniversitesi
İki gün sonra

Lang Mercedes arabasını, arka penceresinde Yunanca bir yazı olan bir SUV arabayla, tamponunda "Harvard: Kuzeyin Emory'si" yazılı bir Toyota arasına park etti. Karşı tarafta meşe ağaçları arasında, avl ınun iki yanında, yan tarafları mermer, çatıları kırmızı kiremit kaplı iki büyük bina vardı. Adresle yol talimatına ve saatine baktı. Takip edilmediğinden emin olmak için uzun bir yoldan gelmişti ama yine de vaktinden önce varmıştı buraya ve doğru yerde olduğuna emindi.

Yahudi Tarihi dersleri de veren Metodist Okulu hakkında biraz daha bilgi sahibi olmak için İnternette araştırma yapınca, burada Nazilerin Yahudi katliamı konusunda da konuşmalar yapıldığını öğrenmişti. İnternette okulla ilgili ilginç bilgiler edinmişti.

İnternetten öğrendiğine göre, Emory Okulu 1950'lerin sonlarında sadece üniversitenin tıp fakültesine gidecek olan öğrencilere temel tıp bilgileri veren küçük bir okuldu. Fakat daha sonra Tom Altizer adında bir ilahiyat hocası bu durumu değiştirdi.

Bu hoca Tanrı'nın ölü olduğu teorisini açıkladı. Tanrı gitmişti, ölmüş ve Tanrı'nın gitmesi gereken yere gitmişti. İlahiyat Fakültesi hocaları buna isyan ettiler ve Altizer'in okuldan atılmasını istediler.

Medya olayın üstüne gitti, küçük ve kilise tarafından işletilen bir güney okulunda bile fikir özgürlüğü olması gerektiğini savunanlar çıktı ortaya. Altizer birden şöhret oldu. On dokuzuncu yüzyılda, daha sonra Dişçilik Fakültesi olan okuldan mezun olarak tüberküloz hastalığı yüzünden Tomstone, Arizona'ya giden ve Earp kardeşlere katılan Holiday'den beri bu kadar büyük şöhret çıkmamıştı bölgede.

Emory bir gecede güneydeki akademik özgürlüğün denektaşı olup çıktı. Başka bölgelerden de öğrenciler gelmeye başladı okula. İstedikleri okullara giremeyen öğrenciler bu okula başvuruyor, notları uygun olanlar alınıyordu. Gelenler arasında çok sayıda Yahudi öğrenci vardı. Daha sonra Altizer teorisi bir yana bırakıldı ve okulda her türlü fikre, kız öğrencilere, siyahlara, Latin Amerikalılara ve Asyalı öğrencilere de açık olan ders programları uygulanmaya başladı.

Bu okulda her türlü siyasi fikri savunma özgürlüğü vardı.

Lang ayrıca profesörün kişiliği hakkında da bilgi edindi. Hollandalı bir Yahudi'nin oğlu olan hocanın çocukluğunun bir kısmı Nazi ölüm kamplarında geçmişti. Savaştan sonra İsrail'e gitmiş, Yahudi tarihini incelemiş, çeşitli üniversitelerde tarih dersi almış. Sonra Oxford bursu sağlayarak orada Yahudi-Hıristiyan Tarihi konusunda doktora yapmış, ders vermiş ve bir süre sonra da kızının ve torunlarının yaşadığı Atlanta'ya gitmişti. İbrani dilinde kitaplar yazmıştı ama Lang bu dili bilmediği için onların adlarını okuyamadı. Fakat Lang onun bazı gazetelere yazdığı İngilizce makaleleri de buldu ve okudu.

Lang saatine bakınca randevu zamanının geldiğini gördü, tam zamanında orada olacaktı. Arabanın kapısını açtı, kontak anahtarını çekip inmek istedi ama arabanın alarmı her yerden duyulacak kadar kuvvetle çalmaya başladı. Kontak anahtarını yeniden deliğine soktu ama alarm susmadı. Motoru çalıştırdı, ses yine devam ediyordu.

Alarmı susturamayacağını anlayınca çaresiz kalarak çevresine bakındı, etrafta kimse göremeyince biraz rahatlar gibi oldu ve sonra koşar adımlarla uzaklaştı oradan.

Leb Greenberg ufak tefek bir adamdı ama insanın elini oldukça güçlü sıkıyordu ve kahverengi gözleri de pırıl pırıldı. Başındaki Yahudi takkesinin kenarlarından kır saçları görünüyordu ve torunlarına sevimli bir dede olmalıydı.

Lang onun küçük odasına girip tokalaşırken, "Beni kabul ettiğiniz için teşekkür ederim, Profesör," dedi.

Profesör ona masasının önündeki pek de rahat olmayan iki sandalyeden birini gösterip oturmasını işaret ederken, "Bana Leb deyin lütfen," dedi. "Bütün gün öğrencilerin ve çalışanların bana Profesör Greenberg, Doktor Greenberg diye hitap etmelerinden bıkıyorum. Resmiyeti bir kenara bırakalım, olur mu?"

Lang onun İngiliz aksanıyla konuşmasına dikkat etti. Yabancılar İngiltere'de ne kadar az kalırlarsa kalsınlar, dili iyi konuşanlar onların aksanına alışıyorlardı.

Greenberg, üzerinde bir kahve fincanı ile küçük bir tabak ve birkaç yazılı kâğıt olan masasına geçip oturdu ve Lang'a bakarak, "Francis bana Yahudi ve Hıristiyanlık tarihinin belirli bir süreciyle ilgilendiğinizi söyledi," dedi. "Ama ayrıntılı bilgi vermedi."

Gözü birden masanın üstündeki fincana takıldı ve "Oh, özür dilerim," dedi. "Ben çay içiyordum, size de bir fincan çay vereyim mi?"

"Elbette, teşekkür ederim."

CIA eğitimi sırasında onlara, temas kurdukları kişiyle bir şeyler yemenin ya da içmenin aradaki samimiyeti ve bağı güçlendirdiği öğretilmişti. Komünist rejiminden kaçıp Batıya sığınanlar, kendileriyle yemek yiyen ve bir şeyler içen ajanlara çok yararlı bilgiler verirlerdi.

Profesör çekmecesinden bir porselen fincanla bir küçük tabak çıkardı ve "Özür dilerim ama süt ve şekerim yok," dedi. "Konsantre limon suyuyla yetinmek zorunda kalacaksınız."

"Zararı yok, bu yeterli, teşekkür ederim."

Lang fincanına konan kahve koyuluğundaki çaydan bir yudum aldı ama bu sert ve ekşi sıvıyı zor yuttu.

Greenberg çayıyla gurur duyuyormuş gibi, "Bu benim için hazırlanmış özel bir çaydır," diyerek gülümsedi. "Bunu Beyrutlu bir tüccardan alırım."

Lang daha önce Lübnan'ı terörist bir ülke olarak düşünmemişti, ama bu ülke en azından çay konusunda terörist gibi görülebilirdi. Leb dudaklarını zevkle yalayarak koltuğunda arkasına yaslandı ve resmiyeti bırakmış olarak, "Sana nasıl yardımcı olabilirim, Lang?" diye sordu.

Lang adama ağzının içini buruşturan bu çayı dökmek istediğini söylemek isterdi ama yapamadı bunu tabii. Hafifçe yutkundu ve "Francis'le beraber dördüncü yüzyıldan kalma bir yazıyı inceliyorduk," diye konuştu. Orada 'Yahudilerin kralı' diye bir deyim geçiyordu, Hz. İsa'nın çarmıhı üzerine yazılmış bu. Ben bunun alaycı bir deyim olduğunu düşündüm ama Francis benimle aynı fikirde değildi ve sizin bu konuda bana yardımcı olabileceğinizi söyledi."

Leb uzun süre düşününce Lang onun kendisini anlamadığını sandı. Profesör Lang'ın yüzüne bakıyordu ama sanki orada başka şeyler görüyor gibiydi. Adam sonunda doğruldu, fincanını kaldırıp bir yudum çay aldı ve "Sanırım sorunu anlarsın," diye konuştu. "Biz Yahudiler Hz. İsa ve Yeni Ahit konusunda sizden farklı düşünürüz. Bu farklılık da çoğu zaman anlaşmazlıklara neden olur. Bu yüzden iki bin yıldan beri kan döküldü. Bizim kanımız döküldü."

Lang fincanını masaya bıraktı ve "Leb, ben dinsel tartışma istemiyorum, tarih araştırması yapıyorum," dedi.

Yahudi gülümsedi ve "İşte bu çok fena," dedi. "Biz Yahudiler kendi aramızda dinsel ve hukuksal konularda tartışmayı severiz." Durdu ve birden ciddileşti. "Benim bu konuda ne bildiğimi düşünüyorsun acaba?"

"Yahudilerin kralı deyimi gerçek midir? Hz. İsa kral mıydı, yoksa onunla alay mı edildi?"

Leb çaydanlığı Lang'a doğru uzattı ama onun fincanını kapadığını görünce kendi fincanını yeniden doldurdu. "Ben sana tarihi gerçeği verebilirim. Sen de buradan kendi ruhani anlamını çıkarabilirsin sanırım."

"Bu da benim için yeterli."

Leb çay fincanını iki eliyle tutarak üstünü üfledi. Sonra, "Birinci yüzyılda Filistin'in güneyiyle başlayalım," dedi.

"İncil'den bakarak inanacağınız gibi o zaman pastoral bir bölge değildi oraları. Aslında yenilmiş, harap topraklardı, milliyetçilik cereyanları ile kaynıyordu. O topraklarda yaşayan Yahudilerin çoğu ülkelerini işgal etmiş olan Romalıları sevmezlerdi doğal olarak. 1940-44 Fransa'sını düşün.

"O dönemde o topraklarda temel olarak üç siyasi grup vardı ki bunlardan biri Roma işgalinden yararlanan, Sadducee denen toprak sahipleriydi, İkinci Dünya Savaşı'nda Fransa'da düşmanla işbirliği yapanlara benzetebilirsin bunları. Sonra rahipler ve Yahudi yasalarına uyarak yaşayan Pharisee'ler geliyordu. Bir de Vaad Edilmiş Toprakları gerçek sahiplerine vermek isteyen Zealot'lar vardı. Belki hatırlarsın, bu insanlar Hz. İsa'nın ölümünden yaklaşık otuz, otuz beş yıl sonra, 70-71 yıllarında isyan ederek Roma'da tapınak yıktılar ve Kudüs'ü yağmaladılar."

"Masada kuşatması?"

"Evet, son muharebeydi bu, eski İsrail'in Minik Koca Boynuzu." Leb sustu, çayından bir yudum aldı ve dalgın gözlerle bir noktaya baktı. "Ama dokuz yüzden fazla Zealot teslim olmadılar ve kendilerini öldürdüler. Her neyse, Hz. İsa'nın doğumunda pek çok Yahudi Tanrı'dan gelecek bir adam, kendilerini kurtaracak bir adam bekliyordu, tıpkı Maccabee'ler ve Hz. Musa olayında olduğu gibi."

Lang, "Evet, bir Mesih, bir kurtarıcı," dedi.

Leb yavaşça başını salladı. "Olabilir. Ama unutma Lang, İbrani dilinde *mesih* 'yağlanmış' ya da 'sıvanmış' anlamına gelir. Yunancada *christos* da aynı anlamı taşır."

Profesör çayından bir yudum daha aldı ve yine dalgın gözlerle sabit bir noktaya baktı. "Sizin İncilinize göre Hz. İsa Hz.

Davut Evinden gelir. O zaman bu aile de kraliyet ya da hanedan ailesi olur, tıpkı İngilizlerin Windsor'ları gibi yani."

Profesör bir süre sustu, düşündü ve Lang, "Geleceğin kralı bir ahırda doğdu yani, öyle mi?" dedi.

Leb gözlerini baktığı noktadan ayırmadan başını yavaşça iki yana salladı ve "Belki de öyle oldu ama başka şeyler söyleyenler de var," diye devam etti. "Yeni Ahit öyle diyor, ama Matta İnciline göre Hz. İsa Bethlehem'deki aile evinde bir aristokrat olarak doğdu. Aynı Kutsal Kitaba göre Hz. İsa Hz. Süleyman ve Hz. Davud'un soyundan geliyor, kraliyet kanı taşıyordu. Böylece birleşik Yahudi Devleti tahtına oturmaya hak kazanmıştı.

"Yeni Ahit'in üçüncü kitabına göre Hz. İsa'nın doğumunda fakir çobanlar, Matta'ya göre ise başka ülkelerin kralları bulunmuş. John ve Mark bu konuda sessiz kaldılar. Fakat sizin İncilleriniz bu konuda çağdaş sayılmazlar. Onlar çarmıha gerilme olayından altmış ile yüz yıl sonra yazılmışlar ve yazılanlar da muhtemelen başkalarının anlatımlarından alınmış. Bu durumda da doğru olup olmadıkları tartışma götürür.

"Ne olursa olsun, Hz. İsa'nın gençlik yılları konusunda fazla bir şey bilinmez, sadece onun bir tapınakta yaşlı adamlarla tartışması anlatılır. Bir de Hz. İsa'nın Cana'da büyük bir düğüne gittiğini ve orada da çok şarap içildiğini anlatırlar. Hikâyeye göre orada ilk mucizesini göstermiş."

Leb bunları anlattıktan sonra Lang'ın çayını içmediğini fark etti ve "Sevmedin mi çayı?" diye sordu.

"Anlattıklarına öyle dalmışım ki çayı unuttum, Leb."

Profesör gülümsedi ve "Belki çok iyi bir avukatsın, Lang," dedi. "Ama berbat bir yalancısın."

"Pekâlâ, o halde söyleyeyim, çayın alışık olmadığım bir tadı var."

Leb onun fincanını alıp çayını kendi fincanına boşalttı. "Değişik bir tat elbette," dedi. "Peki, neden söz ediyorduk...?"

"Cana'daki düğünden."

"Haa, evet. Dediğim gibi bol miktarda şarap içilmiş düğünde ve ayrıca evin sahibi kadın ve Hz. İsa çok sayıda hizmetçi, uşak kullanmışlar. Bu durumda bunun Hz. İsa'nın kendi düğünü olduğunu düşünebiliriz, yani bir köylü düğünü olmadığı belliymiş, aristokrat düğünüymüş."

Lang sandalyesinde biraz doğruldu ve "Kutsal Kitapların bu kadar farklı yazıldığını bilmezdim," dedi.

Leb, "Farklı olmaktan da öte, onlar birbirleriyle çelişir," diye söylendi. "İlk Hıristiyan kilisesinin Hz. İsa'nın yaşantısını neden dört farklı şekilde anlattığını düşünebiliyorum."

"Nedenmiş peki?"

"Çünkü diğer anlatımlar ya çok daha farklıydı, ya da Kili senin bilinmesini istemediği şeylerden söz ediyorlardı."

"Bu konuda bir fikrin var mı peki?"

Leb sanki kalabalık bir sınıfta ders veriyormuş gibi, parmağını kaldırdı ve "Devam edelim ve bakalım aynı sonuca birlikte varabilecek miyiz?" dedi. "Bildiğimiz kadarıyla Hz. İsa müritleriyle dolaşır ve kalabalıklara vaazlar verirmiş. Ben diyorum ki, onun vaazlarının İncil'de yazılı olan şekli yeterince doğru değildir."

Lang'ın soru sormak istediğini anlayınca elini kaldırıp onu susturdu ve "Onun bir suçlu olarak itham edildiği ve çarmıha gerildiği kısma geçelim," diye devam etti. "Her şeyden önce senin de eğitimli bir insan olarak bileceğin gibi, o devirde çarmıha gerilmek devlet düşmanlarına verilen bir cezaydı."

JULIAN SIRRI

"Evet ama Hz. İsa'nın yanında bir hırsızı da çarmıha gerdiler."

"Öyle derler. Ama ben diyorum ki, İnciller Yahudiler için değil, Yunanlı ve Romalılar için yazılmıştır. O devirde bile Yahudiler dinleri konusunda inatçıydılar. Gerçekler çarpıtıldı ve Mesih'in ölümünden Yahudiler sorumlu gibi görüldü ve bu uydurma yüzünden biz Yahudiler iki bin yıl acı çektik. Hz. İsa'nın yanında kimin öldüğü, kimin sağ kaldığı gibi konular sadece spekülasyondur. Rivayete göre Yahudi İhtiyarlar Konseyi Sanhedrin Hz. İsa'yı o Cuma gecesi mahkûm etti. Diğer bir deyişle Kudüs'te saygın Yahudiler bir Cuma güneş battıktan sonra birleşerek Yahudi yasalarını ve *Sabbat'*ı ihlal ettiler. Sadece bu da değil, bu adamlar bir adamı taşlanarak ölüme mahkûm edecek kadar güçlüydüler."

"Kısacası, Yahudiler Hz. İsa'nın ölmesini isteselerdi onu kendileri rahatça öldürebilirlerdi, değil mi?"

"Ayrıca sen de hiç kuşkusuz bilirsin ki, Roma'da suç işleyenler öldürüldükten sonra gömülmezler, suç işleyecek ya da isyan bayrağı açacak diğer kişilere gözdağı vermek için çarmıha gerilip orada çürüyene kadar bırakılırlardı."

Lang onun söylediğini bir an düşündü ve sonra başını salladı. "Yani sana göre Hz. İsa sadece sevgi ve barış mesajları vermedi mi, Leb?"

Profesör özür diler gibi omuz silkti ve "Tam olarak gerçekleri bilemem elbette," diye konuştu. "Ama bazı tahminlerde bulunabilirim..."

"Lütfen devam et."

"Tahminime göre, Hz. İsa doğrudan Yahudi tahtının varisi olmasa bile hanedan kanı taşıyordu, asildi. İkincisi, Hz. İsa Roma'nın Filistin eyaletinde isyanlar yaşanırken geldi ki, onun ölümünden kısa bir süre sonra yine bir isyan patladı. Üçüncüsü, verdiği mesajlar koloni güçlerini çok rahatsız etti ve onu vatan hainliğiyle suçlayarak idam ettiler, yani çarmıha gerdiler. Sonuncu tahminim, müritleri bunu bir fırsat sayarak Hz. İsa'yı Mesih mertebesine yükselttiler ve böylece kendilerini de yücelttiler. Daha sonra ne söylenirse söylensin Kilise geri adım atmadı: Yani Hz. İsa çoktandır beklenen Tanrı'nın oğluydu. Onun sadece bir isyan lideri olduğu düşünülemez elbette. Gandi'den ziyade Lenin'e benzetebiliriz onu. İlk Hıristiyan din adamları böylece insanlara adeta nanik yaptılar."

Lang onun ne dediğini pek anlayamadı ve "Nasıl yani? Bu da ne demek şimdi?" diye sordu.

"Şey, bu bir deyimdir canım. Yani sen istersen Kilisenin insanların gözlerini örttüğünü söyleyebilirsin, ona benzer bir şey işte."

Lang onun söylediğini ve sonra da Montsegur mağarasında bulduğu yazıyı düşündü ve "Evet ama bu söylediğini kanıtlayacak bir ipucu yok ortada," dedi.

Leb başını iki yana salladı, bu tartışmayı daha önce de pek çok kez duymuştu. "Elbette yok. Buna dair ipuçları olsaydı çok daha önceden yok edilmiş olurdu zaten. Aslına bakarsan Hz. İsa ile ilgili hiçbir çağdaş kayıt da yok."

Suçlama

Yahudilerin Kralı

Asi

Profesör, "Kanıt yokluğu, olmadığının kanıtı olamaz," diye ekledi.

Lang gülümsedi. "Bu da tipik Zen işte."

Leb başını salladı. "Evet Bayım, üniversitede Budizm konulu dersler de var."

BÖLÜM YİRMİ ALTI

Atlanta, Georgia
Rahip Evi, Kusursuz Düşünce Kilisesi
İki saat sonra

Lang ağzındaki profesör çayının tadından kurtulma umuduyla ikinci kahvesini içiyordu. Francis'in çalışma odasının dışında Mercedes'in alarmı yine çalıyordu ama bu kez ses kalın duvarlar nedeniyle kulaklarına daha hafif geliyordu. Lang Dr. Greenberg'le görüşmesini Francis'e anlattı ve onun söyleyeceklerini sabırsızlıkla bekledi.

Francis devlet malı olan yeşil metal çalışma masasının çekmecesinden bir not defteri çıkardı ve kelimeleri yazmaya başladı. "Pekala, her Latince kelimenin karşısına İngilizce anlamını koyalım."

Lang seyrederken Rahip yazmaya başladı.

Imperator	İmparator (yalın hali)
Iulian	Julian (yalın hali)
accusat----	suçlama (hangi hal olduğu bilinmiyor)

rebillis	asi (ismin in hali)
rexus	kral (in hali)
iudeaium	Yahudiler (in hali)
iuit	emirler (birinci tekil şahıs, şimdiki zaman)
regi....	saray (hal bilinmiyor)
unus	bir (in hali)
sEI	Tanrı (in hali)
sepelit	gömülü (üçüncü şahıs pasif?)

Rahip bunları yazdıktan sonra kâğıdı ters çevirdi ve havaya kaldırdı. "Romalıların *bir* ya da *the* şeklinde harfi tarif kullanmadıklarını kabul edersek buradan 'İmparator Julian emirler verir,' gibi bir anlam çıkabilir."

Lang başını salladı. "Evet, ama ne emri veriyor? Cümlenin sonu belli olmadığına göre birini mi suçluyor, birinin fiziksel olarak cezalandırılmasını mı istiyor, emin değilim."

Francis iki kelime arasına bir çizgi çekti ve "Eğer birinin, tahminen Yahudi Kralının suçlanmasını emrediyorsa üç yüzyıl gecikmiş demektir," diye konuştu. "Ama bu yazının bir anlamı olması da gerekiyor elbette."

Lang öne doğru eğildi ve "Pekâlâ," dedi. "Sarayın içinde, saraya doğru ya da saray ile ne yapılmış olabilir? Sözcüğün sonu olmadığına göre bilemiyoruz."

Francis bir tükenmez kalemle işaret ederek, "Sanırım sarayda bir şey olmadığını farz edebiliriz," dedi. "Yani yalın, datif, yani -e hali, objektif ya da -den halini bırakabiliriz. Burada uygulayabileceğimiz bir fiil olamaz, yani saraylar emir vermez ya da gömülmez. Bu durumda geriye..."

O sırada kapı vuruldu, aralandı ve kır saçlı bir kadın başını içeri uzatarak, "Peder, Eventide ayinine beş dakika kaldı," derken Lang'ı gördü ve "Oh, özür dilerim, misafiriniz olduğunu bilmiyordum," diye ekledi.

Kadın geri çekildi ve kapıyı kapayarak gitti.

Francis gülümseyerek ayağa kalktı ve "Kilisenin çok eski sekreteri Bayan Pratt idi bu hanım," dedi. "Senin burada olduğunu bilmemesi, bunu gözden kaçırmış olması inanılacak gibi değil, hiçbir şey kaçmaz aslında gözünden. Evet, kurtarmam gereken ruhlar var, Lang. Buna sonra devam edebiliriz, dostum."

Dışarıda Mercedes'in alarmı da susmuştu.

BÖLÜM YİRMİ YEDİ

Atlanta, Georgia
Park Meydanı, 2660 Peachtree Yolu
O akşam

Lang dairesinde salonu mutfaktan ayıran tezgahta oturmuş, üzerinde birtakım yazılar olan ve sarı bir not defterinden koparıp önüne koyduğu yarım düzine kağıdı inceliyordu.

"İmparator Julian tek Tanrı sarayında Yahudi kralının suçlanmasını emrediyor olabilir mi bunun anlamı?" diye söylendi.

Geriye fazladan bir fiil kalıyordu.

"... Yahudilerin kralı gömüldü ve tek Tanrı sarayında suçlandı olabilir mi?"

Ama bu anlamsızdı, Francis'in de söylediği gibi aradan üç yüz yıl geçmişti. Cilalanmış beyinler kuru olanlardan çok daha iyi çalışırdı ve beyni de bir duble viskiden daha iyi cilalayacak bir şey olamazdı tabii. Lang yerinden kalktı ve karısının ölümünden sonra evden buraya taşınırken aldığı birkaç eşyadan biri olan Thomas Elfe dolabına gitti. İçki şişelerini bu dolabın alt rafında tutardı Lang.

Doğrulurken Grump'ın dikkatle ona baktığını fark etti. Lang Fransa'dan döndüğünden beri köpek ilk kez olarak evin içinde koşturup Gurt'u aramıyordu. Onun geri dönmeyeceğini anlamış gibiydi, üzgün görünüyor, hiçbir şey yemek istemiyordu hayvan.

Lang yine de köpeğin kâsesini temizleyip doldurdu ama bunu yapması her zamankinden uzun sürdü, o da her konuda isteksizdi artık. Yerine oturup uzaktan kumandayı alarak televizyonu açtı. Ekrandan gelecek bir kadın sesi, elektronik olsa bile belki Grumps'ı biraz canlandırabilirdi. Bardağına birkaç buz attı ve dolaptan aldığı şişeden biraz viski koydu üzerine.

Ekrandan gelen sesin, "…Artık zamanı geldi Amerika, çok geç olmadan," dediğini duyunca, konuşan Harold Straight'in yüzüne baktı. Adamın mavi gözleri elmas gibi parlıyordu ve bu gözlerde sanki bir hipnotizma gücü var gibiydi. Adam ekranda, "Eğer bizler çokulusluluğa, tek dünyalılığa izin verirsek, onlar bizim bireyselliğimizi yok etme planlarını sürdürmek…" diye bir şeyler anlatıyordu.

Lang bir süre ekrana baktı ve sonunda konuşma "Tanrı Amerika'yı korusun" ifadesiyle son buldu. Bu adamda gerçekten de sanki insanı büyüleyici bir güç var gibiydi, hatta…

Ne olabilirdi ki?

CIA'da çalışırken yüzleri hafızaya kazımak ve her zaman hatırlamak görevin önemli parçalarından biriydi, bu yeteneği kazanmak için oturup saatlerce yüzlerce fotoğrafa bakarlardı. Eğitim alan ajanlar sadece yüzleri tanımak değil, onlarla ilgili bilgileri de hatırlamak zorundaydılar. Bir sinema önünde fotoğrafı çekilmiş bir kadının fotoğrafını gördükten sonra onu sokakta şapkasız olarak da görseler anında tanımalıydılar. Bir araba içinde yandan resmi incelenen bir adam da sokakta görüldüğünde hemen tanınmalıydı.

Straight'in ekrandaki görüntüsü de yabancı gelmemişti Lang'a. Bu adamı bir yerde görmüştü ama nerede olduğunu hatırlayamadı.

Lang başını iki yana salladı. Onu birine benzetmiş ve yanılıyor da olabilirdi. Straight denen bu adam yaz ve kışların sert geçtiği orta Amerika eyaletlerinden birinin valiliğini yapmıştı ki Lang oralara hiç gitmemişti. Minnesota, Wisconsin gibi eyaletlerden biri olabilirdi onun valilik yaptığı yer. İnsanın hafızası bazen kendisini böyle yanıltabilirdi işte.

Lang bir yudum viski aldı ve televizyona aldırmadan yine önündeki mağara yazılarına döndü.

Harold Straight hâlâ ekrandaydı.

Ama Lang'ın aklında daha acil bazı meseleler vardı. Mutfak bölmesinin duvarındaki telefonu aldı ve bir numara tuşladı.

Hattın diğer ucunda Francis'in sesi duyuldu.

Lang, "Pekâlâ," dedi. "Seni sıkıştırmamak için sabırla bekledim ama benim sabrım tükendi ve galiba bir şeyler buldum sanıyorum."

"Öyle mi? Ne buldun peki?"

"Burada, 'İmparator Julian Yahudi kralının suçlanmasının bir tek tanrı sarayına gömülmesini emrediyor,' diyor."

Hattın diğer ucunda rahibin iç çekişi duyuldu ve Francis, "Karmakarışık bir şey bu," dedi.

"Hayır, sen bunu düzgün olarak tercüme etmedin galiba. Burada bazı edatlar çalışmıyor. Sadece *in* (içinde) bir anlam taşıyor."

"Evet ama bir suçlanma nasıl ve neden gömülür, Lang?"

"Bunu bana değil, dostun Greenberg'e sor. Eğer o haklıysa ve Hz. İsa peygamber olduğu kadar asi idiyse, böyle bir suçlama onun nefret ettiği ilk kiliseyi de aşağılamış olurdu. Barış Prensini kavgacı biri haline getirirdi. Bana öyle geliyor ki Julian bunlarla eğlenir, gülerdi herhalde."

Francis, "Tamam ama burada gömülme kelimesi oldukça garip geliyor bana," dedi. "Julian kiliseyle alay etmişse, böyle bir belgeyi gömmenin bir anlamı olamaz."

Bir süre ikisi de konuşmadan düşündüler ve sonra Lang, "Bu da onun nasıl ve nereye gömülmüş olduğuna bağlı," dedi.

Francis başını salladı. "Bu da bizi tek tanrı sarayına getiriyor, değil mi?"

Lang bir yudum daha viski aldı ve "Bunun nerede olduğuna dair bir fikrin var mı peki?" diye sordu.

Hattın diğer ucundan Francis, "Benim aklıma Kudüs tapınağı geliyor," diye cevap verdi. "Ama bir sorun var burada, bu tapınak Julian'ın devrinden çok önce yıkılmıştı."

Lang, "Vatikan'a ne diyorsun peki?" diye sordu. "Julian tahta oturmadan önce Constantine orada bir Papalık sarayı inşa ettirdi."

Francis bir süre cevap vermeden düşündü ve sonra, "Olabilir," dedi.

"Peki ama neredeydi bu saray, ya da kalıntıları? Bu saray yıkılmış, sonra da on altıncı ve on yedinci yüzyıllarda yeniden inşa edilmiş olabilir, değil mi? Bir suçlama varsa bile kilise onu papalık müzesinde sergilemiş olamaz herhalde. Bu kilise belki de bin yıl önce yıkılıp yok oldu, ne dersin?"

Francis, "Zor bir soru," dedi. "Yerinde olsam Vatikan'ın hangi bölümlerinin o tarihlerde yenilendiğini araştırırdım."

"Evet ama Papalık Devletini sen benden daha iyi tanırsın."

Francis içini çekti ve "Pekâlâ, ben bu konuda bir şeyler

yapmaya çalışırken sen de biraz dinlen bakalım," diyerek gül-dü. "Eski bir tarih kurdu olarak Romalıların arenalarını me-yilli arazilerde inşa ettiklerini bilirsin, Lang. Aslında Vatikan da, Aventina, Laterail, Esquiline ve diğerleri gibi şehrin yedi tepesinden birinin adıydı. Maximus Arenası da bu tepelerden birinin eteklerindeydi. Meyilli arazi araba yarışlarında yarış-çıların hız kazanmasını sağlardı. Vatikan adlı meydan şehir surlarının dışındaydı, yılanların ve sıtmanın kaynağı olan bir bataklıktı ama sonradan eğlence merkezi oldu. Yamaca me-zarlar kazılırdı ve meydan ya da arena inşa edildikten sonra da devam ettiler buna."

"Büyüleyici bir şey, fakat *Quicade praecipie esto brevis.*"

"Sus yoksa seni müdüre gönderirim. Apostol Peter Roma'ya getirildi, Nero'nun Arenası Vatikan Tepesi'nin ya-macındaydı, idamlar yapılırdı orada. Belki hatırlarsın, adam çarmıha gerilirken baş aşağı tutulmasını söyledi, çünkü Hz. İsa gibi başı yukarda çarmıha gerilmeye layık olmadığını dü-şünüyordu. Romalılar da onun arzusunu yerine getirdiler.

"Rivayete göre Peter de yamaçtaki mezarlar arasına gö-müldü ve yıllar sonra İmparator Constantine Roma'yı Hıris-tiyan yapınca, Peter'in gömüldüğü söylenen yere ilk papalık sarayını inşa ettirdi.

"Peter'in ölümünden yaklaşık elli yıl sonra o bölge büyük bir mezarlık haline geldi, bazı mezarlar Papa sarayının sınırı kabul edildi, kimse onları yerlerinden başka bir bölgeye ta-şıyamadı, oraya nekropolis adı verildi. Bir destek duvarında mezarlar olması şakacı bir adam olan Julian'a alay konusu ol-muş olabilir, değil mi?"

Lang onu dinlerken bardağında kalan viskiyi bile unuttu. "Peki, nekropolis denen bu büyük mezarlık halkın ziyaretine açık mıdır? Bir zamanlar karım Dawn ile Vatikan'ı ziyaret etmiştik ama o mezarlığı hatırlamıyorum. Papaların gömüldüğü o toprak seviyesinden alçak olan yerde mi yoksa?"

"Sanırım aşağıda bir yerde olacak. Nekropolis ziyarete açık ama galiba sadece Vatikan Arkeoloji Dairesinin izniyle gezilebiliyor."

"Pekâlâ, nüfuzunu kullan ve beni oraya sokmaya çalış, Francis."

"Sanırım oraya rehberli turlarla gidilebiliyor. Yalnız gidersen gezebileceğini sanmam."

Lang sırıtarak, "Sen beni içeri sok da gerisine karışma," dedi. "İçerde başımın çaresine bakarım ben. Eğer her ne ise suçlamayı bulabilirsem, beni neden öldürmek istediklerini de öğrenebilirim belki. Şimdi konuşmayı keselim de ben bir an önce Roma'ya gitmeye bakayım."

Oda çok sadeydi, dört duvar ve bir kapıdan ibaretti. Ama tepedeki parlak lambalar odayı iyi aydınlatmıştı. İçerde eşya olarak bir metal masa ile bir sandalye vardı ve sandalyeye oturmuş bir adam büyük bir dikkatle önündeki monitörleri izliyordu.

Ekranlardan birinden sürekli olarak kelimeler gelip geçiyor, adam da kulaklığına gelen konuşmaları dinliyordu. O sırada kulaklıkta birinin, ". . . beni neden öldürmek istediklerini de öğrenebilirim belki," dediği duyuldu.

Adam bunu duyduktan sonra bir telefon ahizesini kaldırdı ve bir numara tuşlayarak, "Gitmeye hazırlanıyor," dedi.

Karşı taraftaki muhatabı, "Tamam, her şey planlandığı gibi," karşılığını verdi.

BÖLÜM YİRMİ SEKİZ

Langford Reilly'nin Hukuk Bürosu
229 Peachtree Sokağı
Ertesi sabah.

Lang masasına sırtını dönerek oturmuş, pencereden dışarıya, aşağıdaki sokak manzarasına bakıyordu ama iyice dalmıştı, bir şey görmüyor gibiydi. Gözlerinin önünde, dün gece rüyasında gördüğü bir yüz, ya da rüyasında gördüğünü sandığı bir yüz duruyordu.

O rüyayı görürken, adeta şampanya şişesi mantarının patlaması gibi, aniden uyanmıştı. Yatağın içinde doğrulup oturmuş, neler olduğunu anlamaya çalışmıştı. Daha sonra, o akşam kafasını kurcalayan soruyu hatırladı. Bilinçaltı hiç kuşkusuz soruyu muhafaza etmiş ve bir insanın unuttuğu önemli bir şeyi aniden hatırlaması gibi hatırlamış, çözmüştü meseleyi.

Fakat cevap saçmaydı, hatta çılgıncaydı. Ama Lang yine de her şeye razıydı ve buna bile teşekkür ediyordu. Meseleyi unuttuğu için kendine kızdı ve sonra telefonu alarak bir numara tuşladı.

Karşı taraftan bir erkek sesi, "Ne var?" diye sordu ki cevap veren adamın tipik cevabıydı bu.

Lang, "Önümüzdeki bir iki gün için önemli bir işin var mı, Charlie?" diye sordu.

Hattın diğer ucundaki adam üç kez boşanmış, barodan atılmış başarısız bir avukat olan Charlie Clough idi. Ama başkalarının bulamadığı bilgileri sağlama konusunda oldukça başarılıydı. Georgia Barosu onu avukatlar listesinden çıkardıktan sonra, Charlie Atlanta bölgesindeki bütün avukatları ziyaret etmiş ve onlara araştırmacı olarak çalışacağını açıklamıştı. Lang ona sempati duyduğu için, bir davasında tanık olarak çağıracağı ama devamlı adres değiştiren bir adamı bulma görevi vermiş ve Charlie adamı çok geçmeden bularak mahkeme davetini eline vermişti onun. Şerif ve yardımcıları adamı bir süre aramış ama sonra bu işten vazgeçmişlerdi, çünkü maaşlarından memnun değillerdi ve çok fazla çalışmak istemiyorlardı. Lang'ın bu gibi durumlarda araştırmacı olarak kullandığı dedektiflik şirketi de tanığı bulamamış ve işten vazgeçmişti.

Charlie adamı buldu, arabasını takip etti ve bir kırmızı ışıkta durduğu zaman gidip mahkeme davetini tutuşturdu eline.

Charlie hattın diğer ucundan, "Elbette işim var," diye homurdandı. "Ben senin gibi zengin bir avukat değilim ki kıçımın üstüne oturup dalga geçeyim."

Charlie yüz otuz kiloya yakın dev gibi bir adamdı ve elbiselerini hiç kuşkusuz özel olarak diktiriyordu. Uçak yolculuklarında ondan iki koltuk bileti alması istenir ve birinci sınıf uçtuğu için bu tür seyahatler pahalıya patlardı ona.

"Sana bir iş vereceğim, Charlie. Uçak biletleri, masraflar benden ve ayrıca günde bin dolar ücret."

"Kimi öldüreceğim?"

"O kadar zor bir iş değil canım! Senden bazı kamu kayıtlarını araştırmanı istiyorum."

Charlie birden kuşkulanır gibi oldu ve "Kamu kayıtları mı?" diye sordu. "Pek çok eyalette bu tür bilgileri kendi bilgisayarından bile sağlayabilirsin, dostum."

Lang adam karşısındaymış gibi başını salladı ve "Ben de bunun için sana veriyorum bu işi zaten," dedi. "Bazı kayıtların değiştirildiğine dair kuşkularım var. Sen oralara girip gerçek kayıtları bulmaya çalışacaksın, kuşkulu bir şey görünce bana bilgi vereceksin."

Adam içini çekti ve "Pekâlâ, ne istediğini söyle de not alayım bari," dedi.

Lang ona ne gibi bilgiler istediğini söyleyince Charlie ona, "Delirdin mi sen dostum," diye söylendi. "Daha önce incelenmiş ve üzerinde çalışılmış bilgileri nasıl bulurum ben?"

"Bu iş kolay olsaydı sana günde bin dolar ödeyip masraflarını da kabul etmezdim herhalde, değil mi Charlie?"

Charlie, "Tamam da bu işe ancak gelecek hafta başlayabilirim," dedi.

"Tamam, anlaştık."

Lang telefonu kapadı ama birden şaşırdı ve içinden bir küfür savurdu, Charlie ona kim olduğunu bile sormamıştı.

Lang o sabah bürosuna her zamanki varış saatinden bir saat önce gitti, sekreteri Sara'dan önce gelerek, oradan ayrılmadan önce ona ne işler vereceğini düşünmek istiyordu. Otobüs duraklarında bekleyen insanlar hâlâ ayakta uyuklar gibiydiler ve park banklarında yatan evsizler bile daha uyanmamışlardı. Evsizler apartman kapı eşiklerinin ve park banklarının herkese ait olduğuna inanıyor ve oraları istedikleri gibi, rahatça kullanıyorlardı.

Lang bürosuna girip doğruca çalışma masasına gitti, bir çekmece açarak elini geriye doğru uzattı. Bir çıt sesi duyuldu ve çekmecenin dibindeki gizli kapak açılarak onun eline geldi. Lang gizli bölmeden cep telefonuna benzer bir cihaz çıkardı. Bunu ve Sig Sauer tabancayı CIA'dan ayrılırken yanına almıştı. Kısaca IACD denen cihaz CIA ajanlarının kullandığı bir uydu telsiziydi ve cihaz sahibi dünyanın her yerinde kendini üç harfli bir şifreyle tanıtırdı. Konuşmalar dışardan dinlenemez, elektronik olarak karıştırılır, ama hattın diğer ucunda olan kişi her şeyi net olarak anlardı. Sistem on beş yıl önce geliştirilmişti ama yeni teknolojilerle yarış edebiliyordu. Lang da bu sistem sayesinde, nerede olursa olsun, her zaman eski arkadaşlarıyla haberleşebiliyordu.

Üç harfli şifresini cihazın ekranına yazdı, düğmeye bastı ve ıslık sesiyle uydu zırıltılarını duyduktan sonra beklemeye başladı. Çok geçmeden cihazda üç çıtırtı ve arkasından da, "Lanet olsun, Lang Reilly!" diyen bir ses duyuldu. "Sen de nerden çıktın böyle?"

Lang mutlu bir gülümsemeyle elindeki alete baktı ve "Merhaba, George," diye konuştu. "Senin IACD gibi eski bir sistemi asla kaldırıp atmayacağını düşündüm."

"Eski olur mu hiç, dostum! Bu sistem hâlâ kullanılıyor ve eminim senin elindekinde gece-gündüz resim gönderme yeteneği, GPS ve tüm diğer yenilikler de vardır, değil mi?"

Lang o anda Eddie Reavers'ın ona verdiği cep telefonu

benzeri cihazı hatırladı. GPS (Global Pozisyon Sistemi) onda vardı galiba. "Ee, söyle bakalım, George, nereye atadılar seni, nerde görevlisin?"

George neşeli olduğunu belli eden bir ses tonuyla, "Böyle bilgiler gizlidir, bilirsin ya Lang," dedi. "Bunu sana açıklarsan seni öldürmek zorunda kalırım, dostum. Herhalde sen de beni Teşkilatın terörizme ve diğer kötülüklere karşı neler yaptığını sormak için aramadın, değil mi? Nedir öğrenmek istediğin?"

Lang kendini tutamadı ve güldü. George Hemphill Frankfurt'a geldiğinde Lang henüz oradaki görevinden ayrılmamış ve birlikte bazı başarılı işler yapmışlardı. George müthiş bir yabancı dil yeteneğine sahipti ve bu sayede pek çok yabancı ile kolayca temas kurabiliyor ve bazı sorunların çözümlenmesi konusunda başarılı sonuçlar alıyordu.

"Senden bir iyilik isteyeceğim, George."

"Herhalde Beyaz Saray balosunu karıştırmamı istemeyeceksin, değil mi?"

Lang güldü ama hemen ciddileşti. "Don Huff'ı hatırlıyorsun, değil mi?"

"Şu bizim ihtiyar, Operasyonlardaydı. Yanlış hatırlamıyorsam eski günlerde Charlie Kontrol Noktasında bir gün senin kıçını kurtarmıştı."

"Onu öldürdüler George. Sadece onu değil, Gurt Fuchs'u da öldürdüler."

Karşı tarafta derin bir sessizlik oldu ve sonra George, "Alman turizm posterlerine model olacak kadar güzel olan şu muhteşem Alman kızı da gitti desene," dedi.

"Ne yazık ki öyle oldu, dostum."

"Benim duyduğuma göre, Gurt Roma biriminde çalışırken

ücretsiz izin almış ve seninle gitmiş. Herkes senin için 'şanslı piç' diyordu. Gurt'un ölümünü duymak beni de çok üzdü, dostum. Başın sağ olsun!"

"Teşekkür ederim, George."

"Nasıl oldu bu?"

"Ben de senden bu konuda yardım isteyeceğim zaten, dostum. Aslında bazı bilgilere ihtiyacım var."

"Elimden geleni yapmaya hazırım, Lang."

Lang ondan ne istediğini söyleyince George, "Bu istediğini sağlamak biraz zaman alabilir, Lang," dedi. "Sen benden oldukça eskiye gitmemi istiyorsun. Belki de bilgisayar döneminden önceye kadar gitmemiz gerekebilir, dostum."

Lang gizli konuşmasını henüz tamamlamış, cihazı kaldırmıştı ki Sara elinde bir sürü dosyayla odaya girdi ve ona, "Günaydın, Lang," dedi. "İstersen dosyalara bir göz at da sen yokken neler yapmam gerektiğini söyle bana."

BÖLÜM YİRMİ DOKUZ

Washington, D. C.
Ulusal Arşivler (Pennsylvania Caddesi)
Aynı gün öğleden sonra

ABD'yi Washington'dan terk etmenin çifte avantajı oldu: Daha önce olduğu gibi, Dulles-Roma uçuşunda tanıdık bir yüz görmek, izlendiğini gösterecekti. İkincisi, Lang'ın zihninde arılar gibi vızıldayan cevapsız sorular dolaşıp duruyordu. O sabah belki de yola çıkmadan önce bu sorulardan birkaçını cevaplayabilirdi. Tanıdığı bir Georgia senatörüne telefon ederek başında bulunduğu yardım kuruluşu adına destek isteyince, Ulusal Arşivler Kayıt Odasına girme izini aldı.

Ulusal Arşivlerde camekân içinde muhafaza edilen Bağımsızlık Beyannamesini görmek için sıraya giren turistlerin arasından geçerek ilerledi ve aradığı masayı buldu. Masada oturan saçları topuzlu ve asık suratlı kadın onun izin belgesine baktı ve isteksiz bir hareketle plastik bir ziyaretçi kartı vererek üçüncü kata çıkmasını söyledi. Ama aradığı kayıtların karışık olduğunu söyleyerek onu uyarmaktan da geri kalmadı.

Lang çıktığı yerde içleri bir sürü belgeyle doldurulmuş ve raflara yine gelişigüzel dizilmiş bir sürü teneke kutu buldu. Bu belgeleri yazmış olan Almanlar bunların böyle karmakarışık bir halde muhafaza edildiğini görselerdi herhalde büyük üzüntü duyarlardı. Burada bütün belgeler birbirine karışmış olacaktı.

Ama kutulara bir süre göz attıktan sonra belgelerin mükemmel olmasa da belirli bir düzene göre dizildiğini tahmin etti Lang. Her sıranın sonunda, belgelerin yılını ve İtalya, Fransa gibi ait olduğu ülkeyi gösteren bir etiket vardı.

Alman ordusu İtalya'yı savunan faşistlerin yerini ne zaman almıştı? Lang İtalya 1943-44 rafından iki kutu aldı ve en yakın masaya götürdü. Masada kutuların raflara geri götürülmemesini, masada bırakılmasını bildiren bir levha vardı, kutular rafa arşiv görevlileri tarafından götürülecekti.

Küflü kâğıtların kokusu Lang'ın burnunu rahatsız etti. Neyse ki belgelerin çoğu Hitler'in emrettiği gibi eski Almanca el yazısıyla değil de daktiloyla yazılmıştı ve ilk bakışta rahatça okunabiliyordu.

Lang bir saat kadar, trenlerin hareketleri, gıda maddeleri dağıtımları, araçların onarımları ve ordunun çeşitli ihtiyaçlarıyla ilgili çok sayıda belgeyi inceledi. Geri çekilmekte olan Alman ordusuna ait de çok sayıda belge vardı ama Lang onlarla zaman harcamak istemedi.

Aldığı iki kutuyu masanın kenarına doğru itti ve raftan iki kutu daha aldı. İşine yarayacak olan bilgiyi son İtalya 1944 kutusunun ikinci yarısında buldu; başlıklı bir mektup kâğıdına yazılmış bir mektubun eski bir kopyasıydı bu. Kağıdın üst köşesinde Almanların açık kanatlı kartal ve gamalı haçı yerine, yine açık kanatlı ama üçte iki profilli bir kuş simgesi vardı.

Kuşun bir pençesinde çakan bir şimşek, diğerinde ise eğri bir haç duruyordu. Resmin çevresine bir vecize yazılmıştı: *Meine Rhre Ist Treu,* yani Benim Gerçeğim Onurdur diyordu ki SS'lerin sloganıydı bu.

Lang ince kâğıttaki solmuş teletip yazıyı okuyabilmek için sandalyesini lambaya biraz daha yaklaştırdı. Yazının tercümesi şöyleydi:

8 Mayıs 1944
Acele & Çok Gizli

Strumbahnfuhrer Otto Skorzeny
Via Rasslia 29
Roma

Herr Sturmbahnfuhrer!

Yeni bir emirle, 1 Nisan 1944'ten geçerli olmak üzere eski görevinizi terk ederek, yeni bir görev almak üzere uçak dahil en hızlı araçlardan biriyle derhal Berlin'e geleceksiniz. Roma'dan ayrılmadan önce eski emirlerle ilgili tüm belgeleri imha edeceksiniz, tekrar ediyorum, imha edeceksiniz.

Heil Hitler!
H. Himmler

Bu emir telgrafla geldiği için üzerinde gerçek imza yoktu. Ama Himmler'den gelen emir Hitler'den geliyor demekti ve

bu da Skorzeny'nin o günlerde Roma'da olduğunun bir kanı-
tıydı. Adam o günlerde belki de Julian'ın Hıristiyanlarla ilgili
şakasına dayanarak nekropolisi, yani büyük mezarlığı araştı-
rıyordu. Ama Hitler '44 baharında onun yaptığını yeterince
önemli bulmamış ve Berlin'e çağırmıştı.

Evet ama nereye çağırmıştı Hitler onu?

Profesör Blucher'e göre, Fransa 1940'ta işgal edildikten
hemen sonra Skorzeny Montsegur'a gitmişti. Ondan bir süre
sonra da Skorzeny galiba Girit'e bir havadan indirme operas-
yonuna kumanda etmişti. Adam 1943'te Mussolini'yi kurtar-
mış, '44 baharında Roma'ya gitmişti. Müttefikler Roma'ya 6
Haziran 1944'te, Normandiya gününde girdiler. Skorzeny'yi
belki de bunun için kaçırdılar diye düşündü Lang. Adam daha
sonra Macar hükümetini devirdi. Himmler'in emri de bununla
ilgili olabilirdi. Adam 1944-45 kışında da Belçika'da, Bulge'da
idi.

Otto Skorzeny denen bu adam Avrupa'nın her yerinde gö-
rülmüş, çalışmıştı.

Skorzeny'nin bir diktatörü kurtarması, bir hükümeti de-
virmesi bir sır değildi ama Montsegur'da ne bulduğu bilinmi-
yordu. Blucher onun Roma'da ne yaptığını da anlatmamıştı.
Evet, ama korkunç bir Nazi'nin altmış yıl önce yaptıklarıyla
Don'ın ölümünün ne ilgisi olabilirdi ki? Ama Skorzeny uzun
süredir gömülü olan bir sır bulmuş olabilirdi ve birileri de bu
sırrı muhafaza etmek için insan öldürmeyi bile göze alıyorlar-
dı.

Saat beşe on vardı ve Arşivler birkaç dakika sonra kapa-
nacaktı. Lang bugün Skorzeny hakkında çok şey öğrenmişti.
Masadan kalkıp gerindi ve masanın üstünde kutuların orada
bırakılmasını bildiren yazıya bir kez daha baktı.

Yarın İtalya'ya doğru uçuyor olacaktı. Bu akşam Kinkade's adlı balıkçı lokantasına gidip istiridye ve yengeç yemeyi planladı, ama Gurt'un da deniz ürünlerini çok sevdiğini hatırlayınca bu güzel şeyleri yalnız başına nasıl yiyeceğini düşündü.

Gurt ile beraber ilk kez olarak Atlanta'nın oldukça pahalı et ve deniz ürünleri restoranlarından biri olan Chops'a gittikleri akşamı hatırladı. Gurt önce ıstakoza ve sonra da Lang'a bakmış ve "Bu bir *Vitzen* mi, şaka mı yapıyorsun?" demişti.

Lang da gülmüş ve "Hiç de şaka değil, bunlar müthiş lezzetli şeylerdir," diyerek bir ıstakoz parçası koparıp yemeye başlamış ve başını sallamıştı.

Gurt bir süre onu seyretmiş, belki de ağzından çıkaracağını düşünmüş ama yuttuğunu görünce şaşkın bir ifadeyle, "Gerçekten yedin onu," demişti.

Sonunda Gurt da deniz ürünlerini sevmiş ve garsondan bir porsiyon daha istemişlerdi. Lang bunları hatırlayınca gözlerinin yaşardığını hissetti ve kimseye belli etmeden elinin tersiyle sildi.

BÖLÜM OTUZ

Roma
Vatikan
Nisan 1944

P apa Pius XII kendisinden önceki iki yüz altmış bir selefinin yaşadığı aynı sorunu yaşıyordu.

Çalışma odasında St. Peter Meydanını gören masasına oturdu ve içini çekti. Bernini'nin kıvrımlı sütunlarına bakmak ona genellikle huzur veriyordu. Ama o gün Kutsal Şehrin hudutlarının hemen bir adım ötesinde duran Alman askerleri manzarayı bozuyor, onu çok rahatsız ediyordu. İtalya'daki Alman kuvvetlerinin kumandanı Kesselring'e göre, bu askerler sözde Papayı korumak için oradaydılar. Ama Pius onların, kendilerinin gardiyanları olduğunu biliyordu. Bu askerler herkese çok kötü davranıyor, Vatikan'a giren ve çıkanların belgelerini soruyorlardı. İşler gittikçe kötüleşiyordu. Roma'daki SS Komutanı General Wollf, Vatikan'ın zenginliklerinden yararlanmak için Papanın bile kaçırılabileceğini söylemişti ki bu haberi belki de kasıtlı olarak sızdırmıştı.

Pius aslında kendi güvenliğini değil de Vatikan'ın altında ortaya çıkarılan sırrın sorumluluğunu düşünüyordu. Eğer oradaki yazı doğru ise, onun varlığı büyük bir sorun oluşturacaktı. Bu yazı bir yandan Hz. İsa'nın bu topraklara ayak bastığını kanıtlayacak ve iki bin yıllık şüphecileri, dinsizleri susturacaktı. Diğer yandan, orada tasvir edilen Hz. İsa resmi, Galilee'li mütevazı marangoz oğlundan çok farklıydı.

Papa belki de yazıyı yok edebilir, Kutsal Kitapları hem onaylayan ve hem de onları yalanlayan kalıntıları oradan başka yere götürebilirdi, nereye koyardı bu belgeleri? Kilisedeki bilim adamlarına açık olan kütüphaneye bırakamazdı onları.

O dönemde Almanları harekete geçirecek hiçbir şey yapmamalıydı, ama gelecek kuşaklar Hitler'i, Nazileri ve Avrupa'nın bin yıldır görmediği zulmü kınamadığı için ona lanet edeceklerdi. Onun mirası gibi kabul edilen Papalık bile saygı görmeyecekti. Kilise ondan sonra da devam edebilirdi ama Vatikan'ın altındakini korumak çok zor olacaktı.

Aslında o, Hz. İsa'ya ait ilk çağdaş belgeleri bulan Papa olarak saygı göreceğini düşünmüştü. Şimdi ise Almanlarla işbirliği yapan Papa olarak anılması riski vardı.

Kazılar sırasında Constantine'in bıraktığı bazı belgelerin bulunması için dua etmişti hep. Şimdi ne yapacaktı peki? Almanlar ne bulunduğunu öğrenecek miydi acaba? Almanlar bunu öğrenirlerse Kilise bunun sırrını asla koruyamazdı, Pius umutsuzdu.

Tanrıdan yardım beklemekten başka yapabileceği bir şey yoktu Papa Pius'un. Dua edecek ve Almanları kuşkulandıracak, harekete geçirecek hiçbir şey yapmadan bekleyecekti.

Papa Pius, süslü Louis XVI saatine bakınca toplantıya sadece birkaç dakika kaldığını gördü. Eline birkaç belge aldı ve kronolojiyle hafızasını tazelemeye çalıştı, bir yıl önce bunu yapması düşünülemezdi bile.

Müttefikler geçen Temmuz Sicilya'ya çıkmışlardı. Çıkarmadan birkaç gün sonra Roma bombalanmış, St. Lorenzo bölgesinde bir demiryolu istasyonu, tıp fakültesi ve bir kilise tahrip olmuştu. İki yüz yıldan fazla bir zamandan beri ilk kez bir Romalı olan Papa ve Roma vatandaşları şoke olmuşlar, çok öfkelenmişlerdi.

Papa Roma'nın açık şehir ilan edilmesini, iki taraf kuvvetlerinin de bu şehri rahat bırakmalarını istemişti. Ebedi Şehir Alman ve Müttefik uçaklarının bombalarıyla tahrip edilen Londra ve Berlin'in akıbetine uğramamalıydı. Papa son kez konuşmuş ve ondan sonra susmuştu.

O sırada kapı vuruldu ve Pius'un yardımcısı Peder Sebastiani elinde bir tepsiyle içeri girdi, tepside kahve sürahisi ve dört küçük fincan vardı. Peder tepsiyi masanın üstüne bıraktı ve geri çekilerek odadan çıktı. Yıllardır Papa'nın hizmetinde olduğu için onu çok iyi tanıyordu ve şimdi de onun yüzüne bakınca konuşmak istemediğini hemen anlamıştı.

Papa Pius yerinden kalkıp kendine bir fincan kahve koydu ve tekrar masasına oturup yine önündeki kasvetli senaryoya baktı.

Papa Roma'nın bombalanmasından sonra o gece saatlerce Vatikan'ın alt katında dolaşıp Roma ve barış için dualar etmişti. Başka şeyler için de dua etmişti elbette. Gözlerini kapadı ve bir süre düşündü Papa Pius. Tanrı onun sonunda ettiği duayı, şimdiki sıkıntısı için ettiği duasını kabul etmişti.

Hava saldırısından birkaç gün sonra Mussolini krala yaptığı haftalık ziyaret sırasında tutuklanmıştı. Müttefik Kuvvetler Komutanı General Eisenhower altı hafta sonra Faşist hükümetin teslim olduğunu açıkladı, ondan iki gün sonra da Müttefikler İtalyan yarımadasına çıktılar.

Mussolini hükümetinin çökmesi ve Kral Victor Emanuel'in kaçmasından sonra Almanlar Roma'ya girmişlerdi. İşgalden kısa bir süre sonra Vatikan'a yaklaşık bir mil mesafedeki Yahudi mahallesinde binden fazla Yahudi tutuklandı, eski Romalıların çocukları olan bu insanlar kamyonlara doldurulup tren istasyonlarına ve oralardan da esir kamplarına götürüldüler.

Papa Pius Yahudileri koruyacak hiçbir şey söyleyemedi, ağzını bile açamadı. Yahudilerin kaderi korkunçtu, böyle bir şey düşünülemezdi bile ama Papa'da kaçırılma korkusu vardı. Arkeologların bulguları da çok önemliydi ve bunun Almanlar tarafından öğrenilmemesi gerekiyordu.

Faşistlerin Roma üzerinde kuş uçurtmama şeklindeki övünmelerine karşın Roma belirli aralıklarla bombalandı. Almanlar tanklarını ve kamyonlarını şehrin meydanlarına doldurdular, uçaksavarlarını Roma'nın dört yüzden fazla kilisesinin çatılarına konuşlandırdılar. Bir süre sonra Vatikan'a bağlı bir manastırı bastılar ve oraya sığınmış olan Yahudileri ve Almanlar için çalışmaktan kaçan diğer Romalıları da yakalayıp götürdüler.

Pius daha fazla dayanamadı ve Alman temsilcisine bir protesto gönderdi. Temsilci ona İtalyan faşistlerinin kutsal şeylere saygısızlık yaptıklarını bildirdi ve Papa da bu yalanı yutmak zorunda kaldı. Almanlardan kaçanların Kilise binalarına girmelerini, sığınmalarını yasakladı ama bu emrine itaat edilmediğini de biliyordu.

Mart ayında bir SS polis timi Via Rasella'da tuzağa düşürüldü, otuz iki Almanla beraber iki de sivil İtalyan öldü. Bu olaydan yirmi dört saat sonra, Hitler'in emriyle üç yüz yirmi İtalyan erkeği ve çocuğu Roma dışında Ardeatine Mağaralarına götürüldü ve beşer kişilik gruplar halinde kurşuna dizildi.

Faşist olmayan tek haber kaynağı Papalık gazetesi bu olaya olan öfkesini belirten bir ilave baskı yaptı. Pius da işgalcilere olan kızgınlığını saklamadı, ama yine de Almanları fazla sinirlendirmek istemedi ve sustu. Ama şimdi daha zor durumdaydı, ne yapacağını bilemiyordu...

Kapı yine vuruldu ama bu kez toplantıya katılacak olanlar geliyordu. Vatikan'ın güvenliğinden sorumlu olan din adamları, Vatikan Şehir Devleti Dinsel Komisyonu üyeleri olan Kardinaller Rossi, Pizzaro ve Canali odaya girdiler. Pius elini onlara uzatarak Papalık yüzüğünü öptürdü. Konuşmaya nereden başlayacağını hâlâ bilmiyordu, ama en azından bu büyük sırrı artık tek başına taşımak zorunda kalmayacaktı.

BÖLÜM OTUZ BİR

Nimes, Fransa
Nimes Hastanesi
Bir hafta önce

Burada ne zamandan beri bulunduğunu bilmiyordu ama bu sabah ilk kez olarak burada olduğunun bilincinde olarak uyanmıştı.

Genç kadın daha önceki günlerde (belki de haftalar ya da aylarda) çoğu zaman hiç değişmeyen o rüyanın etkisiyle çığlıklar atarak fırlamıştı yatağından. Rüya o kadar gerçekti ki onu sanki uykusunda görmüyor, adeta yaşıyordu.

Ama sonuçta o bir rüya idi işte.

Rüyasında bulutsuz bir gökyüzünde portakal rengi bir ateş topu gibi parlayan güneş birden patladı ve onu, bir yerlerde gördüğünü hatırladığı güneş gazları gibi uzaya püskürttü. Genç kadın önce uzun bir süre uzayda asılı kaldı, sonra hızı gittikçe artarak, kendisini dostça karşılamayan bir dünyaya doğru düşmeye başladı.

İşte o zaman çığlıklar atmaya başladı ve rüyasında başlayan bu çığlıklar uyandıktan sonra da bir süre devam etti. Bazen, tekrarlanan o korkutucu rüyasının en azından bir kısmının, dünyaya düşüş kısmının gerçek olabileceğini düşünüyordu.

Bu olayla ilgili olarak başlangıçta her yanının acılar içinde kaldığını, yandığını hatırlıyordu, vücudunun bir kısmı parçalanmış taşların altında kalmış, adeta canlı canlı gömülmüştü. Nereden geldiğini, orada neden bulunduğunu, taşların altında nasıl kaldığını ve hatta adını bile hatırlamıyordu.

İlk önce yüzünde derin yaralar olduğunu ve bunların kanadığını sandı. Elini alnına götürünce ıslak ve tüylü bir şeyler hissetti ve gözlerini açınca bir köpek başı ile karşılaştı, hayvan onu yalayarak yüzündeki kanları temizliyordu.

Kendini toparlamaya çalıştı ve başını kaldırınca yanı başında durmuş endişeli bir ifadeyle ona bakan adamı, daha doğrusu çocuğu gördü. Çocuk ona bir şeyler söyledi ama genç kadın onu duyamadı. Kulaklarına gelen fısıltı benzeri yumuşak ses, yaprakların arasından yağan yağmurun hışırtısını andırıyordu.

Genç kadın elinin üstündeki taş parçalarını atarak kulağına dokundu. Ama bu kez yüzündeki ıslaklığın köpeğin yalamasından değil de açık yaralardan akan kanlardan meydana geldiğini anladı.

Ama o, kanlar akan yaraların acısını değil de bütün vücudundan kaynaklanan ağrıları hissediyordu.

Bütün gücünü toplayarak doğrulmaya çalıştı, kendini zorlayarak titreyen bacaklarına rağmen ayağa kalktı. Köpek onun etrafında koşmaya başladı, ağzı açılıp kapanıyordu, mutlaka havlıyordu. Delikanlı elini uzattı ve genç kadın bu eli yakaladı, sımsıkı tuttu.

Sonra birden gözleri karardı, kendini kaybetti.

Daha sonra gözlerini açtığında ilk gördüğü şeyler beyaz duvarlar ve tepesindeki beyaz tavan oldu. Kendini toparlayamıyor, oraya nasıl geldiğini, nerede olduğunu ve ne zamandan beri orada bulunduğunu bilemiyordu. Örtünün üstünde duran eline baktı ve koluna takılmış olan besleyici serum iğnesini ve yatağın yanında asılı duran şişeyi gördü. Kolunda başka iğne morlukları da vardı, demek ki ona sürekli serum veriyorlardı. Başını kaldırdı ve karyolanın ucunda bir sehpaya asılı duran şişeye baktı bir süre.

Etrafına bakınca bir hastanede olabileceğini düşündü ama buraya nasıl geldiğini hiç hatırlamıyordu, sanki başka bir dünyadaydı. Rüyasındaki güneş patlamasından önce yaşayıp yaşamadığının bile farkında değildi.

Bunları düşünürken odada bir hareket olduğunu sezinledi ve içeriye birinin girdiğini anlar gibi oldu.

Tekrar serum şişesine ve kolundaki iğneye baktı. İçeriye giren adam büyük olasılıkla doktor olmalıydı. Bembeyaz kıyafeti de bunu gösteriyordu ve asi, dimdik saçları da üstündeki kıyafet gibi beyazdı.

Adam onun gözlerini açtığını görünce, her şeyi gibi bembeyaz dişlerini göstererek gülümsedi ve ağzını açarak bir şeyler söyledi ama genç kadın onu duyamadı.

Ona neler olacağını biliyor gibiydi ama bunu ne bekliyor, ne de korkuyordu ondan. Doktor onun ayakucundaki tablosunu kontrol etti, sonra üzerindeki örtüyü kaldırdı, iğne olan kolunu tuttu ve ona destek vererek yataktan indirdi, ayakta durmasına yardım etti. Taş zeminin serinliğini hissetti genç kadın. Doktor bir eliyle serum askısını çekerek, diğeriyle de onun belini tutarak onu odanın dışına, koridora çıkardı.

Koridorda birkaç adım yürüdükten sonra doktor onu yanlarında yürüyen ve gülümseyen bir hemşireye teslim etti. Sonra, önce kendi kulağını, sonra onun kulağını gösterdi ve baş ve işaret parmaklarıyla herkesin bildiği yuvarlak OKEY işaretini yaptı.

Ama genç kadının kulakları OKEY değildi, hiçbir şey duyamıyordu. Doktor belki de kulaklarının bir süre sonra OKEY olacağını söylemek istemişti. O da bunu umut ediyordu elbette. Çünkü eğer kulakları duymazsa sorulan soruları anlamayacak ve başına neler geldiğini de hatırlayamayacak, konuşamayacaktı.

Eğer konuşamazsa kâğıtlara yazarak da belki anlaşabilirdi insanlarla. Ne yazık ki doktor ve hemşirelere adını, nereden geldiğini ve bunlara benzer bilgileri veremeyecekti, çünkü hiçbir şey hatırlamıyordu.

Ama hafızasının bir süre sonra yerine gelmesini bekliyor, bunu umuyor ve buna inanıyordu. Fakat bunun ne zaman olacağı konusunda hiçbir fikri yoktu. Hafızası yerine gelene kadar sabırlı olması, yaralarının iyileşmesini beklemesi ve çok uzun zaman geçmeden kim olduğunu hatırlaması gerekiyordu.

BÖLÜM OTUZ İKİ

Fumicino, İtalya
Leonardo da Vinci Uluslararası Havaalanı
Şimdiki zaman

Lang uykulu gözlerle havaalanı koridorunda yürürken, her şeyin birbirinden uzak olduğu bu havaalanının planını yapan adama içinden küfrediyordu. Avrupa dışından gelen uçak yolcularının geçmeleri gereken, gümrük ve pasaport kontrolü yapılan kapılar, uçakların aprona varış ve yolcu indirme noktalarına çok uzaktı. Havaalanından şehre giden trenin istasyonu da uluslararası yolcuların çıkış kapılarına değil de, dâhili sefer yolcularının çıkış noktalarına daha yakındı ki bu yolcuların çoğu giderken arabalarını havaalanı otoparkına bırakırlardı.

İtalya'da Bizans kafası, zihniyeti hâlâ devam ediyordu.

Bir süre sonra keyfinin yerinde olmamasını kötü şansına ve verdiği kendi kararlarına bağladı.

Önce Reavers'in ona sağladığı Couch kimliğini kullanmaya karar vermişti. Kimliğini isteyen herkesin kolayca elde edebileceği gerçek adını kullanmanın hiç gereği olmadığını düşündü. Bay Couch sürekli bir uçak yolcusu olmadığı için kimsenin dikkatini çekmeyecekti. Özellikle turist sınıfı yolcuların arasında ve çocukların bol olduğu yolcu salonunda bir saat kadar oyalandıktan sonra adamların onu bulup takip etmesi hiç de kolay olmayacaktı.

Gulfstream Havayolları yerine Atlanta Havayolları ile uçmaya karar vermiş ama bu havayolunun hizmetlerinden de pek memnun olmamıştı. Daha Washington'a uçmak için havaalanına giderken bile bunun tatmin edici bir uçuş olmayacağını anlamış gibiydi.

Porsche arabasına bomba konması olayından sonra Lang Mercedes arabasını binadaki otopark görevlilerine teslim etmeye başlamıştı. Adamlar ikinci bir bombalama olayının yararsız olacağını düşünür ve bundan vazgeçerlerdi belki ama yine de belli olmazdı, o önlemini almak zorundaydı.

O sabah Mercedes'in elektronik kapı kilidi çalışmadı ve kapılar açılmadı. Lang arabayı aldığı firmanın servisine telefon etti ama Mercedes'in sürekli sorun çıkarması firmaya göre Lang'ın arabayı kötü kullanmasının sonucuydu.

Bu sorun yetmiyormuş gibi, Dulles-Roma uçuşu da uçaktaki küçük bir mekanik sorun nedeniyle üç saat tehirliydi. Her şeye rağmen sonunda İtalya'ya varmıştı. Lang başına gelenleri unutmaya çalışarak tren istasyonuna indi ve oradaki kafeye girip bir kahve içmek istedi. İstasyonda birkaç dükkân vardı ve Roma'ya yolcu taşıyan trenler yirmi dakikada bir kalkıyordu. Lang kahvesini içti ve trene bindi.

Oturduğu yerden trenin geçtiği yerleri seyrederken bu yolculuğu kaç kez yaptığını düşündü. Teşkilattan ayrıldıktan kısa bir süre sonra Dawn ile birlikte gelmişti buraya. Dawn ABD dışına ilk kez çıkıyordu ve bu seyahat çok hoşuna gitmişti.

Lang Roma'nın bir kiliseler şehri olduğunu birçok kez duymuştu ama burada kaç kilise olduğunu bilmiyordu, merak da etmemişti. Dawn ise Cizvitlerin, Dominikan ve Capuchinlerin ibadet ettikleri kiliseleri görmeyi çok istemiş, tarihi birçok kiliseyi ziyaret etmişlerdi. Lang bu turlarda çok yorulduğu ve sıkıldığı için öğleden sonraları müzelerin, dükkânların ve özellikle de kiliselerin üç ile dört saat kapalı kalmaları çok hoşuna giderdi.

Geçen yıl, Dawn'ın ölümünden sonra, ilk kez olarak, Gurt'la eski ilişkisinin yeniden canlanacağı hiç aklına bile gelmeden buraya yine gelmiş ve bu trene binmişti. Gurt ile birlikte Trastevere semtinde küçük bir pansiyona gidip çılgınca sevişmişler, onun motosikletiyle dolaşmışlar ve Roma'nın en büyük parkı olan Villa Borghese'nin karşısında bulunan bir Teşkilat evinde kalmışlardı.

Şimdi ise Dawn gibi Gurt da yok olmuştu.

Karısı kanserden ölmüştü ve onun intikamını alamazdı ama Gurt'u öldürenleri bulacak ve onun intikamını mutlaka alacaktı. Trende karşısında oturan kadının kendisine endişeli bir ifadeyle baktığını fark edince dişlerini gıcırdattığını anladı. Aynı zamanda tırnaklarını avucuna batırmıştı ve onun acısını da fark etti.

Bir saat sonra İspanyol Merdivenleri denen yerde bulunan Amerikan tarzı Otel Hassler'de odasına girdi, bavulunu açıp yerleşti. Özellikle iş için Roma'ya gelmiş Couch gibi Amerikalı işadamlarının kalacağı tarzda bir oteldi burası. Bu otelde bütün çalışanlar mükemmel İngilizce konuşurdu.

Lang Spanish Steps denen merdivenlerden uzak, o tarafı görmeyen bir oda istemişti. O merdivenler turistik bir yerdi ve her gün oraya dolan genç turistler yüksek sesle müzik dinler, gürültü yapar, durmadan birbirlerinin fotoğrafını çekerlerdi.

Lang küçük valizini boşalttıktan sonra koridora çıktı ve kat temizleme görevlisinin yatak örtülerini taşıdığı arabayı gördü ama görevli yoktu ortada. Başından bir saç teli kopardı, tükürüğüyle ıslattı onu ve kapı tokmağının üst kısmına yapıştırdı. Saç kılı kuruduktan sonra en küçük temasta yere düşecekti. Roma'da Bay Couch'un kim olduğunu bilen hiç kimse yoktu ama bir eski ajan bu âdetlerden kolay vazgeçemiyordu.

Saatine baktı ve fazla sallanmazsa biraz dolaşabileceğini düşündü. Otelden çıkıp bir süre yürüdü. Bir mil kadar sonra kenarda, sırtında bir dikilitaş olan bir fil heykeli vardı. Daha sonra Santa Maria Kilisesi'ne dönüştürülen manastırın keşişleri Bernini'den küçük meydana bir fil heykeli yapmasını istemişler, daha sonra da heykelin, dengesiz, uygunsuz ve pahalı olduğunu söylemişlerdi. Heykeltıraş da onlara kızmış ve dindarlık ve akıl simgesi olması gereken file uzun bir hortum ve kocaman kulaklar yapmıştı.

Birkaç yıl önce de, Vatikan'ın yeraltı otoparkını büyütmek için yapılan inşaat çalışmaları ve kazılar esnasında, dinozor kalıntısına benzer hayvan kemikleri bulundu. Bu konuda Papalık kütüphanesinde yapılan araştırma sonucunda, bir zamanlar Portekiz Kralının Leo adlı papalardan birine bir cüce fil hediye ettiği ortaya çıktı. Papa bu hayvana Hano adını vermiş ve efendisini çok seven bu fil kilise ayinlerinde bile onun peşinden gitmiş.

Lang heykeli görünce bunları hatırladı ve gülümsedi.

Bu meydanın arkasında bulunan bir dükkân dinsel eşyalar ve rahip kıyafetleri satardı. Lang dükkâna girmeden önce ne alacağı konusunda düşünüyordu, sadece bir siyah rahip gömleği ile yuvarlak, beyaz bir rahip yakası mı, yoksa cüppe ve şapkasıyla tam bir rahip kıyafeti mi almalıydı? Sonunda komple bir kıyafet ve bir de fildişi tespih almaya karar verdi. Önce İtalyanca bir İncil almayı da düşündü ama sonra vazgeçti, ellerinin boş kalması daha iyi olacaktı.

Yarım saat sonra işi bitmiş, alacaklarını almıştı. Dükkân sahibi ona kilisesi hakkında hiçbir şey sorma gereğini bile hissetmedi ve istediklerini hemen verdi. Ama Lang'ın ödediği parayı sayarken oldukça dikkatliydi.

Lang paketini koltuğunun altına sıkıştırıp Piazza Della Rotunda yakınındaki ünlü pizzacıya girdi. Dışarıda, kaldırımda iki masa vardı ama ikisinde de Amerikalı üniversite öğrencileri oturuyordu. Lang pizzasını bir kutuya koydurup bir çeşmenin kenarına oturdu ve Roma'nın en eski yapılarından biri olan Pantheon'a bakarak yemeye başladı. Aynı meydanda bir de McDonalds hamburgerci vardı ama bu onun pizza yeme zevkini olumsuz ekilemedi.

Pantheon, Constantine'den yüz yıl önce İmparator Hadrian tarafından, bütün tanrılar için inşa edilmişti. Ondan sonraki imparatorların hepsi, kendinden önceki imparatorun kapıdaki adını silmiş ve kendi adını yazdırmıştı. Roma Hıristiyan olduktan sonra bu bina kilise oldu. Michelangelo yeni St. Peter'in kubbesini inşa etmeden önce bu binanın kubbesini inceledi. On sekizinci yüzyılda Bernini binanın her iki yanına çan kuleleri inşa etti. Halk bunlarla alay etti ve onlara "Eşek Kulakları" adını verdi. Daha sonra bu kuleler yıkıldı. Kubbenin ortasındaki delik, güneş ışığının ortadaki penceresiz odayı aydınlatmasına yarar.

Binanın eskiliği, antikalığı, muazzam bronz kapıları ve yuvarlak binanın simetrisi Lang üzerinde her zaman rahatlatıcı bir etki yapmıştı. Bu ülkeye gelirken hissettiği öfke bu binayı görünce erimiş, yok olmuştu sanki. Lang pizzasını bitirdikten sonra, Roma çeşmelerinden akan suların rahatça içildiğini bildiği için avuçlarına su doldurdu ve kana kana içti, sonra da ellerini yıkadı.

Hiç acele etmeden, birçoğuna güneşin bile zor girdiği daracık sokaklarda bir süre dolaştı, otomobillerin giremediği bu sokaklarda motosikletler cirit atıyordu. Yürürken Vespa'lar geçerken sırtını duvara dayıyor, kapkaççıların hep bu motorlarla insanların ellerindeki çanta ve paketleri kapıp kaçtıklarını bildiği için, elindeki paketi sıkıca tutuyordu. Böyle motosikletli bir katil sokakta birini bıçaklamış ve kaçmıştı. Etrafına dikkat etmesi, bu kutsal şehrin çekiciliğine kapılmaması gerektiğinin bilincindeydi Lang.

Otele gitti ve resepsiyonda anahtarını beklerken yan tarafta duran gazetenin manşeti ve onun altındaki resim dikkatini çekti. İyi giyinmiş tombul bir adamın resmiydi bu. Lang gazeteyi alıp kaldırdı ve tezgâhın arkasındaki görevliye gösterip, "Kim bu adam?" diye sordu.

Delikanlı önünde oturduğu bilgisayardan başını kaldırmaya bile gerek duymadan, "Başbakan," diye cevap verdi ona. "Onu para almakla, yani şey..."

Lang, "Rüşvet almakla mı suçluyorlar?" derken diğer kadın görevlinin uzattığı anahtarını aldı.

"Evet, rüşvet aldı diyorlar."

Lang adamın adını hatırlayamadı ama onun sık aralıklarla hükümet değiştiren bu ülkenin en zengini değilse bile, (en azından Avrupa standartlarına göre) çok zengin bir adam ve bir muhafazakar olduğunu biliyordu. O kadar yorgundu ki soyunmaya bile üşendi, elbisesiyle yatağa uzandı ve çok geçmeden uykuya daldı.

BÖLÜM OTUZ ÜÇ

Roma
Hassler Oteli
Üç saat sonra

Lang dinlenmiş ve Avrupa saatine uyum sağlamış olarak uyandı, paketin ipini çözerek onu açtı. Birkaç dakika sonra aynanın karşısına geçerek kendine baktı, dışarıda gördüğü rahiplerden herhangi birine aynen benzemişti. Dikkat çekmemek için asansöre binmedi, zemin kata merdivenlerden indi. Hassler rahiplerin bütçesine uygun bir otel olmadığı için lobide bir rahip hemen dikkati çekebilirdi.

Yarım saat sonra St. Peter Meydanındaydı.

Meydanda dolaşan kalabalık arasında iki adam çeşmenin yanından hızlı adımlarla geçen rahibi hemen fark ettiler ve biri diğerine, "Bu o olabilir mi?" diye sordu.

"Bundan eminim."

"İşi burada halledelim mi?"

Sorumlu olduğu belli olan diğeri başını iki yana salladı ve "Burada olmaz," dedi. "Burası çok kalabalık, insanlar paniğe kapılır, ortalık karışır. Biraz bekleyelim ve uygun bir fırsat bulup olaya hırsızlık süsü vermeye çalışalım."

"Yani bir rahibi mi soymaya kalkacağız?"

"Onu bulanlar çok geçmeden rahip olmadığını anlayacaklardır. Buradan geçip bir yere gittiğine göre geri de dönecektir elbette."

Lang Francis'in tarif ettiği gibi bir süre sonra sola döndü, Bernini Sütunlarını kiliseden ayıran dar caddede nöbet tutan İsviçreli Muhafıza yaklaştı. Mor ve altın sarısı işlemeli üniformasıyla Papalık muhafızı ona baktı ve sanki rahip kılığındaki Lang ona saldıracakmış gibi, baltalı kargısını havaya kaldırdı, ona durmasını işaret etti. Genç muhafızın yüzünde kararlı bir ifade vardı, gerektiğinde ucu baltalı olan kargısını kullanacak gibi bakıyordu.

Lang elini cebine attı ve Francis'in talebiyle Scavia Archeolgia tarafından faksla gönderilmiş olan izin belgesini ona gösterdi.

Nöbetçi izin belgesine birkaç saniye göz attı ve sonra mükemmel, aksansız bir İngilizceyle, "Sağdan birinci kapı," dedi. "Bu belgeyi oradaki nöbetçiye de gösterin, Peder."

Lang onun dediğini yaparak dokuz on rahibin bulunduğu bir odaya girdi, bir rahip de bilet gişesi benzeri bir bölmenin arkasında duruyordu.

Bölmedeki rahip, orta batı Amerika aksanı benzeri bir aksanla, "Pekâlâ arkadaşlar," diye konuştu. "Biraz sonra iki Cizvit kardeş gelip sizi nekropolise götürecekler. Sakın gruptan ayrılmayın. Gruptan ayrılıp dinsizlerle beraber yakalanarak bir yere kapatılmanızı istemeyiz, değil mi?"

Rahiplerden birkaçı bunu duyunca kendilerini tutamayıp güldüler.

Görevli rahip, o sırada bir kamyonetin hızla geçtiği sokağı göstererek, "O sokağı geçerken de dikkatli olun," diye devam etti. "Orada bir aracın çarpmasıyla yıkılıp kalırsanız kimse yardım edemez size."

Birkaç rahip hafifçe gülümsediler.

Rahipler değişik yerlerden gelmişlerdi ve birbirlerine kiliselerini ve adlarını söyleyerek tanışırken Lang onların arasına pek sokulmadı ve içinden de 'Umarım Atlanta'lı rahip yoktur içlerinde,' diye söylendi.

Ama o sırada rehberlik yapacak olan iki rahip içeriye girince Lang'ın endişesi kayboldu.

Aksanından yine Amerikalı olduğu belli olan bir rehber, "Önce bir şey açıklamak isterim," diye konuştu. "Çoğunuzun bildiği gibi, Vatikan aslında eski Roma'nın yedi tepesinden birinin üstüne inşa edilmiştir..."

Rehber bildiği şeyleri anlatırken Lang başka şeyler düşünmeye başladı. Bir süre sonra dışarı çıkıp camlı bir kapıya doğru yürürlerken rehberlerden biri grubun arkasından geliyor ve kimsenin geride kalmamasına dikkat ediyordu. Öndeki rehber rahip bir süre sonra duvardaki birkaç düğmeye basarken Lang düğmelerin sırasına dikkat etti. Önlerindeki kapının otomatik kilidi fısıltıya benzer bir sesle açıldı.

Öndeki rehber, sanki birisi sormuş gibi, omzunun üzerinden, "Buralarda ısı ve nemin doğal seviyelerde olmasına dikkat edilir, o yüzden kapılar hava kilitlidir, hava geçirmezler," diye açıklama yaptı. "Bunun neden böyle olduğunu biraz sonra anlayacaksınız arkadaşlar."

Eski şehir binalarına benzer tuğla binalar arasından geçerken, daracık taşlı yol nereden geldiği belli olmayan ışıklarla aydınlatılmıştı. Lang dikkatle bakınca, sokak üzerindeki binaların pencereleri ve kapıları da olduğunu gördü. Evlerin iç kısımları heykeller ve mitolojik ve doğal duvar resimleriyle süslenmişti. Kekliğe benzer bir kuşun resmi sanki dün yapılmış kadar taze görünüyordu. Bir başka evin içinde Apollo'nun, gökyüzünde iki beyaz at tarafından çekilerek uçan güneş rengi arabasını gördüler.

Rehber rahip, "Bu mozolelerden çoğu yaklaşık iki bin yıl boyunca toprak altında gömülü kalmışlar," diye açıkladı. "Onun için çok iyi muhafaza edilmişler."

Yürüdükleri yokuş gittikçe dikleşmeye başladı. Rehber belirli aralıklarla yine böyle hava geçirmez ve şifreli kapıları açıyor ve onlara mozolelerin içlerini gösteriyordu.

Ziyaretçi rahiplerden biri, kiliselerde yapıldığı gibi fısıltıyla konuşarak, "Eskiler ölülerini büyük bir düzenle gömerlermiş," dedi.

Rehber açıklamasına, "Aileler ziyarete belirli günlerde gelirmiş," diye devam etti. "Şurada, tavandaki deliği görüyor musunuz? Romalılar ölenlerin ruhlarının beslenmesi gerektiğine inanır ve deliklerden mezarlara yiyecek atarlarmış."

Lang birden durunca grubu izleyen arkadaki rehber az kalsın ona çarpıyordu. Lang bulundukları sokağın yukarısına ve aşağısına bakarak düşündü, bu sokak yaklaşık iki bin yıldan beri güneş yüzü görmemişti. Burası tamamen değişik bir dünyaydı. Toga denen kıyafetleriyle Romalı erkeklerin bu daracık sokaklarda yürüdüklerini hayal etmek hiç de zor değildi. Bazı noktalarda mezarlar arasında boşluklar gördüler, buralarda kesişen yollar mı vardı acaba? Lang nekropolis denen bu muazzam mezarlıkta birden fazla cadde olduğuna emindi. Aslında doğru caddeyi bulmak hiç de kolay olmayacaktı.

Onun aniden durduğunu görünce yorulduğunu sanan arkadaki rehber, "Tepeye yaklaştık," dedi.

Dikkat etmemişlerdi ama tavan şimdi görünüyor ve her adımda biraz daha alçalıyor gibiydi.

Lang, "Burası Vatikan'ın tabanı mı oluyor?" diye sordu.

"Evet, hemen hemen ana mihrabın tam altına rastlıyor burası."

Bir süre daha sessizce yokuş çıktılar ve sokağın sonuna geldiler, tavanla zemin nerdeyse birleşir gibiydi burada. Başlarının üstündeki bir camdan ya da şeffaf bir yerden içeriye hafif bir ışık sızıyordu.

Öndeki rehber, "Şimdi ana mihrabın altındayız," dedi.

Lang kapalı yerlerde pek sıkılmazdı ama burada başının üstünde milyonlarca ton ağırlığında kilise olduğunu düşününce birden endişelenir gibi oldu. Nekropolis denen bu muazzam yeraltı mezarlığını kazarak meydana çıkaran adamlar ne yaptıklarını fark etmişler miydi acaba?

Rehber aşağıya süzülen ışığın altında kutu gibi görünen kapalı bir yeri işaret ederek, "İşte orada!" deyince, Lang ve diğer ziyaretçi rahipler dikkatle onun gösterdiği yere baktılar. Hafif ışık parlak bir yüzey üzerinde adeta dans eder gibi hareket ediyordu. Rehber biraz sonra bir puro kutusu büyüklüğünde şeffaf ve kutu benzeri bir şey gösterdi onlara. Gümüş bir kutu içinde cama ya da plastiğe benzer bir şey duruyordu.

Rehber huşu içinde, "İşte, St. Peter'in kemikleri," diye fısıldadı. "Bunlar kırklı yıllarda, Pius XII nekropolisin kazılmasına izin verdiği zaman bulundu."

Rahiplerden biri dayanamadı ve "Bunların Aziz Peter'in kemikleri olduğunu nereden biliyoruz?" diye sordu. Lang soruyu soranı görmedi ama onun gibi bunu merak eden başkaları da vardı demek. Aslında buradaki adamlar tarihçi kuşkucular değil, din adamlarıydı ama yine de bazı şeyleri merak ediyorlardı işte.

Grubun önündeki rehber rahip bu soruya pek aldırmaz gibi göründü, aynı soruyu belki de daha önce rahip olmayan, normal ziyaretçilerden de duymuştu. Rahip, "Önce bir efsaneye inanıldı," diye cevap verdi. "Constantine'in bu kiliseyi St. Peter'in mezarı üzerine inşa ettirdiği söylendi. Eski planlara bakınca görüyoruz ki, ilk bazilikada Gaius Anıtı vardı, iki katlı kilisede aşağıdaki mezarlara inen bir de kapak bulunuyordu. Kilisenin bir duvarında hâlâ Latince isimler, dualar ve kazılmış bazı yazılarla beraber 'Peter burada' ibaresi vardır. Papa Zephirinus'a göre, Gaius adlı bir Romalı üçüncü yüzyılda 'Apostol'un anıları burada gömülüdür' diyerek övünmüştür.

"Julius II yeni bir kilise yaptırmak için Constantine kilisesinin harabelerini oradan taşıtırken, ana mihrabın altında hanedan işareti olan mor kumaşa sarılı kemikler bulundu. İşte onlar şimdi burada gördüğünüz kemiklerdi. Papa Paul VI 1968 yılında kemikleri şeffaf muhafazalara koydurdu ki bunlardan birini şimdi burada görüyorsunuz."

"Ya diğerleri nerede, Peder?"

"Buranın altında."

Aynı kuşkucu rahip bu kez de, "Elimizde sadece birkaç kemik parçası, birkaç parça kumaş, duvarlara kazılmış bazı kelimeler ve de bir menkıbe var," diye konuştu.

"Tam olarak öyle değil. Burada gördüğünüz kemikler bulunduğu zaman adli tıp uzmanları ve arkeologlar bunları incelediler. Bulunan kemikler içinde ayak kemikleri yoktu."

JULIAN SIRRI

"Ne demek oluyor bu?"

"Çarmıha gerilen bir adamın ayakları haça çivilenir. Çarmıha gerilen adam ölünce çürüyene kadar orada bırakılırdı, ama bazen Nero Arenasında yeni birinin çarmıha gerilmesi ve yer açılması için o öleni oradan alırlardı. Cesedi çakıldığı yerden almak için ayaklardaki çivileri sökmek zordu ve Romalılar böyle durumlarda ayakları keserlerdi."

Lang Hz. İsa'nın gökyüzüne yükselişini tasvir eden Rönesans tablolarını düşündü, bunların hiçbirinde Hz. İsa'nın ayakları kesilmiş değildi.

Rehber elindeki küçük feneri bir yazının üstüne tuttu. Yazıda şöyle deniyordu: "Kilisenin resmi pozisyonu gümüş üzerindeki Latince yazıdadır. Bunun anlamı şudur: Vatikan kemerli bazilika altında bulunan kemiklerin Kutsal Apostol Peter'e ait olduklarına inanılmaktadır."

Lang'a göre burada bir kaçamak anlatım ya da çift anlamlı sözle aldatmaca vardı.

Rehber rahip başını kaldırdı ve "Buradan çıkış için Vatikan yapay yeraltı odasından geçeceğiz," dedi.

Bir kapı daha fısıltı gibi bir sesle açıldı ve alçak tavanlı büyük bir odaya girdiler. Birkaç lahit bir araya getirilip bir grup oluşturulmuştu ve her lahdin üzerinde orada yatan Papanın büstü vardı. Ziyaretçiler çok geçmeden açık havaya çıktılar. Lang bulundukları yerden nekropolisin girişini görebiliyordu.

Orada birkaç saniye durup nelere ihtiyacı olacağını düşündü.

BÖLÜM OTUZ DÖRT

Nimes, Fransa
Nimes Hastanesi
Aynı günlerde

Beyazlar içindeki doktor odaya girdi ve ona bakarak gülümsedi. Ama her gün yaptığı gibi onu yatağından kaldırıp biraz yürümesi için koridora çıkarmak yerine yatağın karşısında, duvardaki rafta duran televizyonu açtı. Genç kadın ekrandaki adamın dudaklarının hareket ettiğini gördü ama hiçbir şey duyamadı. Bunun bir haber programı olduğunu anladı ama daha önce böyle bir program izleyip izlemediğini hatırlayamadı.

Ekranı bir dakika kadar izledikten sonra bazı sesler duyar gibi oldu ve o seslerin sandığı gibi kafasının içinden değil, televizyon ekranında konuşan adamdan geldiğini anladı. Kulakları sağır olduğu gibi, birden açılmış, yeniden duymaya başlamıştı işte.

Gözlerini kısarak ekrana baktı. Adam ekranda, onu tanıyanların Nimes polis merkezine haber vermelerini istiyordu, nasıl olduğunu bilmiyordu ama bunu anlıyordu, fakat adam bunu onun anlamadığı bir dilde yapıyordu. Genç kadın kendi dilinin ne olduğunu hâlâ bilmiyordu.

Birden ekranda şaşkın bir ifadeyle bakan kendi yüzünü gördü. Fotoğrafının ne zaman çekildiğini hatırlamıyordu ama hatırlayamadığı daha pek çok şey olduğu açıktı. Onu tanıyanlar varsa ortaya çıkmaları için gösteriyorlardı resmini TV'de, bunu anladı.

Ama bunu düşününce birden korktu. Nedenini bilemiyordu ama tanınmanın onun için tehlike doğuracağını düşünüyordu. Doktor ekrana bakarken genç kadın etrafa bakınarak bir silah aradı, sonra onun yatağını yandaki diğer yataktan ayıran perdeye baktı. Tavana çakılı bir ray üzerinde hareket eden bu perde odada iki yatak ve belki de iki hasta olduğunu gösteriyordu.

Genç kadının yüzü ekranda kaybolunca doktor onu yatağından kaldırdı ve her günkü yürüyüşü için koridora çıkardı. Genç kadın hiç itiraz etmeden ağır adımlarla yürümeye başladı ama bunu yaparken odasındaki perdeyi düşünüyordu.

Birkaç adım attıktan sonra, TV'de konuşan adamın diliyle konuşabildi ve "Artık duyabiliyorum," diyebildi.

Doktor da onun kulaklarının yeniden duymaya başladığını anlayınca çok sevinmiş, ama aynı zamanda da onun kadar şaşırmıştı. Sarışın ve genç baştabiple beraber genç kadının kulaklarını kontrol etmek istediğini bildirdi. Ertesi gün bazı testler yapmaları için cep telefonuyla birkaç yeri aradı ve konuştu.

Uzun beyaz gömleğiyle onun önünde hafifçe eğilen baştabip ona, "Madam, kim olduğunuzu henüz bilmiyorum," dedi.

"Ama yemeğinizi odanızda yemek yerine, bizimle beraber doktorlar yemekhanesinde yiyebilecek kadar iyileştiğinizi biliyorum."

Genç kadın aralık olan hastane gömleğinin önünü bir eliyle kapatmaya çalışarak, hafifçe gülümsedi, o da biraz eğildi ve "Bana bir elbise bulursanız memnun olurum," dedi.

Gerçekten de yalnız kalmaktan korkuyor, doktorların arasında kendini güvende hissedeceğini biliyordu ama bunun nedeni belli değildi. Ayrıca odasına bir tepsiyle getirilen tatsız hastane yemeklerinden de iyice sıkılmıştı ve doktorların arasında belki de lezzetli bir şeyler yiyebilecekti.

Doktorların yemek odası da öyle gösterişli bir yer değildi, küçük bir oda ile eski bir masa ve onun etrafına dizili altı sandalyeden oluşuyordu. Karşıdaki kapıdan gelen kokulara ve kap kacak sesine bakılırsa mutfak da o kapının arkasında olacaktı. Adının Dr. Philipe olduğunu öğrendiği genç ve sarışın baştabip ile başka iki doktor masada oturmuş Madam Madesclair adlı bir hastanın karaciğerini tartışıyorlardı.

Doktorlardan biri, ". . . Eğer yumrular habis ise durum elbette kötü, sorun var demektir..." diye konuşuyordu. Mutfaktan bir tepsiyle çıkan bir hademe onlara bir sürahi şarap ve birkaç bardak getirdi. Dr. Philipe baştabip olarak bir bardağa biraz şarap koydu, bardağı hafifçe döndürdü, kokladı ve sonra bir yudum alarak tadına baktı. Madam Madesclair'in karaciğeri bir süre için unutuldu.

Baştabip, "Bu da ikinci yıllık ürün şarap," diyerek hafifçe başını salladı. Diğerleri inler gibi sesler çıkardılar.

Baştabip, "Biz kendimiz daha iyi şaraplar içebiliriz, değil mi?" dedi.

Doktorlardan biri, "Evet ama özel şaraplarını bizimle kim paylaşır ki?" diye sordu. Buna güldüler ve Madam Madesclair'in karaciğer tartışması yeniden başladı.

İçlerinden en genç olan Doktor, "Ameliyat bir seçenek olabilir mi?" diye sordu.

Genç kadın onların tartışmasıyla ilgilenmemeye karar verdi ama bir süre sonra doktorlardan birinin ona, "Hatırladığınız ilk anıyı bize söyler misiniz?" diye bir soru sorduğunu duydu.

Dr. Philipe ona, "Bu doktor bizim psikiyatrımız Dr. Rogé'dir," dedi. "Duyma duyunuz geri gelir gelmez yemekte bize katılmanızı aslında o istedi. Burada resmiyeti bırakıp rahatça konuşabiliriz."

Diğerleri de gülerek başlarını salladılar.

"Onun sürekli olarak size bakmasına aldırmayın siz. Hasta ya da değil, bütün güzel kızlara hep böyle bakar o."

Bu kez hepsi birer kahkaha patlattılar.

Genç kadın hafızasını bir kez daha zorladı ve "İlk hatırladığım şey galiba beni buldukları tepe ve yamacı olacak galiba," diye konuştu.

"Dilimizi biraz aksanlı konuşuyorsunuz. Bunun farkında mısınız acaba?"

Biraz önce şarap getiren hademe bu kez tepsi üzerinde çok güzel kokan güzel bir rosto getirdi onlara.

Baştabip, "Bak bu güzel işte," dedi. "Kuzu rostosu."

Kuzu rostosunun gelmesi onlara Madam Madesclair'in karaciğeri gibi genç kadının hafızasının durumunu da geçici olarak unutturdu. Kuzu etini rosto yerine şiş yapsalardı daha lezzetli olmaz mıydı acaba? Paris restoranlarında pişirilen rostolar bundan çok daha lezzetli mi oluyordu yani?

Genç kadın bu kez yine onların sohbetine boş verdi ve Waterloo'da çadırının önünde bir masada oturan Napolyon'u hayal etti. Napolyon uzaktaki bir toz bulutuna bakıyordu ki, bu toz bulutu Prusyalıların Wellington'a katılmaları anlamına geliyordu. Ama hayalindeki Napolyon o sırada muharebeyi değil de brie peynirinin lezzetini düşünüyordu.

Genç kadın gülümsedi. O adam her zaman Fransızlarla ilgili espriler yapardı. Ama onun kim olduğunu bir türlü hatırlayamadı. Bir saat sonra bir hemşire gelerek onu aldı ve odasına götürdü.

Odasına girince etrafa bakındı. Odasından çıkarken dolap kapısını kapalı bıraktığına emindi. Acaba hademe dolapta bir şey mi aramıştı?

Genç kadın böyle bir şey olacağını sanmıyordu. İçini yine korku kapladı.

Hemşire onu yatağına yatırınca uyumak ister gibi gözlerini kapadı ve onun dışarı çıktığını anlayınca üzerindeki örtüyü kaldırıp yataktan aşağıya atladı ve odadaki diğer yatağın üzerine çıktı. İki yatak arasındaki perdenin asıldığı boru şeklindeki rayın bir parçasını sökmesi zor olmadı.

Bunu yapmayı doktorların yemek masasında düşündüğü için onların ikram ettiği şaraptan da içmemişti. Hafif olsa bile şarabın alkolünün etkisiyle uykusunun gelmesini istemiyordu. Zaten şarap da güzel değildi.

BÖLÜM OTUZ BEŞ

Roma
Ponte San Angelo
Birkaç dakika sonra

Lang ağır ağır akan Tiber'in sularına bakarken Vatikan sağında kalmıştı ve kubbesi, batmakta olan güneşin önüne koyu bir gölge gibi duruyordu. Araç trafiğine kapalı olan köprü Afrikalı satıcıların pazarı haline gelmişti ve burada el yapımı cüzdan ve keselerden, basit heykelciklere kadar her türlü hatıra eşyası bulabilirdiniz. Lang'ın arkasında muazzam Castel Sant' Angelo'nun dairesel duvarlarının içinde İmparator Hadrian'ın mozolesi, Papalık evi, kale, saray ve hapishane binası vardı. Köprünün ortası, fondaki ilginç manzaralarıyla turistler için fotoğraf çekecek ideal bir mekândı.

Bir Japon turist grubu bu tarihi mekânda küçük kameralarıyla kendilerini ölümsüzleştiriyorlardı. Lang onların arasına dalıp diğer yana geçmek isterken gördü o adamı.

Lang oradan geçerken nekropolise kimseye görünmeden nasıl girebileceğini düşünüyor, bunun planını yapmaya çalışıyordu. Ama yıllar boyunca Teşkilatta aldığı eğitimler ona her durumda çok uyanık olmasını öğretmişti. Ama rahip kılığında olduğu için kendisini saygıyla selamlayan İtalyanlara sürekli olarak gülümsemekten de çenesi ağrımaya başlamıştı. Japon turistler saygıyla yana çekilip ona yol verirlerken, kendisine doğru yürüyen suratı sivilceli genç adam hemen dikkatini çekti Lang'ın. Delikanlı bu sıcak havada kalın bir blucin ceket giymişti ve her iki eli de ceplerindeydi.

Öğleden sonra güneşi sağ geriden geliyor ve adamlardan biri hızlı adımlarla ona gittikçe yaklaşıyordu. Lang onların taktiğini hemen kavradı; iki ya da daha fazla adam aksi yönlerden gelerek, onu kıstırıp köprü üstü gibi sınırlı bir yerde kaçmasına fırsat vermeyeceklerdi. Adamlar hiç kuşkusuz bıçak kullanma konusunda ustaydılar ve onun işini bıçakla bitireceklerdi. Tabanca kullanarak etraftaki insanlarda panik yaratmak istemeyecekleri belliydi. Bıçakla saldırıyı ustaca yaparlarsa, kurban sesini bile çıkarmaya fırsat bulamadan ölecek ya da en azından ölümcül bir yara alacaktı. Kurban kanlar içinde yere serilene kadar hiç kimse neler olduğunu anlamayacaktı.

Lang'ın karar vermek için fazla zamanı yoktu.

Yüzü sivilceli genç adam Lang'a iki üç metre yaklaşmıştı ve ellerini ceplerinden çıkarıyordu. Lang birkaç saniye için onun elinde parlayan bir metal gördü. Arkadan gelen diğeri onun yardımına gelmeden Lang bunun işini bitirmek zorundaydı.

Bıçak genç adamın sağ elindeydi. Lang onun sol tarafına saldıracak gibi ani bir hamle yaptı. Genç adam Lang'ın işini bitirmek istiyorsa onun hareketine karşı bir şey yapmak zorundaydı, sağa ya da sola hareket etmeliydi.

Ama bunu yaparken sağ elle yapacağı saldırı için dengesi bozulmuş olacaktı. Saldırgan genç elindeki bıçağı saklamaya gerek görmeden Lang'ın saldırısını karşılamaya hazırlandı.

Lang ani bir hareketle sola eğildi, bir adım geriledi ve aynı anda bir adım ileri attı. Genç adam onun bu hareketini gözden kaçırmadı ve ona saplamak üzere bıçağını havaya kaldırdı.

Lang onun bu hareketini bekliyordu, ona doğru bir adım daha attı ve ani bir hareketle bir ayağına basarak olduğu yere çiviledi onu. Aynı zamanda iki elini de yıldırım gibi ileri uzatarak onun sağ bileğini kavradı ve bıçak tutan elini hızla aşağıya çekti. Lang onun bileğini çekerken bütün gücüyle kıvırdı ve saldırgan dengesi bozularak öne doğru sendeledi.

Lang planını yapmış, onu köprünün kenarındaki alçak duvara çarpmayı düşünmüştü. Fakat adamı bütün gücüyle, çok hızlı çekip duvara doğru fırlattığı için saldırgan duvara bel hizasında çarptı, dengesi bozuldu ve vücudu geriye doğru gitti.

Genç adam duvarı aştı ve bağırarak nehre düştü.

Japon turistler şaşkın bir halde bağrışarak köprünün kenarına koştular ve aşağıya, sularda çırpınan saldırgana baktılar. Lang arkasına dönüp diğer saldırgana baktı ama köprü üzerinde kenara koşup Tiber nehrinin sularına bakan heyecanlı kalabalık arasında seçemedi onu. Köprü üzerinde bulunan kalabalıkta hiç kimse nehre düşen adamın sulara bir rahip tarafından atıldığını görmemişti.

İnsanlar ne olduğunu anlayana kadar Lang acele adımlarla kalabalığın arasından sıyrıldı ve uzaklaştı oradan. Japon turistlerin çoğu şimdi bağrışarak nehre düşen adamın fotoğraflarını çekmeye başlamışlardı.

Lang Piazza Navona'yı geçerken hava iyice kararmıştı. Sokak lambalarının ışığında parlayan çeşmelerin suları Bernini heykellerini sanki harekete geçirmişti. Kaldırımlardaki birahane masalarından kahkahalar yükseliyordu. Lang bir an için bir yere oturup bir şeyler yemeyi düşündü ama hemen vazgeçti bu fikirden. Peşindeki ikinci adamın nerde olduğunu bilemiyordu ve adam belki de hâlâ peşindeydi ve arkadaşının başaramadığı işi bitirmek için fırsat kolluyor olabilirdi. Yemeğini otelde yemesi çok daha güvenli olacaktı. Gerçi otelin yemekleri çok lezzetli değildi, otel restoranı ünlü restoranlar arasında anılmıyordu ama hiç olmazsa masada otururken aniden saldırıya uğrama tehlikesi olmayacaktı orada.

Lang Via Guistiniani'de kuzeye doğru yürüyerek neler yapması gerektiğini düşünürken bir kedinin bir kapı eşiğinden birden fırlamasıyla yerinden sıçradı. Roma'da insan nüfusu kadar da kedi sayısı olmalıydı. Burada sokak kedileri evlerden, restoranlardan ve birahanelerden muntazaman beslendikleri için asla zayıflamazlardı. Etrafta köpek de boldu ama şehrin gerçek simgesi kediydi.

Lang durdu ve koşarak uzaklaşan tombul kedinin arkasından bakarken birden bir anormallik hissetti. Bir süre önce arkasında duyduğu ayak sesleri Roma sokaklarında aslında çok doğal seslerdi, ama Lang aniden durunca arkasında duyduğu ayak sesleri de birden kesilmişti.

Eski bir ajan olan Lang'ın özellikle bu durumda her şeyden kuşkulanması çok doğaldı elbette. Tekrar yürümeye başladı, adımlarını biraz hızlandırdı ve kısa bir süre sonra, bir adres arıyormuş ve kapı numarasına bakacakmış gibi bir kapı önünde aniden duruverdi. Aynı anda arkasından gelen ayak sesleri de kesiliverdi. Lang takip edildiğini hemen anladı.

Kendisini izleyen adamı görmek için aniden arkasına döndü loş sokakta kaldırımı taradı ama kimseyi göremedi. Arkasından gelen adam akşam yürüyüşüne çıkmış normal bir İtalyan vatandaşı olsaydı, onun durması ve geriye dönüp bakmasıyla hiç kuşkusuz karanlık bir kapı eşiğine sığınmazdı. Ama bu saklanan adam takip etme tekniğinden de habersiz olmalıydı, çünkü bu davranışıyla, izlediği kişiyi daha çok kuşkulandırdığının da bilincinde değildi. Bir profesyonel bunu asla yapmazdı.

O halde Lang'ı takip eden kişi bir amatör, bir sokak soyguncusu da olabilirdi. Ama kendisini öldürmek isteyen bir saldırgandan kurtulduktan kısa bir süre sonra bir sokak serserisinin saldırısına uğrama şansı ne olabilirdi ki?

Lang'ın kafası hızlı çalışıyordu. Onu takip eden adam büyük olasılıkla birkaç blok ilerdeki Corso del Rinascimento'ya varmadan önce saldırmak zorundaydı. Bu geniş cadde çok iyi aydınlatılmıştı ve akşam gezisine, ya da restoranlara gitmek üzere sokağa dökülmüş akşam trafiğiyle dolu olacaktı.

Cüzdanını çıkarıp kaldırıma atarak koşmaya başlasa, oradan hemen uzaklaşsa peşinden gelen sokak soyguncusu belki de peşini bırakırdı. Cüzdanında büyük para yoktu ama bir sokak soyguncusunu kolayca tatmin edebilirdi. Ama bunu yapmayacaktı, Avrupa'da bir sokak serserisinden kaçacak kadar korkak değildi, gururuna yediremezdi bunu. Ayrıca burada sokak soyguncularının silah taşıma olasılığı da oldukça yüksekti. Kısa süre önce bir saldırıdan kurtulmuştu ama bir ikinci saldırı ihtimali olmasına karşın kaçmayacaktı.

Önünde durduğu kapının numarasına baktıktan sonra, sanki orası aradığı yer değilmiş gibi tekrar yürümeye başladı. Arkasından gelen ayak sesleri de yeniden başladı. Bir süre sonra bir köşeye geldi, dönerek karanlık dar bir sokağa saptı ve hemen köşede sırtını duvara dayayarak bekledi. Birkaç saniye sonra karanlık dar sokağın girişinde bir gölge belirdi. Adamın elinde arkadan gelen ışığı yansıtan kocaman bir şey vardı.

Lang aniden yerinden fırladı ve gerilerek bütün gücüyle adama bir yumruk savurdu, ama adamın *"Signor!"* diye bağırmasıyla birden durdu, yumruğu havada kaldı. Dar sokağın karanlığında, şaşkın gözlerle önünde duran kadının başındaki şala ve topuklarına kadar inen eski etekliğe baktı kaldı. Karşısında korkulu gözlerle ona bakan insan bir erkek değil, elinde şişelerle dolu bir çuval olan bir *Zingara,* yaşlı bir Çingene kadınıydı.

Doğu Avrupa ülkelerine yakın olan İtalya, bu ülkelerden kaçan Çingenelerin ilk durağıydı ve İtalya'da büyük bir Çingene nüfusu vardı. Bu insanlar dilenerek, çöp karıştırarak ve çoğu da hırsızlık yaparak yaşamaya çalışırlardı. Bu zavallı yaşlı Çingene kadını da çöp kutularını karıştırıp atılan şişeleri topluyor ve onları belirli yerlere satarak yaşamını sağlamaya çalışıyordu.

Lang sırtını duvara yasladı ve kendini toparlamaya çalıştı. Gerçek bir saldırıya uğrasaydı başına neler gelecekti bilemiyordu ama titremekten alamadı kendini. Kadın da ondan çok korkmuştu, çünkü İtalyanlar da Çingenelerin hepsini hırsız zanneder ve çoğu zaman döverler, bir yerlerini kırabilirlerdi.

Kadın kendini Lang'dan daha önce toparladı ve bir şeyler söyleyerek onu elini yakaladı, avucunu açarak falına bakmak istedi. Bu da Çingenelerin başlıca geçim kaynaklarında biriydi tabii.

Lang hemen elini geri çekti ve *"Non no soldi spielioli,"* diyerek hızla uzaklaştı onun yanından. Bildiği birkaç İtalyanca cümleden biriydi bu ve 'bozuk param yok' anlamına geliyordu.

Çingene kadını onun arkasından bağırarak bir şeyler söylüyor, büyük ihtimalle de ona küfürler ediyordu. Lang otelinin yakınında bulunan Spanish Steps'e yani İspanyol Merdiveni denen yere gelince durdu ve derin bir nefes aldı, hâlâ titriyordu. O korkunç yumruğu hedefini bulsaydı yaşlı Çingene kadınının çenesi büyük ihtimalle kırılacaktı. Belki de yumruğun darbesiyle yaşlanmış boyun kemiği parçalanabilirdi.

Yaşlı kadının yüzündeki korku ifadesini hatırlayınca Lang'ın midesi bulanır gibi oldu. O şimdi sanki Dawn'ın evlendiği, ya da Gurt'un tanıdığı eski ajan değildi. Bir süreden beri sanki yumuşar gibi olduğunu hissediyordu. Don Huff'ın kızına yardım etme sözü verdiğinden bu yana, ölüm tehlikesinin doğal olduğu Teşkilat yıllarında olduğundan daha çok ve büyük tehlikelerle karşılaşmıştı.

İçinden bir ses sanki ona, *bunu sen kendin istedin,* diyordu. Durup dururken İspanya'ya gidip Don Huff'ın katilini aramasını kimse söylememişti ona ve bu konuda hiçbir gelişme de sağlayamamıştı. Avukatlığı ve vakıf yönetimini ihmal ederek bu işin peşine düşmesi yüzünden Gurt'u da kaybetmişti. Adamlar onu da öldürmeden geri dönüp ülkesine gitmesi daha iyi olmaz mıydı yani?

Merdiveni çıkarken bir ara durdu ve kendi kendine konuştuğunun farkına vardı. "Bırakmak mı?" diyordu. "Belki bırakırım ama ancak Gurt'un katilini bulduktan sonra."

Merdivenin tepesine çıktığı zaman açlığının da geçmiş olduğunu hissetti.

BÖLÜM OTUZ ALTI

Nimes, Fransa
Nimes Hastanesi
Aynı günlerde

Genç kadın gece iyi uyuması için verdikleri uyku hapını dilinin altında tuttu ve hemşire çıkıp gittikten sonra ağzından çıkarıp bir kağıt peçeteye sararak yatağın yanındaki çöp kutusuna attı. Uyumamak için elinden geleni yapıyor, tehlikede olduğuna inanarak, gözlerini her şeye rağmen açık tutmaya çalışıyordu. Odada şimdi ışık yanmadığı için kapıdan bakan biri onun gözlerinin açık olduğunu göremezdi. Uyur gibi görünmek için dahi gözlerini kapasa kolayca uykuya dalacağını biliyor ve gözkapaklarını açık tutmak için her şeyi yapıyordu.

Şafak sökmeden, güneş doğmadan önce içgüdülerine ve uzun yıllardan beri edindiği deneyimlerine güvenip güvenemeyeceğini anlayacaktı.

Hemşire odasından ve koridordan sızan loş ışık odasında garip gölgeler yapıyordu. Bazen bu gölgeler hafifçe hareketleniyor ve genç kadın gözlerini onlardan ayırmıyordu. Bu gölge hareketlerinin ışık oyunları olduğunu biliyor ama yine de dikkatle izliyordu onları. Bir ara bütün dikkatini kulaklarına vererek etrafı dinledi ama kendi kalp atışlarından ve nefesinden başka ses duyamadı.

Bir süre sonra koridordan gelen hafif ışık birden karardı, sonra bunun bir insan şekli olduğu belli oldu. Genç kadın çok yavaş hareket ederek yatağın iyice kenarına kaydı ve söküp yatağın altında tuttuğu metal boru şeklindeki perde rayını sıkıca kavradı. Odanın kapısı sessizce aralandı ve birisi karyolaya doğru gelmeye başladı.

Genç kadın başını yavaşça yana çevirdi ve gelenin kim olduğunu anlamaya çalıştı. Odanın içi gerçekten karanlıktı ve içerde neler olduğunu görmek çok zordu. Ama birinin nefes alıp verdiğini duyar gibi oldu, odada hafif bir esinti vardı sanki, bir hareket olduğu belliydi.

Neler olduğunu ve olacağını ancak tahmin edebiliyor, ne yapması gerektiğini düşünüyordu. Metal boruyu bir ucundan sıkıca kavrayarak yatağın içinde birden doğrulup oturdu ve boruyu havaya kaldırdı. Boruyu yatay olarak sallar ve saldırganın başına isabet ettiremezse başka bir fırsat bulamayabilirdi. Ama darbe adamın bedenine isabet ederse ona büyük acı verebilir, hatta akciğerini bile yaralayabilirdi.

Metal boruyu öyle büyük bir güçle salladı ki kendi omuzları sarsıldı. Darbeden sonra acının neden olduğu bir hırıltı ve duvara çarpan bir vücudun çıkardığı tok ses duyuldu.

Genç kadın bir eliyle yatağın kenarındaki düğmeye basarak ışığı yakarken yataktan fırladı ve duvarın dibine yığılmış, inleyen adama baktı. Adam bacaklarını uzatmış, homurdanarak ayağa kalkmaya çalışıyordu. Çenesi yarılmıştı ve kanıyordu.

Genç kadınla, ayağa kalkmaya çalışan adamın arasında, tam yarı mesafede, yerde, onun darbeyi yediği zaman elinden düşürdüğü bıçak duruyordu. İkisi de bıçağı aynı anda gördüler ve adam bıçağa doğru atıldı.

Ama adamın parmakları daha bıçağın kabzasına değmeden önce genç kadın onun başına, omuzlarına ve ensesine metal boruyla müthiş birkaç darbe indirdi. Adamın boynu kırılmadıysa bile büyük hasar görmüş olmalıydı, saldırgan felç bile olabilirdi. Darbelerin indiği yerler insan vücudunun can alıcı noktalarından bazılarıydı.

Darbelerin çıkardığı garip, kuru bir dalın kırılmasına benzeyen, korkutucu seslerden sonra adam olduğu yere yığılıp kaldı, artık kımıldayamıyordu. Genç kadın bıçağa bir tekme vurarak onu odanın diğer ucuna, karşı duvarın dibine gönderdikten sonra adamın üzerine eğildi ve onu sırtüstü çevirdi.

Adamın boşluğa bakan gözleri onun için hiçbir anlam ifade etmiyor, onu tanımıyordu genç kadın. Ölü gibi yatan adamın yanına, yere oturdu ve ne aradığını bilmemesine rağmen bütün ceplerini karıştırdı. Ama adamın ucuz elbisesinin ceplerinde ne cüzdan vardı ne de bir kimlik belgesi.

Ama genç kadın buna hiç şaşırmadı. Zaten o da saldırganın üzerinde kimliğini belirtecek bir şeyler bulabileceğini hiç düşünmemişti, cep arama işi otomatik olarak yapılan bir şeydi.

Ama yine de aramaya devam etti ve adamın üzerindeki ince montun iç cebinin dibinde kâğıt hışırtısı çıkaran bir şey hissetti. Onu alıp ışığa tutunca otobüs ya da yeraltı treni biletine benzediğini gördü. Biletin üzerinde isme benzer bir kelime vardı ama silinmişti.

Genç kadın ayağa kalktı ve dolabın kapağını açtı. Onu buldukları zaman üzerinde blucin pantolon, parçalanmış bir gömlek ve ayaklarında dağ botları vardı ve onlar şimdi dolapta duruyordu. Bulunduğunda üzerinde bir cüzdan ve kimliğe benzer bir şeyler de olmalıydı. Ama onu baygın ve yaralı halde bulanlar böyle bir şey görmemişlerdi. Belki de onu bu hale getiren patlamada kaybolmuştu onlar.

Tayvan'da üretilen ama yine de dayanıklı Amerikan malı olan blucin pantolon ve çelik konçlu dağ botları patlamada hasar görmemiş, sağlam kalmıştı. Genç kadın askıda duran blucin pantolonu dolaptan çekip aldı ve elini ön ceplerden birine daldırıp buruşmuş bir kâğıt parçası çıkardı. Pantolonu yere bıraktı ve cepten çıkardığı kâğıt parçasını adamın montunda bulduğu bilete benzer kâğıt parçasının yanına tuttu.

Her iki parça da açık yeşil renkteydi. İkisini yan yana getirince onların bir bütün oluşturduğunu gördü.

Bu bilet parçalarına bakarken gözünün önüne gelişler, gidişler ve çoğu valiz taşıyan yolcular geliyordu. Sonra da bir masada, onun için özel olan bir adamın karşısında oturduğunu hatırladı. Pencereden yağmurla ıslanmış binalara bakıyordu.

O ve karşısındaki adam . . . bir şeyler yapıyorlardı galiba...

Genç kadın hafızasını zorlarken, bir Amerikan şehrinin gökdelenlerini, ufuk hattını hatırlar gibi oldu. Birden koca bir köpek geldi gözlerinin önüne . . . neydi onun adı... Grumps muydu? Sonra rahip kıyafetinde bir siyah adamı hatırladı. Ama onun için özel olan o adam tehlikedeydi ve bunun farkında da olmayabilirdi.

Genç kadın ona nasıl haber...?

Sonra birden her şeyi hatırlamaya başladı, kartlar masanın üstüne açılıyordu işte. Adını hatırladı, onun adı Gurt Fuchs idi ve ona, kadınların çoğunun yapmaya cesaret edemeyeceği görevler için eğitim veren bir Teşkilat vardı. Örneğin, şu anda yerde yatan adam gibi insanlarla nasıl başa çıkacağını öğretmişlerdi ona. Her şeyi hatırlamaya başlamıştı artık. Ama kafasının içinde hâlâ cevaplayamadığı bazı sorular vardı. Bazı soruların cevapları da onu korkutuyor ve harekete geçmesi gerektiğini söylüyorlardı.

Bir anda kararını verdi, hastane gömleğinin üstüne blucin pantolonu çekti ve o anda onun için özel olan adamın adını da hatırladı... Lang'dı onun adı ve Lang tarihten hoşlanırdı.

Ama her şeyden önce şu yerde yatan adamdan kurtulmalıydı, onu burada bırakamazdı, kendisi buralardan iyice uzaklaşana kadar bu adamın bulunmaması gerekiyordu. Ne yazık ki Teşkilatı burada ona yardımcı olamayacak, yerde yatan bu adamı ortadan kaldıramayacaktı. Teşkilatta buna ev temizliği derlerdi, değil mi? Bazı görev bölgelerinde, öldürülen düşman ajanlarını ortadan kaldıran, yok eden temizlik ekipleri çalışırdı.

Ama bu gece burada ev temizliğini kendisi yapmak zorundaydı. Adamı iki ayağından tutarak yatağın yanına sürükledi ve kemerinden kavrayarak kaldırmaya çalıştı. Onu yatağına yatırıp üstünü örterse, sabaha kadar kimse onun kaçtığını fark edemeyecekti. Ama adamın cansız bedenini kaldırmayı başaramadı, ceset çok ağırdı. Onun kemerini çıkarıp el bileklerine bağladı, yatağın diğer yanına geçerek kemeri ucundan çekmeye başladı. Çok geçmeden adamın kolları, başı ve omuzları yatağın üzerine çıktı. Yine yatağın diğer yanına geçti ve cesedin belden aşağısını kolayca kaldırarak yatağın üzerine attı.

Adamın gömleğini çıkarıp giydi ve onu yatağa uzatarak üzerini örtüyle iyice örttü. Gece nöbetçisi olan hemşire nöbet odasında küçük, portatif bir televizyon izliyordu. Sesi iyice kısmıştı ve nöbetçi doktorun geldiğini duyar duymaz TV'yi prizden çekerek masanın altına saklayabiliyordu. Ekrandan hafifçe duyulan kahkahalara bakılırsa bir komedi izliyor olmalıydı.

BÖLÜM OTUZ YEDİ

Roma
Hassler Oteli
Ertesi sabah

Lang lobiden geçerken resepsiyon görevlisi ona, "Bay Cou-ch!" diye seslendi.

Lang o sabah yapacakları konusuna öylesine odaklanmıştı ki, otele hangi adla girdiğini bile unutmuştu. Caddeye çıkmak üzereyken görevlinin sesini duyunca birden sahte adını hatırladı ve geriye döndü.

Kayıt bürosundaki genç adamın smokinine, gri yeleğine ve çizgili pantolonuna baktı. İtalya'nın iyi ve pahalı otellerinde çalışanlar, özellikle de resepsiyon memurları sanki bir düğüne gidecekmiş gibi giyinirlerdi. Kapıcıların bile kendilerine özgü özel kıyafetleri vardı. Lang kendisine uzatılan zarfı aldı ve içine baktı. Zarfta bilmediği bir numara ve bir not vardı:

Paketin geldi.

Lang başını salladı, notu yırtarak lobideki sehpalı kül tablalarından birine attı ve yürüdü. Amerika'dan ayrılmadan önce Sara'ya, George Hemphill'den beklediği paket geldiği zaman kendisine haber vermesini söylemişti. Sara bu haberi ona kendi binalarının karşısındaki UPS bürosundan faksla ve Couch sahte adına gönderecekti. Sara onun bu konuda açıklama yapmayacağını bildiği için, merak ettiği halde hiçbir şey sormamıştı ona. Telefonların dinlenmesi gibi, faks mesajları da kolayca izlendiği için ayrıntıdan kaçınmak zorundaydılar.

Tanınmayan bir telefon numarasını da kasıtlı olarak kullanıyorlardı. Böylece adamlar o numarayı dinlemeye kalkacaklardı. Sara patronunun garipliklerine uzun zamandan beri alışıktı. Roma'da hiç tanımadığı bir isme mesaj göndermekle, aynı şehre genel postayla bir paket göndermek hiç de anormal şeyler değildi onun için. Zaten mesaj paketin gönderildiği anlamına da geliyordu.

Lang otelden ayrılmadan önce gazete satan küçük dükkanın önünde birkaç saniye durdu ve bir gün önce manşette resmini gördüğü tombul ve şık giyimli adamın yine gülümseyerek ilk sayfalarda poz verdiğini gordu.

İtalyanca okuyamadığı ve merakına da engel olamadığı için, gazete satan çocuğa baktı ve yine, "Başbakan, değil mi?" diye sormaktan alamadı kendini.

Delikanlı omuzlarını silkti ve "Rüşvetin mahkemeye götürülmesi için bir yasa çıkardı..." dedi.

Lang onun ne demek istediğini pek anlamadı ama fazla bir şey de sormadan çıktı otelden. Tiber'in güneyindeki Trastevere semtine doğru yürümeye başladı. Bu semt Rönesans döneminde duvarcıların, inşaat işçilerinin ve devrin ünlü sanatçılarının da yaşadığı yerdi. Bir rivayete göre, Rafael'in metresi o bölgede bir birahanenin üstündeki bir dairede yaşamıştı. Ama işçilerin yaşadığı bu mütevazı evler daha sonra, modayı takip eden zenginlerin yaşadığı apartman daireleri haline dönüştürülmüştü.

O semtte yine de mütevazı bir yaşam sürenler ve onların yaşadıkları yerler vardı, ama onları ancak o semti tanıyanlar bilirdi. Örneğin bir mezeciyle, kadın ayakkabıları satan bir dükkân arasındaki bir kapı, bilmeyenlerin dikkatini pek çekmezdi. O kapıdan girip bir koridordan ilerlediğiniz zaman arka tarafta çeşitli alet ve eşyalar satan bir mağaza görürdünüz. Bu kapıda hiçbir işaret, dükkân adı yoktu ve oraya sadece o dükkânı bilenler gelirdi.

Lang, bu mantığın Amerikan reklâm ajanslarını iflasa götürebileceğini düşündü. Oraya girdi, iki güçlü el feneri, birkaç pil ve bir kol demiri satın aldı. Sonra oradan çıktı ve Tiber nehri boyunca ağaçların altından kuzeydoğuya doğru yürüdü. Önünde blucin pantolonlar giymiş iki genç kız vitrinlere bakarak ve kıkırdayarak yürüyorlardı. Lang biraz sonra Sara'nın paketi gönderdiği postaneye gelmiş olacaktı ama şimdi Roma'nın Yahudi mahallesindeydi ve meraklı gözlerle etrafı seyrediyordu. Bu semt Alman işgali zamanında tamamen boşalmıştı. II. Dünya Savaşı bu bölgeyi de kötü vurmuştu.

Aldıklarının paketini taşıyarak yürürken, Roma imparatoru Julian'ın oyunları, SS subayı Skorzeny'nin eski bir kalede buldukları ve Don Huff'ın öldürülmesi arasında ne gibi bir ilişki olabileceğini düşündü. Hz. İsa'nın suçlanma nedenini, ya da en azından saklandığı yeri bulabilirse belki Skorzeny'nin kamyonlarla Montsegur'dan neler götürdüğünü de öğrenebilir ve bu bilgilerle Don Huff'ın katilini bulmayı umut edebilirdi.

Bütün bunlar saçmalıktı ama elinde başka ipucu da yoktu. Don Huff ve Gurt'un katillerini ancak bu saçmalık gibi görünen ipuçlarına dayanarak, onlardan yararlanarak bulması mümkündü.

GREGG LOOMIS

Postaneye girdi. Bazı Avrupa ülkelerinde olduğu gibi İtalya'da da geleneksel telefon hizmetleri posta idaresine bağlıydı. Ama cep telefonları ve bunlarla hizmet veren özel şirketlerin ortaya çıkmasıyla pek çok şey değişiyordu. Postanede bir telefonda bir kadın ahizeye bağırarak konuşurken eliyle de durmadan birtakım hareketler yapıyordu ki bu da İtalyanlara özgü bir davranıştı tabii. Lang'ın az bildiği İtalyanca ile anladığı kadarıyla, yaklaşık doksan kilo olan kadın Napoli'de birinden para bekliyor ve para gelmediği için de öfkelenmiş gibi görünüyordu.

Lang paketini almak için postanedeki tek gişenin önünde kuyruğa girdi ve önündeki birkaç kişinin gişe memuruyla yaptığı gevezeliklerin sona ermesi için dua ederek sabırla beklemeye başladı. İtalyanların çoğu genellikle hamur işleriyle beslendiklerinden orta yaşa geldiklerinde oldukça tombullaşıyorlardı, orta yaşlı ve yaşlılar arasında zayıf insan bulmak o kadar kolay değildi.

Sonunda sıranın kendisine geldiğini gören Lang, Couch adına çıkarılmış olan pasaportunu gişe memuruna uzattı ve yarım yamalak İtalyancasıyla paketini almaya geldiğini söyledi. Gişe memuru üzerinde Couch olan bir zarfı sırıtarak uzattı ona. Lang zarfı aldı ve üzerindeki kırmızı mumlu mührün sağlam olup olmadığını kontrol etti. Zarf açılmamıştı ama Lang onun daha kalın olacağını sanıyordu.

İnsanlar nedense önemli belgelerin kalın ve ağır olduğunu düşünürlerdi hep. Lang postaneden çıkarken duvar telefonunda konuşan şişman kadın hâlâ ahizenin içine bağırıp duruyordu.

Lang oteline dönünce odasına çıktı ve ceplerini boşalttı. Pasaportu, anahtarları, bozuk paraları, cüzdanı ve cep telefonu buradaydı ama Reavers'ın verdiği cep telefonlu cihazı bulamadı. Birden otelden çıkarken onu almayı unuttuğunu, masanın üstünde bıraktığını hatırladı. Ama cihaz ortada yoktu ve temizlikçi kadınların odaya henüz girmedikleri de belliydi. Zaten girseler bile onların bu tür şeylere dokunmayacaklarından emindi.

Pantolonunu çıkarıp yatağa uzandı ve zarfı açmadan önce birkaç dakika düşündü. Bu zarfta aradığı cevaplar olabileceği gibi, hiçbir şey de olmayabilirdi. Sonunda içini çekti ve zarfı açtı.

Zarftaki iki sayfa bilgisayarda değil, daktiloda yazılmıştı. Ama bu bilgiler de zaten bilgisayarların her yerde kullanılmaya başlamasından önceki bir döneme aitti. Kâğıtlarda yazılı bilgilerden başka, başlık ya da dönüş adresi gibi bilgiler de yoktu. Zaten kâğıtlarda başlık ya da adres olsaydı Lang buna şaşardı.

Kâğıtların sol kenarında bir sürü numara, sağ tarafında da bir tek ve hep aynı kelime vardı. Numaralar 24-4-60 ile başlıyor, 5-8-74 ile bitiyordu. Tek ve aynı olan kelime ise 'Madrid' idi.

BÖLÜM OTUZ SEKİZ

Roma
Saint Peter Meydanı
O gece

Vatikan'ın önündeki meydan gece vakti bile kalabalıktı. Lang bu kalabalıktan yararlanabilecekti.

Üzerinde yine rahip cübbesi olduğu halde Papalık sarayının sol tarafına, bir gün önce girişine izin veren İsviçreli Muhafızın durduğu yere doğru ilerledi. Ama bu kez yanında izin belgesi yoktu. Nöbetçiye biraz yaklaşınca adımlarını yavaşlattı ve etrafa bakınınca dokuz on kadar rahibin de oraya doğru yürüdüklerini gördü.

Oldukça aydınlık olan meydanda görebildiği kadarıyla rahiplerin hepsi gençti ve büyük ihtimalle Vatikan'a bağlı olan din okullarından birinin öğrencileri olabilirlerdi. Genç rahip adaylarının hararetli ve neşeli konuşmalarından, topluca yenen güzel bir yemekten geldikleri anlaşılıyordu.

Lang da onların arasına karıştı ve onlarla beraber gülmeye başladı. Genç rahipler muhafıza kimlik kartlarını gösterirken Lang da onlarla beraber Georgia sürücü ehliyetini kaldırıp gösterdi, nöbetçinin o kalabalık içinde ona da dikkatle bakmayacağını umuyordu.

Muhafız onlara şöyle bir baktı ve eliyle hepsine ilerlemelerini işaret etti. Lang içerde bir süre grupla beraber yürüdü ve nekropolisin kapısına yaklaştıklarında adımlarını ağırlaştırdı. Sokaktan Vatikan arazisine giren bir otomobilin geçişinden yararlandı, onu kendine siper etti ve karanlıkların içine daldı. Kimsenin onu görmediğinden emindi ama yine de karanlık bir köşede hiç kımıldamadan beş dakika kadar bekledi.

Oralarda gözetleme kameraları olacağını sanmıyordu. Kim bir mezarlığa gizlice girmek isteyebilirdi ki? Ama yine de acele etmemeli, çok dikkatli olmalıydı. Sokağın biraz yukarısında, karanlıklar içinde, kapının karşı tarafında hafif bir hareket fark edince sabırlı oluşunun yararını gördüğünü düşündü. Evet, orada bir gözetleme kamerası vardı ve hafifçe sağa sola hareket ediyordu. Durup onu bir süre izledi ve hareket sürecini saptadı.

Bir süre sonra kamera tam kapıya dönerken Lang yerinden çıktı, kamera kapıdan ayrılırken yavaş ve dikkatli adımlarla, kameraya görünmeyecek şekilde yürüyerek giriş yanındaki duvara gitti.

Kameranın parıltısı kaybolunca, onun kendisinden başka yöne döndüğünü anladı ve kapıya koştu. Kamera onu yakalayıp gözcünün ekranlarına gönderene kadar on beş saniyesi olduğunu hesapladı ve o zaman dolmadan, daha önce ezberlediği kapı şifresini kilide girdi.

Bastığı her rakamda küçük panelde yeşil minik bir ışık yanıyordu. İlk gelişinde rehberin şifreyi girişi sırasında rakamlara dikkat ederken yeşil ışığı fark etmemişti. Beş saniyesi kalmıştı.

Kamera tekrar kapıya yönelirken şifre tamamlandı ve kapının hava kilidi hışırdayarak açıldı. Kameranın onun girişini görmemesi için Lang yüzükoyun yere kapandı ve kilidi açılan kapıyı çekerek kapalı tuttu. İçinden sayarak kameranın kapıdan uzaklaşmasını bekledi.

Kamera uzaklaşınca hemen ayağa kalktı, içeri girdi ve kapıyı kapadı. İçerde yine o kaynağı belirsiz gibi olan aydınlık vardı. Aydınlatma sistemi muhtemelen kapının açılmasıyla beraber çalışmaya başlıyordu. Lang elindeki güçlü el fenerini önce yüz seksen derece etrafta gezdirdi ve sonra başının üstünde, yaklaşık altı metre yukarda olan tavana çevirdi. İçerdeki basınç ve sürekli hava akımı nedeniyle içerisi çok temizdi ve feneriyle etrafı gözden geçirince içerde başka gözetleme kamerası olmadığını anladı.

El fenerini kapadı ve etrafta alarm çalmasına neden olabilecek enfraruj ya da benzeri elektrik, elektronik akımlar olup olmadığına baktı. Bir mezarlık içinde hareket dedektörü fikri insanlara biraz garip gelebilirdi ama yine de kapıya en azından bir gözetleme kamerası koymayı uygun bulmuşlardı.

Lang gözetlenmediğinden ve kimse tarafından rahatsız edilmeyeceğinden emin olunca el fenerini tekrar yaktı ve bu kez, dün gördüğü mezarların yüzlerini incelemeye başladı. Eski Nekropolis eğer Francis'in anlattığı gibiyse, burada dün yürüdükleri sokaktan başka sokaklar da olmalıydı.

Bunu düşünürken, o gün öğleden sonra oteline giderken aklına gelen bir şeyi daha hatırladı Lang: Eğer İmparator Julian suçlama yoluyla Hıristiyanların canını sıkmak, onları üzmek istediyse, bunun için rasgele bir mezar değil, seçkin bir yer seçmiş olmalıydı. St. Peter'in mezarına çok yakın bir noktadan daha önemli neresi olabilirdi ki? Eğer bu hipotez doğruysa, bu ölüler şehrindeki sokaklardan biri Lang'ın aradığı şeyle taçlandırılmış olacaktı.

Ama acaba hangi sokaktı bu?

Fenerin ışığında bir lahit ve sonra karanlık bir boşluk gördü. Oraya bakınca iki mezar arasında en fazla altmış santim genişliğinde bir boşluk olduğunu fark etti. Fenerin ışığını oraya tutunca, o aralığın ya da dar sokağın ileriye doğru uzadığını gördü. Derin bir iç çekti ve el fenerinin ışığında o daracık koridora girdi.

Biraz ilerde ayağı sert bir engele takıldı ve orada plastik bir duvar olduğunu, bunun koridoru kapadığını gördü. Kullanılmayan kısmı ısıtmak, soğutmak ya da basınç uygulamaktan kurtulmak için orasını kapatmışlardı. Ama daha dikkatle bakınca bu duvarda kilitli olmayan bir kapı olduğunu gördü, buradan mezarlığın daha ilerisine geçilebiliyordu. Kapıyı hafifçe iterek açtı ve basınç farkının oluşturduğu hafif hava akımını hissetti.

Bu koridor onu başka bir yola götürdü, biraz önce geçtiği daha geniş ve yokuşlu yolu andırıyordu bu. Ama bu yolda toprak, plastik, mermer parçaları ve kaya yığınları vardı. Sokağın zemini bozuktu, çukurlar ve dağılmış taş parçaları vardı her yerde. Bu koridor üzerindeki lahitlerin yüzleri kirli paslı ve donuktu. Bu bölge kazılmış ve sonra da terk edilmişti.

Lang yokuş yukarı yürürken el feneriyle önünü aydınlatmak zorunda kalıyor ve bozuk zeminde yürümekte zorlanıyordu. Ayağının bir yere çarpması ya da bir çukura batması sonunda yaralanmaktan korkuyordu. Bazı lahitlerin duvarları kırılıp dağılmıştı ve burası adeta bir savaş alanına benziyordu.

Bu bölgede klima ya da basınç sistemi olmadığı belliydi. Üzerindeki rahip cübbesinin altındaki gömleği terden sırılsıklam olmuş, sırtına yapışmıştı ve her nefes alışında ağzına toz dolduğunu hissediyordu.

Nekropolis'in seçkin ziyaretçilere açık olan kısmı ile kapalı ama daha büyük olan bu kısmı arasındaki duvar ona bir şey anlatıyordu. Eğer suçlama yeriyle ilgili varsayımı yanlışsa, o yer tepede, St. Peter'in kemiklerine yakın bir yerde değilse, o zaman tepeyi aşması ve çıkış kapısından gittikçe daha çok uzaklaşması gerekecekti.

Bunu düşününce endişesi arttı, huzuru kaçtı.

Havadaki nem oranı gittikçe artıyordu. Lang bir zamanlar bataklık olan bir bölgede ve yokuş yukarı yürüdüğünü hatırladı. Durgun, bozulmuş akıntıları besleyen kokuşmuş pınarların buralarda bir yerlerde olduğuna emindi. Alnından süzülen terler gözlerine girmeye başladı.

Hiç rahat değildi ama yine de bazı mezarların başında duruyor, üzerlerindeki kabartmaları, oymaları ve heykelcikleri incelemeden geçemiyordu. El değmemiş eski Roma mezarlarını ve harabeleri tekrar görme fırsatı bulamayacaktı. Aradığı şeyi bu gece bulursa çok şanslı olduğunu kabul edecekti.

Tepeye varınca soluk soluğa kaldı ve hafifçe öne doğru eğilerek birkaç dakika dinlendi orada. Karşıdaki şeffaf duvardan oradaki aziz kemiklerinin muhafaza edildiği kutuyu görebiliyordu. Sol tarafta kemerli bir kapı vardı ama oradaki temel taşı sökülmüş, düşmüştü. Onu sadece yapıyı doldurmuş olan katılaşmış toprak yığını tutuyordu.

Lang ayaklarının ucuna yükseldi ve bir eliyle el fenerini

GREGG LOOMIS

tutarken diğeriyle oradaki yazının üstünü kapamış olan kum ve toprakları temizledi.

"Teutus Forneas, Centurion..." diye okurken yüksek sesle konuştuğunun farkında bile değildi.

Yazının geriye kalan kısmı kaybolan taşların üstünde kalmış olacaktı.

Döndü ve el fenerini bir zamanlar kapı olan açıklığın kenarındaki sütunlara ve kare şeklindeki yapıya tuttu. Buradaki yazı, bu yerin köle iken özgürlüklerini satın almış olan bir Yunanlı ailenin mezarı olduğunu gösteriyordu. Mezarların çok süslü olması bu ailenin zengin olduğunun açık belirtisiydi.

Lang umutsuzluk içindeydi, derin bir iç çekti. Eğer teorisi doğruysa böyle kaç yokuşa tırmanması gerekecekti acaba? Geriye dönüp aşağıya inerken kendini çok yalnız hissetti. Bu karanlık mezarlıkta etrafında sadece yaklaşık iki bin yıl önce buraya gömülmüş ölülerin kemikleri vardı.

Aşağıya indikten sonra ikinci yokuşu henüz çıkmaya başlamıştı ki bir ses duyar gibi oldu ve irkildi. Ziyaretçilerin tırmandığı yokuş yakınlardaydı ama oradaki ışık bulunduğu yere kadar gelmiyordu ve buradaki karanlık o kadar derindi ki fenerinin ışığı bile etrafı yeterince aydınlatamıyordu.

Biraz sonra tekrar duydu o hafif sesi. Bir şey zemindeki taşları oynatıyor ve küçük kaya parçalarını yokuştan aşağıya gönderiyordu. El fenerini başının üstüne kaldırıp daha ileriye bakınca bunu yapanların fareler olduğunu anladı. Buralara birinci ya da ikinci yüzyıldan beri yiyecek bırakılmamıştı, o halde bu fareler ne arıyordu burada?

Bu konuda daha fazla düşünmeden yeniden yokuş yukarı çıkmaya başladı ama bu yokuş birinciden daha dikti. Bu yokuşun tepesine çıktığı zaman, St. Peter kemiklerini muhafaza ettiği söylenen kutuya diğer iki seferden daha yakın olduğunu anladı. Sağında bir lahit değil de tavana destek verdiğini sandığı bir duvar vardı. Lang oraya bakınca bunun bir gün önce rehberin sözünü ettiği Grafiti Duvarının arka tarafı olduğunu anladı. Bu duvar St. Peter'in mezarının işaretiydi. Burası Constantine'in orijinal papalık sarayının bir parçası ve Constantine kilisesinin destek duvarı olmuştu.

Lang başını duvara dayadı ve fenerini kaldırınca duvarın bu tarafında da bazı kabartmalar olduğunu gördü. Burada Latince yazılar kadar Yunanca yazılar da vardı. Lang ayrıca anlayamadığı bazı işaretler de gördü burada.

Hepsini daha iyi görebilmek için biraz gerilemek istedi ama birden ayağı kaydı ve eğer serbest olan eliyle duvara dayanıp dengesini bulamasaydı, cüppesinin eteğine takılıp düşecek, yuvarlanacaktı.

Ama bu yarı düşme hareketi olmasaydı onu da göremeyecekti: Ortama tam olarak uymayan bir taş parçasıydı bu, eski kilisenin destek sütunlarından biri gibi görünen bir sütunun dibindeydi. Diz çökerek daha dikkatli baktı oraya. Kirli bir toz tabakası bütün duvarı kaplamıştı. Ama Lang'ın yandan gördüğü kadarıyla taşın yapısı da biraz farklı gibi görünüyordu. Taşın üstündeki kum ve tozları eliyle mümkün olduğu kadar temizledi.

Taşın üstünde bazı harfler kazınmıştı ama bazı kişiler de bunları silmek için uğraşmışlardı. Lang doğruldu ve sağa sola hareket ederek oraya daha dikkatli baktı. Yandan gelen hafif ışık bazı harfleri aydınlatıyordu ama bazıları yine de karanlıkta kalıyordu.

Elindeki feneri aşağı yukarı hareket ettirerek bunun bir destek duvarı olduğundan emin oldu, bunu kimse yerinden kımıldatamazdı. Aslında Hıristiyanlığın ilk zamanlarında teknoloji temelin bu kısmının kazılarak zayıflatılmasına zaten izin vermezdi. Bu nedenle buradaki çaba, bir imparatorun, selefinin adını Panteondan silme gayreti olabilirdi. Lang yere çömeldi ve bir süre düşündü. Büyük ihtimalle Julian'ın sırrını, yani kaba şakasını ya da oyununu bulduğunu sanıyordu.

Fakat bu kelimeleri okuyamadığı takdirde sonuca nasıl varabilirdi ki?

Onu öldürmek isteyenler ve Gurt'u öldüren adamlar, hiç kuşkusuz, bir kısmı silinmiş olan bu yazının kendileri için bir tehdit olduğunu düşünüyor olmalıydılar. Ama bir şey daha geldi aklına: Bu adamlar buradaki yazının okunamaz halde olduğunu bilmiyor da olabilirlerdi.

Fakat okunmaz hale gelen kelimeleri çözmeli ve bu konuyu aydınlatmalıydı. Yokuştan aşağı inerken kendisine gerekli olacak malzemeyi düşünüyordu. Zaten Reavers da ona araştırmasında yardımcı olabileceğini söylemişti, ondan da destek alabilirdi.

Odada bulunan monitörler karanlıktı, ekranlar yan yana duran iri kapalı gözleri andırıyorlardı. Sadece aydınlatılmış bir Roma haritasının güneydoğu köşesinde parlak bir nokta yavaşça hareket ediyordu.

Odada yalnız başına bulunan adam çelik masanın çekmecesinden bir cetvel alıp noktanın yanına koydu, onun hareketini birkaç saniye ölçtü ve sonra üzerinde tuşlar olmayan bir telefon alıp konuştu.

"Şimdi gidiyor."

BÖLÜM OTUZ DOKUZ

Paris Roma arasında bir yer
Eurostar
Aynı zaman

Genç kadın uzun zamandan beri ilk kez biniyordu trene. Amerika'da yaşadığı bir yıl içinde bile tren seyahati yapmamıştı pek, orada zaten uzun yolculuklarda insanlar treni fazla kullanmazlardı. Avrupa trenlerinin hızı çoğu zaman saatte yüz elli kilometreyi geçerdi ama Amerikan trenleri daha yavaştı ve bu nedenle Amerikalılar yolculuklarında daha çok uçak ve araba kullanıyorlardı.

Genç kadın birinci sınıf olmamasına rağmen oldukça rahat olan koltuğunda arkasına yaslandı ve pencereden dışarıya, gecenin karanlığına baktı. Arada sırada görünen köy ve kasaba ışıkları dışında her yer çok karanlıktı ve trenin hafif sarsıntısından başka hareket de hissedilmiyordu.

Daha uygun ve hızlı olduğu için trenle seyahati yeğlemişti genç kadın. Uçak seyahatinde kimlik göstermek zorunda kalabilirdi ki kimliğini kaybetmişti. Bir yıl önce teröristler bir İspanyol trenini bombalamışlardı ama tren garlarında güvenlik yine de havaalanları kadar sıkı değildi. Seyahati sırasında kimliğini gizlemek zorundaydı o.

Bu nedenle de yanında oturan ve Milano'lu bir elektronik aletler satıcısı olduğunu söyleyen adama tahammül etmek zorundaydı. Adam her istasyonda trene binen sandviç ve şişe su satıcılarından ona ikramda bulunmak istemiş, çok başarılı bir satıcı olduğundan, oldukça pahalı olan arabasından (genç kadın bir ara dalmış ve arabanın markasını bile anlamamıştı) ve heyecanlı hayatından söz edip durmuştu.

Fakat tombul elinin bir parmağına takılı olan evlilik yüzüğünü gizleyememiş, çeşitli konulardan söz ederek onun dikkatini başka yöne çekmeye çalışmıştı. Adamın saçları dökülmeye başlamıştı, üzerinde ucuz bir elbise vardı ve zehirli gaz olarak kullanılabilecek kadar berbat, ucuz bir kolonya sürmüştü yüzüne. Adam konuşurken gözlerini onun göğüslerinden ayıramıyordu ve daha sonra bu yüzden herhalde yüzünü bile hatırlamayacaktı.

Adam adının Antonio olduğunu söylemişti ve kadınlar tarafından beğenilen bir erkek sanıyordu kendini. Genç kadın çok geçmeden ondan bıktı, tiksindi ama yine de ona sırtını dönmedi ve kalkıp yerini değiştirmek istemedi. Zaten bu vagonda boş koltuk da yoktu.

Antonio berbat bir adamdı ama yine de onun için yararlı sayılırdı. Onun gibi biri bile olsa, seyahati sırasında yanında bir erkek olan bir kadın yalnız bir kadından daha az dikkat çekerdi. Onun için genç kadın da ona arada sırada hafifçe gülümsüyor, durumu idare etmeye çalışıyordu.

Genç kadının trenle seyahat etmesinin bir nedeni de, hastaneden kaçıp hemen tren istasyonuna gittiğinde, birkaç dakika sonra Lyon'a gidecek bir tren bulmuş olmasıydı. Oradan Paris ve sonra da Roma trenine binmişti. Gişe önünde tarifeye bakar gibi yaparak dururken Paris trenine bilet alan bir adamı gözüne kestirdi. Adam tren biletini cüzdanına koyup gişeden ayrılırken, genç kadın farkında değilmiş gibi gerileyerek onun yoluna çıkmış, Fransız çapkını bundan yararlanıp onun göğsünü okşarken, genç kadın da onun cüzdanını götürüvermişti.

Yani adam fırsattan yararlanıp zevkli bir temasta bulunduğunu düşünürken hem cüzdanını ve hem de tren biletini kaybetmişti.

Genç kadın başka zaman olsa yaptığı yankesicilikten utanç duyar, kendinden tiksinirdi belki, ama şimdi bunu düşünecek halde değildi, her ne pahasına olursa olsun Roma'ya gitmesi gerekiyordu. Adam zaten fırsattan istifade ederek onun göğsünü okşayarak cüzdanının çalınmasını hak etmişti. Bunu anladığı zaman belki başka kadınlara da aynı şeyi yapmaya çekinirdi artık.

Ama bu pis tipler bu iğrenç huylarından kolay kolay vazgeçmezlerdi, emindi bundan. O hergele ilk fırsatta aynı şeyi yapmaktan çekinmeyecekti.

Yanındaki koltukta Antonio ona yine bir şeyler anlatıyordu ama genç kadının gözlerinin önünde şimdi, tepelerinde uçan bir canavar, bir helikopter ve sonra da bir patlama ve arkasından gelen karanlık vardı. Kısa bir süre bilincini muhafaza etmiş, sonra üzerine yığılan kayaların altında gözden kaybolmuş, bayılıp kalmıştı, ondan sonra olanları hatırlamıyordu.

Başına gelenleri yavaş yavaş ayrıntılarıyla hatırlıyordu artık. Bir ara Atlanta ya da Seville'e gitmeden önce de Montsegur'a gitmiş olabileceğini düşündü. Onu öldürmeye çalışan adamın cebinde ne bulduğunu Lang'a söylemeliydi.

Ama nasıl yapacaktı bunu?

Üzerindeki elbisesi dışında, şifreli haberleşme cihazı da dâhil olmak üzere her şeyini kaybetmişti. Hatta parçalanmış olan bluzu bile üzerinde değildi artık. Lang'la nasıl temas kuracağını bilemiyordu ama sonunda onu bulabileceği bir yer hatırlıyordu. Onun bürosunu arayarak Sara ile konuşur ve Lang'ın kendisiyle temas kurmasını isteyebilirdi. Fakat bu da tehlikeli olabilirdi, çünkü Lang'ın telefonları büyük ihtimalle dinleniyor olacaktı. Lang da mutlaka bunu düşünecekti.

Genç kadın bu durumda geliştirdiği teoriyi uygulamak zorundaydı ve bunun için de oraya zamanında varabilmeyi umut ediyordu.

Lang'ın, yanlış yolda olduğunu düşünmesini, bunu anlamasını da umuyordu. Lang doğru yolda olmadığını mutlaka anlamalıydı. Amerikalılar buna yanlış ağacın kabuğunu soymak diyorlardı. Ama bir ağacın kabuğu neden soyulurdu ki?

BÖLÜM KIRK

Roma
Vatikan
28 Nisan 1944

Papa Pius XII, Vatikan Devleti Papalık Komisyonunu topladığı sırada, Waffen SS Sturmbahnfuhrer Otto Skorzeny de herhangi bir Alman vatandaşı gibi St. Peter Meydanında fotoğraf çekiyordu. Buz gibi bakan mavi gözleri ve sağ yanağındaki düello yarasının izi olmasa bile, Kutsal Şehir sınırındaki Alman askerleri ona, üzerindeki siyah SS üniformasının hak ettiğinden daha büyük saygı gösterirlerdi.

Yakışıklılığı ve yumuşak Avusturya aksanına rağmen, onun insanları umutsuz maceralara sürükleyebilecek bir komutan olduğu belliydi. Bu maceralardan biri olan Il Duce'yi kurtarması ile kazandığı şöhret onun rahatını kaçırmıştı. Bir askerin yeri gazete manşetleri değil, cepheydi, savaş alanıydı. Adını gazetelerde görmek sinirlendirmişti onu. Neyse ki fotoğraflarının çekilmesini engellemeyi başarmıştı. İnsanın adını saklaması da bekâret konusu gibi bir şeydi: Bir kez kaybolduğu zaman bir daha geri gelmiyordu.

GREGG LOOMIS

Bu konuda onun seçim hakkı yoktu. Fuhrer'i ona Herr Goebbels'in basın elemanlarına yumuşak davranmasını emretmiş, o da her iyi asker gibi bu emre uymuştu. Şükür ki şöhreti yavaşça kayboluyordu ve halk artık başka konularla ilgilenmeye başlamıştı. Ama aradan aylar geçmesine rağmen bazı askerler onu selamlarken hâlâ saygıyla ve adıyla hitap ediyorlardı ona.

Müttefiklerin çok geçmeden Fransa'ya girmeleri kaçınılmaz olduğu için, 1942'de Doğu Cephesinde yaralanana kadar yaptığı göreve benzer bir göreve atanmak istedi. Ama Hitler onu Berchtesgaden dağının tepesindeki evine çağırdı ve ona önemli olduğunu söylediği yeni bir görev verdi. Skorzeny bir savaş birliğine komuta etmek istiyordu ama Hitler onu yeni görevi konusunda kolay ikna etti.

Skorzeny o gün yeni bir baskın araştırması yapıyordu. Zeiss fotoğraf makinesini gözüne kaldırdı ve İsviçreli Muhafızlara baktı. Adamların ortaçağ kargıları ve süslü üniformaları korumadan ziyade gösteri amaçlıydı, ama Skorzeny onların modern silahlarla eğitim gördüğünü ve gerektiğinde Papa'yı korumak için canlarını verebileceklerini biliyordu.

İsviçreli Papa Muhafızları ile çatışmaya gerek kalacağını pek sanmıyordu ama Papa'yı kaçırdıklarında onların bir kenarda durup olanları seyretmeyeceklerinden de emindi.

Skorzeny fotoğraf makinesini dikili taşın bulunduğu yere çevirdi. Roma'nın Mısır'ı fethinin bir anısı olan bu dikilitaş Roma'ya M. S. birinci yüzyılda getirilmiş, ama şimdiki yerine on altıncı yüzyılda, St. Peter Kilisesi inşa edilirken taşınmıştı. Taşın daha önceki yeri şimdi, kilisenin güney ucu ile Bernini sütunlarının başlangıç noktası arasında trafiği kalabalık olan bir yoldu. Burada izinsiz ziyaretçilerin Vatikan sahasına girmesini önlemek için iki muhafız duruyordu.

Skorzeny'nin aldığı bilgiler yanlış değilse, ilgilendiği hedef hemen o girişin arkasında, yakın bir noktadaydı.

Montsegur'da duvarda gördüğü bulmacaya benzer yazının ne anlama geldiğini de bilmiyordu. Berlin Üniversitesinde Klasikler Bölümü müdürünün tercümesinden sonra bile yazının anlamını anlayamamıştı. İki bin yıl önce bir Yahudi marangozun oğluna yüklenen suçlamalar kimin umurundaydı sanki? Ama sonra, Yahudi olmayan diyerek düzeltti kendini. Nazi partisi uzun araştırmalardan sonra Hz. İsa'nın Yahudi olmadığına dair ipuçları bulmuştu ki, hayatına ve özgürlüğüne değer verenler için kesin kanıtlardı bunlar.

Ama yine de umurunda değildi onun.

Fakat Der Fuhrer umursuyordu bunu. Dinsel ve gizli bilgiler Hitler'in ilgisini çekiyordu. Skorzeny'nin İtalyan çizmesine çıkan Amerikan ve İngiliz askerleriyle savaşmak ya da Fransa sahillerini savunmak yerine burada bulunmasının nedeni de buydu işte.

Papa'yı kaçırmak ise başka bir sorundu. Fuhrer Rhineland'a, Avusturya'ya, Sudeten ve Çekoslovakya'ya girdiğinde bütün Avrupa nasıl ayağa kalktıysa, Papa kaçırıldığında da bütün Hıristiyanlık âlemi bunu protesto edecekti. Ama Papa çok geçmeden dünyanın en zengin hazinesi, Vatikan'daki sanat eserleri karşılığında, onların fidye olarak verilmesiyle serbest bırakılacaktı. Almanya hazinesi yaklaşık beş yıllık savaş döneminden sonra bu değerli hazinelerin sağlayacağı paralarla zengin olacaktı.

Ayrıca Hitler de, şu İmparator Julian'ın sakladığı söylenen şey de dâhil olmak üzere, çok zengin ve değerli dinsel sanat eserlerine sahip olacaktı.

Skorzeny kayışı boynuna asılı olan fotoğraf makinesini bıraktı. Bilgi toplaması gerekiyordu. İstihbarat teşkilatlarının sağladığı bilgiler çoğu zaman eksik ya da yanlış olabiliyor, komutanları yanlış yönlendirebiliyordu. O burada bulunurken bir askerin, ya da partizan sivilin değil, Reverenda Fabbrica'nın finans sekreterinin, bir dinsel bürokratın, Ludwig Kaas'ın gözlemlerine dayanıyordu.

Kaas'ın doğru bilgiler toplamasını teşvik eden çok şey vardı. İki kardeşinin aileleri ve yaşlı annesi Almanya'daydı. Aslında kimse tehdit etmemişti onları. Ama Hitler ve adamları kilise altındaki kazı haberlerini duyunca Üçüncü Reich kayıtlarını aramışlar ve Vatikan'da ikna edilebilecek birini bulmuşlardı.

Kaas onlara istedikleri bilgileri vermiş, girişleri, belirli zamanlardaki nöbetçi sayısını ve Almanların ilgilendikleri objenin yerini söylemişti. Rahip bu bilgilerin neden istendiğini onlara sormadı bile. Belki de bunun nedenini biliyordu ama bilmez gibi davrandı. Ama rahibin masumiyet oyunu herhalde fazla uzun sürmeyecekti. Rahip yarın sabah Skorzeny'ye kilisenin mahzenlerinde bir tur yaptıracak, etrafı gösterecekti ona.

O turdan sonra da operasyonu geciktirmek için bir neden kalmayacaktı elbette.

BÖLÜM KIRK BİR

Roma
Hassler Oteli
Şimdiki Zaman

Lang ertesi sabah uyandığında yatağın içinde doğrulup oturdu ve bir gece önce neler öğrendiğini gözden geçirdi. Duvardaki yazının bir kısmı silinmişti ama kim yapmıştı bunu acaba? Tarihsel değişiklikler ve siyasi düzeltmeler en azından Sezar kadar eski olmalıydı. Bir imparator adı, Julian'ın yazısı yok edilmiş olabilirdi. Lang tahrip edilmiş olan kabartma yazıyı okuyamadığı takdirde, Skorzeny'nin neler bulduğunu ya da Don ile Gurt'u öldüren ve şimdi de kendi peşinde olanların kimler olduğunu asla öğrenemeyecekti.

Ama böyle bir yazı nasıl okunabilirdi ki?

İlham bir yayın gibiydi: Bedavaydı ama doğru istasyona ayarlanmış olmanız gerekiyordu.

Aceleyle duşunu alıp giyindi, kendi cep telefonuyla Reavers'ın verdiği telefonun şarj durumlarını kontrol ederek ikisini de cebine koydu, cüzdanındaki parayı kontrol etti, daha çok paraya ihtiyacı olduğunu düşündü ve odadan çıktı. Birkaç dakika sonra hızlı adımlarla tren istasyonuna doğru yürüyordu. Lang'ın Roma'da sevdiği şeylerden biri de karışık tarihi ve eski eserlerdi. Tren istasyonunun bir blok ilerisinde üçüncü yüzyıl sonu imparatorlarından Diocletian'ın hamamları vardı. İmparator bu muazzam halk hamamlarını ölmeden önce tamamlatmıştı. Bir on yedinci yüzyıl binası Roma arkeoloji müzesi olarak kullanılıyordu ve bulunduğu nokta, hamamlar ve tren istasyonu ile bir üçgen oluşturuyordu.

Lang müzenin kalın cam kapısını açıp küçük hole girdi ve gişe memuruna, "Müze müdürünü görmek istiyorum," dedi.

Gişedeki kadın ona duvarda asılı ve beş dilde yazılı fiyat listesini göstererek, "Beş euro," diye cevap verdi.

Lang başını iki yana salladı ve "Hayır, hayır, ben müzeye girmeyeceğim," dedi. "Sadece müdürü görmek istiyorum."

Kadın kaşlarını çattı ve "Eğer yoksa müze görmek, sen neden geldi?" dedi.

Lang diller arasındaki farkın insanın işini nasıl güçleştirdiğini bir kez daha düşündü. Kendini zorlayarak daha düzgün İtalyanca konuşmaya çalışırken, kadın da daha anlaşılır bir İngilizce denedi. Sadece "Çok para" "Kırmızı şarap istiyorum" ya da "Erkekler tuvaleti nerede?" gibi basit cümleler yetmiyordu artık Lang'a.

O sırada beyaz gömlekli, kravatlı ve ütülü pantolon giymiş bir delikanlı Lang'a yanaştı ve "Yardımcı olabilir miyim, efendim?" diye sordu.

"İyi İngilizce konuşuyorsan yardım edebilirsin elbette delikanlı."

"Elbette efendim, ne istiyordunuz?"

Lang birden rahatladı ve gülümsedi. "İngilizcen mükemmel, delikanlı, nerde öğrendin bu dili?"

Delikanlı da gülümsedi ve "New York, Bronx'ta efendim," diye cevap verdi. "Orada yaşıyorum, bu müzede çalışan dedem ve babaannemi ziyarete geldim, İtalyancamı ilerletmeye çalışıyorum." Durdu ve elini uzatarak, "Adım Enrico Savelli," diye ekledi.

Lang onun elini sıkarken az kalsın pasaportunda olmayan bir isim söyleyecekti. Ama kendini çabuk toparladı ve "Ben de Joel Couch," dedi. "Müze müdürünü görmek istiyordum."

Savelli meraklı bir ifadeyle onun yüzüne baktı ve "Müdür birkaç gün burada olmayacak," diye konuştu. "Onu neden görmek istediniz, sorabilir miyim?"

Lang hızlı düşündü ve hemen bir cevap buldu ona. "Çalıştığım gazete için arkeoloji konusunda bir yazı hazırlıyorum. Yazının konusu tam olarak, silinmiş eski kabartma yazıların nasıl okunacağı ve buna benzer şeyler işte. Sen de bir Amerikalı olduğuna göre bana bu konuda yardımcı olabilirsin sanırım."

Lang Amerika dışında uzun süre yaşadığı için, yabancı ülke kökenli ama ülkesiyle ilişkisi kalmamış olan Amerikalıların, ülke dışında rastladıkları Amerikan vatandaşlarına yardım etmekten zevk aldıklarını öğrenmişti. Örneğin bir restoranda menüyü okumak, büyükelçiliğin yolunu bulmak için yol tarif etmek ve benzeri konularda hemen yardıma koşarlardı.

Savelli biraz düşündü ve ellerini ceplerine sokarak, "Keşke daha önce telefon etseydiniz ya da yazılı bir başvuru..." derken sustu.

"Aslında buraya gezmeye gelmiştim ben, delikanlı. Ama burada çok bol arkeolojik eser olduğunu görünce böyle bir şey düşündüm. Ama yardım edemezsen de önemli değil." Lang bunu söyledikten sonra müzeden çıkmak için kapıya döndü.

Savelli, "Bir dakika," diyerek durdurdu onu. "Müze müdürü yeni bir kazıyı kontrol etmek üzere Herculaneum'da bulunuyor, orası bir zamanlar . . . şehri iyi tanır mısın?"

"Yaklaşık M.S. 71'de Pompei gibi Vezüv patlamasında tahrip olmuştu, değil mi?"

Savelli onun bilgili bir adam olduğunu görünce gülümsedi, İtalya'yı güzel restoranlar ve Armani kıyafetleri satan mağazalardan ibaret sanan Amerikalı turistlerden değildi Lang. "İstersen ona telefon edip görüşmek istediğini söyleyebilirim. Napoli'ye trenle üç saatte gidersin ve sonra da bir taksi seni elli euroya oraya ulaştırır. Müdürün adı Dr. Rossi'dir."

Lang Napoli'ye uçakla gitmeyi düşündü ama havaalanına ancak bir saatte ulaşabilecek ve sonra da Napoli uçağının kalkışını bekleyecekti ki, bu beklemenin ne kadar süreceği de belli değildi. Avrupa'da yakın mesafeleri trenle gitmek her zaman daha avantajlı oluyordu.

Lang elini cebine attı ve birkaç banknot çıkarıp delikanlıya uzattı. "Yardımın için teşekkürler, delikanlı."

Ama hata yaptığını hemen anladı, çünkü Savelli kaşlarını çatarak başını iki yana salladı ve "Ben sizin otelinizin kapıcısı değilim, Bay Couch," dedi.

Lang yanlış anlaşılmış ve şaşırmış gibi davrandı ve "Yanlış anladın," dedi. "Parayı sana vermiyorum, burada çalıştığın için maaşına katkıda bulunmak üzere müzeye bağışta bulunuyorum sadece."

Delikanlı birden rahatladı ve "O halde bekle de bağış karşılığı bir makbuz getireyim sana," diyerek gülümsedi.

Lang Amerikan vatandaşı olan bu genç İtalyan'ın davranışını takdir etmekten alamadı kendini ve ona tekrar teşekkür ederek ayrıldı oradan. Ama dışarıya çıkıp yürümeye başladığında yandaki binanın duvarına yaslanmış bir cep telefonuyla konuşan İtalyan genci dikkatini çekti. Genç adam telefonla konuşurken, bir yandan da kanser hakkında hiçbir şey bilmiyormuş gibi sigarasını tüttürüp duruyordu. Ama İtalyanların cep telefonuyla konuşurken bile hattın diğer ucundaki muhatapları görüyormuş gibi el hareketleri yapmaları doğal bir davranıştı. İtalyanlar araba direksiyonunda ve motosikletle giderken de cep telefonuyla konuşmaya bayılırlardı.

Bütün bunlar bu ülkede doğal karşılanan davranışlardı, ama duvara yaslanmış konuşurken Lang'ın yürümeye başlamasıyla beraber dayandığı duvardan ayrılan genç adamın halinde yine de garip bir şeyler var gibiydi. Lang kredi kartını çıkarıp bir ATM'ye sokarken genç adam da kendisi görünmeden onu gözetleyebileceği bir köşeye çekildi.

Lang Teşkilatta iken gördüğü gözetleme ve adam izleme eğitimini hatırladı. Aradan uzun yıllar geçmişti ama öğrenilenler kolayca unutulmuyor, yeri gelince hemen hatırlanıyordu.

Lang bir gazete bayii önünde durunca peşinden gelen delikanlı birden duramadı ve onu geçip yarım blok kadar ileriye yürüdü. Yürürken cep telefonuyla konuşmasına devam ediyor ve arada sırada el hareketleri yapar gibi hafifçe dönerek Lang'ın bulunduğu yere bakıyordu. Adam onu takip ediyordu ama bütün kuşkularını yok edecek kadar da açık davranmıyordu. Lang etrafına bakındı ama girip onu üstüne çekebileceği ve avlayabileceği bir dar sokak ya da bir aralık göremedi. Ayrıca burası tren istasyonu bölgesi olduğundan, buralarda sayıları çok olan yankesicileri engellemek için çok sayıda polis vardı etrafta. Lang kendisini takip eden genç adama saldırırsa polise hesap vermek zorunda kalırdı.

Lang gazete bayiinin önünde oldukça uzun bir süre kaldı. Acaba onu sadece bir kişi mi izliyordu, yoksa başkaları da var mıydı? Ama çevrede kuşkulu başka adam göremiyordu. Peşindeki bu genç adamı kolayca atlatabileceğini sanıyordu, bir mağazaya girip bir süre kalabalık arasında dolaşır ve ilk fırsatta bir arka kapıdan çıkıp kaybolabilirdi. Ama bunu başaramadığı takdirde onu takip eden adam da kendisinin fark edildiğini anlayacaktı. O halde takip edildiğini fark etmemiş gibi davranması ve onun kendisini izlemesine izin vermesi daha iyi olacaktı.

Lang tren istasyonunda kendisini takip eden adamın, elindeki Napoli biletini göreceğini biliyordu. Ama peşinden gelen genç adam trene binmedi.

Fakat Lang üç saat sonra trenden inerken peşine başka birinin düşeceğine emindi. Çok dikkatli olmalı ve kendisini takip edecek adamı hemen fark ederek gözden kaçırmamalıydı.

BÖLÜM KIRK İKİ

Herculaneum
Dört saat sonra

İtalyan taksi şoförlerin yasal soyguncu olduğunu bilen bütün turistler gibi, Lang da parlak Mercedes arabaya binmeden önce şoförle iyice pazarlık etti. Saat şimdi on yedi euro fazla gösteriyordu. Napoli tren istasyonunda oldukça iyi İngilizce konuşan şoför, Lang'ın itiraza başladığını görünce İngilizceyi birden unutmuş, başını iki yana hızla sallayarak ve kalabalık bir ağızla İtalyanca bir şeyler söylenmeye başlamıştı. Şoför biraz sonra dar bir sokağın ortasında durup trafiği kapadı ve arkasındaki arabalar korna çalarak onu uyarmaya başladılar.

Lang bu tür olayları daha önce de yaşamıştı ve araba durunca sesini çıkarmadan çevreyi seyretmeye başladı. Trenden indikten sonra kalabalık Napoli trafiğinde izlenip izlenmediğini bilemiyordu. Gideceği yer şehrin banliyölerinden biriydi ve etrafta fazla yüksek bina yoktu, ama küçük dükkânlarla dolu olan kaldırımlar oldukça kalabalıktı. Lang'ı takip eden kişi, duran taksinin neden olduğu patırtıyı seyretmek için toplanan kalabalığın arasına karışmış, ona bakıyor olabilirdi.

Lang şoföre yenildiğini kabul ederek istediği parayı verdi ve arabadan inerek yürümeye başladı. Şoför arabayı gazlamış, yolu trafiğe açmış, her şey normale dönmüştü. Kalabalık dağılırken içlerinden bir adam biraz geride kaldı ve taş kapıdan giren Lang'ın arkasından bir süre baktı.

Lang'ın yürüdüğü yol bir sırt boyunca devam ediyordu, yolun solunda yemyeşil bahçeler, sağında ise aşağıya doğru indikçe büyüyen bir çukur vardı. Lang bir süre sonra aşağıda küçük bir kasaba gördü. Binaları, sokakları ve parkları ile çok temiz ve güzel bir yerdi burası. Gördüğü birkaç villa Akdeniz sahillerinin özelliklerini yaşıyorlardı.

Herculaneum bir zamanlar zengin Romalıların yazlıklarının bulunduğu bir sahil sayfiyesiydi. Burası Pompei gibi volkan küllerinin altına gömülmemiş, sağlam kalmıştı ama sıcak ve zehirli gazlar burada canlı bırakmamış, sadece evler çevre tepelerden gelen çamurlarla sıvanmış, tahrip olmamışlardı. Fresk kaplı duvarlar, mozaik döşemeler renkleri bile bozulmadan oldukları gibi kalmışlardı. Arkeologlar uzun yıllar buradaki halkın teknelerle denize açılıp kaçtıklarını düşündüler. Şehrin sahil bölgesindeki kazılar ancak yirminci yüzyılın ortalarında başladı ve iç kısımlara doğru ilerledi. Kaçmak için kayıkhanelere sığınmış insanların iskeletleri işte ancak bu kazılar sırasında bulundu.

Yol bir süre sonra sağa döndü ve yolun sonunda hem bir bilet gişesi, hem de harabelere bakan ve dışarıda da masaları olan bir restoran vardı. Lang yapıyı çevreleyen beton zeminden bakınca aşağıda, sahilde çadırlar gördü, demek şimdi kazı yapılan bölge orasıydı. Zaten arkeolojik araştırma yapılmayan tek yer olarak da orası kalmıştı.

Diğer yönde, Lang'ın geldiği tarafta, iki üç yüz metre kadar geride bir tepe ve onun üzerinde de apartman binaları vardı. Apartmanların balkonlarında yeni yıkanmış ve güneşte kurumaları için gerilmiş iplere asılmış yatak örtüleri, gömlekler ve çamaşırlar sallanıyordu. Eski zengin Romalıların villaları yok olmuş, onların yerine orta halli İtalyanların yaşadıkları bu apartmanlar inşa edilmişti burada.

Fakat burada bir gerçek vardı, bölgedeki arkeolojik kazılar burada yaşayan insanlar yüzünden gerektiği gibi ilerleyemiyordu. Lang gişeye gitti ve bir bilet aldı. Gişenin ve restoranın bulunduğu binanın dışında turist bekleyen rehberler vardı. Lang tepedeki kalabalık sokaklara ve eksikliği hissedilen parklara bakınca büyük tur otobüslerinin turistleri daha çok Pompei'ye götürdüğünü düşündü.

Lang merdivenden aşağıya, kazı yerinin yakınına indi ve biraz ilerde, bir elinde bir kaya parçası, diğerinde de mercek olan, Indiana Jones benzeri bir adam gördü. Haki renkli asker kıyafetine benzer bir elbise, ayaklarına da dağ botları giymiş olan uzun boylu, fötr şapkalı adam büyük bir dikkatle elindeki taşı inceliyordu.

Lang ona yaklaşarak, "Dr. Rossi?" dedi.

Adam başını kaldırdı ve bir sürü antika eşya incelemekten miyop olmuş gözlerini kısarak ona baktı. Yüzü yanmış, esmerleşmiş ve güneşte fazla kalmaktan zamanından önce kırışmıştı. Şapkasının arka tarafında ak saçları atkuyruğu gibi sarkıyordu. O da genç Savelli gibi Lang'a gülümseyerek baktı.

"Bay Couch musunuz? Hoş geldiniz."

Adam elindeki pertavsızı ve taşı yere bırakarak elini Lang'a uzattı ve "Enrico siz müzeden ayrılırken, hemen telefon etti bana. Burada bir Amerikalı gazeteci görmenin onurunu her gün yaşayamıyoruz elbette."

Adam İtalyan'dı ama İngiliz aksanıyla konuşuyordu. Lang adama yalan söylediği için kendinden utanır gibi oldu ama yapabileceği başka bir şey de yoktu. Cebinden küçük bir kayıt cihazı çıkardı ve kenardaki bir iskele babasının üstüne koydu. "Ben daha ziyade sizin eski, yıpranıp silinmiş ya da solmuş yazıları okumak için kullandığınız alet ve yardımcılarla ilgileniyorum Dr. Rossi."

Arkeolog başını salladı, "Bunda sihirli bir şey yok, Bay Couch," derken yere bıraktığı taş parçasını aldı ve "Bunun üstündeki çentikleri görüyor musunuz?" diye devam etti. "Ben bunun bir tür işaret olmasından kuşkulanıyorum, belki de teknelere bağlanan kaya parçalarından biriydi, bakın üzerindeki bu çentikler bir tekne numarası ya da bir sözcük olabilir, kumsalda yüzyıllar boyu yuvarlanıp aşınarak cilalanmış gibi duruyor."

Lang taşa baktı ve Dr. Rossi'nin elindeki merceğin yardımı olmasına rağmen onun üzerindeki çizgileri, çentikleri çok zor görebildi.

Geri çekildi ve "Kayanın üstündeki bu hatlardan bir anlam çıkarabilir misiniz peki?" diye sordu.

İtalyan birkaç adım ilerdeki çadıra girdi ve Lang da onun arkasından gitti ama çadırın içi çok sıcaktı ve dışarıdaki esinti de yok olunca ensesinin hemen terlemeye başladığını hissetti. Arkeolog bir masa üzerinde duran bir kutuyu açtı ve içinden saç kurutma makinesine benzer bir alet çıkardı.

"Buradaki sıcak için özür dilerim Bay Couch, ama fazla ışık çalışmayı bazen zora sokuyor. Bu alet bir ültraviyole tarayıcıdır." Aleti ışınlar taşa gelecek şekilde tuttu ve çalıştırdı. "İşte!"

Taşın üzerindeki solmuş, zor görülen hatlar sanki sihirli bir el değmiş gibi okunabilir hale geldi ve orada 'XXI' yazılı olduğunu gördüler.

Lang buna bir anlam veremedi ve "Yirmi bir de ne demek oluyor?" diye sordu.

Dr. Rossi başını salladı ve "Evet, burada yirmi bir rakamı var," dedi. "Ama bu bir tekne ya da kayıkhane numarası mı, yoksa bir yazının bir parçası mı, bunu bilemiyoruz. Bizim işimiz hep böyle bulmacalarla doludur işte."

Bilim adamı elindeki bulguya şaşırmaktan ziyade sevinmiş gibiydi, neşeli görünüyordu.

Lang adama baktı ve "Biraz hava alabilir miyiz acaba?" dedi.

Dr. Rossi çadırın kapısındaki kanadı kaldırınca içeriye biraz serin hava girdi ve onları az da olsa rahatlattı. Arkeolog, "Bir taş üzerine elle ya da makineyle bir şeyler kazıldığı zaman, çizgiler çoğu zaman insan gözünün göremeyeceği kadar derin, ama çok ince olurlar," diye anlattı. "Ültraviyole ya da mor-ötesi ışınlar bu hatları çok net olarak ortaya koyarlar. Ama bazen bu bile işe yaramaz, o zaman da şunu kullanırız."

Dr. Rossi bunu söylerken masanın üzerinden objektifi kısa ve geniş olan bir fotoğraf makinesi aldı ve "Otuz beş milimetrelik bu kamerada büyük bir makro objektif ve ültraviyole filtre vardır," diye devam etti. "Yazıyı okuyamasaydık o zaman bu taşı masanın üzerine koyacak, klieg ışıklarını yakacak ve onun fotoğrafını çekecektik."

Lang, "Bir silahın üzerinden silinmiş seri numarasını okumaya çalışmak gibi bir şey yani, öyle mi?" dedi.

"Televizyondaki polisiye filmlerde böyle yapıyorlar, değil mi?"

Elindeki kamerayı bıraktı ve onun yanında duran diğer fotoğraf makinesini aldı. "Bunun objektifi de aynıdır ama bunda enfraruj filtre vardır. Üzerinde mürekkeple yazılmış yazı bulunan parşömen, papirüs ya da kâğıt benzeri bir şey okuyacağımız zaman bunu kullanırız. Bu tür eski yazılarda mürekkep ya da boya maddesi uzun zaman önce solmuştur ama yazılı eserde bir iz kalmıştır ve bu kamera da onu resimler. Örneğin on dokuzuncu yüzyılda eski çöplüklerde bulunan Oxyrhynus Papirüsü denen yazılı belgelerde, Aristo yazıları, Kutsal Kitapların ilk parçaları, M.Ö. ikinci yüzyıldan M.S. yedinci yüzyıla kadar çöpe atılmış birçok eski yazı bulundu. Bunları bulanların okuyamadıkları eski yazıları biz bu kameralarla okuyabiliyoruz."

Lang bilim adamından uzun ve yararlı bilgiler sağlayacak bir konuşma bekliyordu ama Dr. Rossi konuşmasını fazla uzatmadı.

"Konu dışına çıkmayalım Bay Couch. Bu tür donanımın nasıl kullanıldığı konusunda sorunuz olursa 'Oxyrhynus Papirüsü'nü hatırlayın yeter. İnternette bu konuda yeterince bilgi bulacağınıza eminim."

Dr. Rossi bu sözcükleri unutulmaması için kayıt cihazına da söyledi ve sonra kol saatini gözlerine iyice yaklaştırıp baktı.

"Vay canına! Öğleden sonra dinlenme zamanı gelmiş de geçiyor bile. İşçiler biraz sonra şikâyete başlarlar. Amerika'da da böyle sıkı sendikalar var mı Bay Couch?"

Lang bu soruyu, işsiz kalan havayolu şirketleri işçilerine sormasını tavsiye edecekti ona ama vazgeçti ve "Elbette Doktor," dedi. "Bana çok yardımcı oldunuz, çok teşekkür ederim size."

Çadırdan çıktılar ve arkeolog ona, "Size bir bardak çay ya da soğuk bir şey ikram edebilir miyim Bay Couch?" diye sordu.

Lang ona cevap vermek üzereydi ki bir cam parçasından yansımış gibi gelen bir parıltı, güneş ışığı çarptı gözüne.

"Lanet olsun!" diye bağırdı ve kendini yüzükoyun yere atarken İtalyan'ı da çekip yere düşürdü. Silah sesini duyarken, yanağına vuran minik kaya parçalarının acısını hissetti. Doktoru da kolundan çekerek çadırın içine daldı, saldırgan onları orada göremezdi.

Roma'da müzeden çıktığı zaman cep telefonuyla konuşur gibi yaparak onu takip etmiş olan genç adam, onun trenle Napoli'ye gittiğini arkadaşlarına haber vermiş olacaktı. Lang kalabalık arasında kendisini takip eden adamı ya da adamları elbette fark edememişti. Onu burada da takip etmişler ve peşinden buraya kadar gelmişlerdi.

Teleskoplu ve uzun menzilli tüfekle ateş etmişlerdi ona ve silahlı adam ilerdeki apartmanların birinin çatısından ateş açmış olabilirdi. Dr. Rossi kendini toparladı ve cep telefonunu çıkarıp heyecanlı bir ifadeyle hızlı hızlı konuşmaya başladı. Lang onun birkaç kez *polizia* dediğini duydu.

Killi göğsü toz içinde olan iriyarı bir işçi onların yanına koştu ve titreyen bacakları üstünde durmakta zorlanan Dr. Rossi'nin koluna yapışarak ona yardım etmeye çalıştı. Lang onların ne konuştuklarını anlamıyordu elbette ama Dr. Rossi'nin, işçilerine sakin olmalarını söylediğinden emindi.

Arkeolog telefonunu kapadıktan sonra korkulu gözlerle Lang'a baktı ve "Artık güvende miyiz acaba?" diye sordu.

Lang başını salladı. "O adam çoktan kaçmıştır, Doktor. Bize ateş ettiği yeri anladığımıza göre artık duramaz orada. Hemen uzaklaştığına eminim."

Dr. Rossi kolunu işçisinden kurtardı ve gülmeye başladı. Sonra da, "İşçiler öğle tatilini bana söyleyerek de hatırlatabilirlerdi, ateş etmelerine gerek yoktu," diyerek espri yaptı.

Çok geçmeden birkaç polis arabası geldi ve polisler etrafta bekleyen turist rehberleri de dâhil olmak üzere, civarda gördükleri herkesi sorguladılar ve apartmanları aradılar ama hiçbir sonuç alamadılar tabii. Kazı yerine gelen bazı ziyaretçiler de öğle paydosu nedeniyle, saldırgan ateş açmadan önce oradan uzaklaşmışlardı.

Lang'ın anladığı kadarıyla, polisler hedef olan kişinin Dr. Rossi olduğunu düşünüyorlardı. Bölgede yaşayanların bazılarına göre, kazılar nedeniyle bazı apartmanların tahliye edilmesi söz konusuydu ve bu apartmanlarda yaşayanlar da Dr. Rossi'ye ateş püskürüyorlardı.

Polislerden İngilizce bilen birisi Lang'la ilgilendi, adını ve İtalya'da nerede yaşadığını sorup kaydettikten sonra, "Doktorun söylediğine göre siz onu çekip hedef olmaktan kurtarmışsınız," dedi. "Siz olmasaymışsınız o vurulabilirmiş. Size ateş edileceğini nasıl anladınız Bayım?"

Lang mütevazı bir tavırla omuzlarını silkti ve "Doktor yanılıyor olmalı," dedi. "Ben silah sesini duyar duymaz kendimi anında yere attım ve onu da çekip yere yatırdım."

Polis gözlerini kısarak kuşkulu bir ifadeyle baktı ona.

Lang onun kuşkusunu gidermek için hafifçe gülümsedi ve "Ben Körfez Savaşı'na katıldım," dedi. "Silah seslerini çok iyi tanırım ve eğitimliyim, kendimi yere atmam da içgüdüsel bir hareketti."

Polis onun bir savaş kahramanı olduğunu öğrenince rahatladı ve işçileri sorgulamak üzere ayrıldı oradan.

BÖLÜM KIRK ÜÇ

Roma
Hassler Oteli
O akşam

Lang trenle Roma'ya dönerken uzun süre düşünme olanağı buldu. Bu ülkede de her yerde olduğu gibi parayla bir keskin nişancı tutmak her zaman mümkündü ve onun peşinde de adamlar olabilirdi, ama bunun nedenini hâlâ bulamamıştı. İmparator Julian'ın sırrına ve Skorzeny'nin bulmak istediklerine yaklaştıkça, adamların ona saldırıları da artıyordu.

Bir dördüncü yüzyıl dinsiz Romalı ile bir yirminci yüzyıl SS subayı arasında nasıl bir ilişki olabilirdi ki? Bu soruya bir türlü mantıklı bir cevap bulamıyordu Lang.

Aklına bir tek ihtimal geliyordu: Her ikisi de Hz. İsa'nın görüşlerine karşı çıkan bir belge bulmuş olabilirlerdi.

Diğer yandan Don Huff, cezalandırılmamış savaş suçluları, Naziler hakkında yazdığı bir kitap yüzünden öldürülmüştü. Franz Blucher'in de belirttiği gibi, sayıları gittikçe azalan bazı yaşlı adamların altmış yıllık bir sırrı korumak için bir birlik oluşturmaları ihtimali çok zayıftı, ama böyle bir organizasyon altmış yıl önce kurulmuş ve buna yeni üyeler de katılmış olabilirdi.

Ama Lang'ın aklına başka bir ihtimal geldi: Skorzeny, Montsegur ya da Roma'da dinsel önemi çok daha büyük ve eski bir sır bulmuş olabilirdi ve bir grup, bu çok büyük sırrın ortaya çıkmaması için insan öldürmeye devam ediyordu. Normal bir insan için bu tür bir varsayım UFO ve JFK fesat tertipleri gibi bir şey olurdu mutlaka. Fakat Lang bu konuda normal bir insan sayılamazdı elbette. Henüz bir yıl önce, bütün zamanların en eski ve büyük fesat tertibi denebilecek bir olayı aydınlatmıştı. Ayrıca dünyanın en güçlü ve zengin insanlarından biriyle, en bilgili insanların bile tanımadığı bir adamla karşılaşmıştı.

Dünyada dinsel entrikalar dönüyordu ve hiç kuşkusuz bazı gruplar, bazı büyük sırları muhafaza etmek için hiç acımadan insan öldürüyorlardı. Bu arada, fotoğrafı çok az çekilmiş olan müthiş Avusturyalı Skorzeny'yi de unutmamak gerekiyordu. Hemphill'in nekropolis konusunda sağladığı bilgiler Lang'ın işine yarayacak mıydı acaba? Lang Himmler'in emri konusunda pozitif kanıt bulduğu halde, Skorzeny'nin nekropolise girip girmediğinden emin değildi ve eğer adam orada bir şeyler bulduysa onun ne olduğunu bilmiyordu. Huff'ın resimlerinde Skorzeny sadece Vatikan önünde görülüyordu.

Ya Berlin'den sonra olanlar...? Blucher'e göre Macaristan Başbakanı da onun eline düşmüştü.

Macar hükümetinin düşmesi çok önemli bir olaydı. Lang bu konuda bir şey hatırlamıyordu. Modern tarihle yeterince ilgilenmiyordu ama bu olayı okumuş ya da duymuş olmalıydı. Belki de okumuştu ama yaşadığı karmaşık olayların içinde unutmuş olabilirdi.

Ama sakin kafayla düşünürse bunları hatırlayabileceğini sanıyordu. Roma'ya dönüp oteline gidince koltuğa oturdu ve Reavers'ın ona verdiği cep telefonlu cihaza baktı. Bu cihaz da Hemphill ile temas kurarken kullandığı Teşkilat sistemine benziyordu ama daha karmaşık bir şeydi. Frankfurt istasyon şefiyle bağlantı kurmak için üç harfli tanımlama düğmesine bastı.

Birkaç saniye sonra Reavers'ın Teksas aksanıyla konuşan sesi sanki odanın içindeymiş gibi duyuldu. "Hey dostum! Nasılsın? Senin için ne yapabilirim, söyle bakalım!"

Lang koltuğundan kalkıp pencere önüne gitti ve İspanyol Merdivenleri denen yerde konuşup gülüşen gençlere baktı. "Çok gerekli ve karmaşık bazı donanımlara ihtiyacım var, Şef. Bana Don ve Gurt'u öldürenlerin bulunması için her türlü desteği vereceğini söylemiştin, hatırlıyorsun, değil mi?"

"Ben verdiğim sözleri asla unutmam dostum. Söyle bakalım, ne istiyorsun?"

Lang Dr. Rossi'den aldığı listeyi ona okudu. "Silahların silinmiş seri numaraları okuyan cihazlar gibi bir şey, bir fluoroskop. İnfraruj filtreli bir gözlem cihazı ile hem ültraviyole, hem de infraruj filtreli ve büyük objektifli otuz beş milimetrelik bir fotoğraf makinesi."

"Vay canına! Ne yapacaksın bunları dostum? Ölü Deniz Parşömenleri, ya da Ruloları mı buldun yoksa söylesene?"

Lang, "Henüz bulmadım ama bulabilirim,"dedi. "Tüm bu aletleri kullanmak için gireceğim yere belki bir kez daha girebilirim. Bunlar olmazsa da hiçbir şey yapamam."

"Hepimiz ihtiyacımız olan şeyleri bulmak isteriz elbette,

dostum. Kafatasları ve insan kemiklerinin belirli bir düzene göre dizildiği şu kilisenin karşısındaki güvenli evi hatırlarsın herhalde, değil mi?"

Lang hiç düşünmeden, "Via Veneto'daki Capuchin'in Santa Maria della Concezione'si mi?" dedi. "Sokağın hemen karşısında, üçüncü katta birkaç oda vardı, hatırlıyorum tabii."

"Tamam, işte orası. Yarından sonra o kiliseye git, yandaki şapele bak, orada garip görünüşlü bir adamın resmi olacak..."

"St. Michael mı?"

"Evet, yanmakta olan bir delikten çıkmaya çalışan kel bir adamın kafasına basıyor o tabloda. Bir elinde de bir kılıç var."

Lang, "St. Michael o resimde cehennemden çıkan şeytanı kesiyor," diyerek tabloyu açıkladı.

"Artık şeytanı mı kesiyor, başka birini mi, bilemem ben onu. O yeri biliyorsun, değil mi?"

İyi bir casus görünmez olmayı bilen casustu. İyi ajanlar da kongrenin zorunlu kıldığı yıllık etik, kültürel ve ırkçı hassasiyet seminerlerine gitmekten kaçınmayı bilmeliydi. O güvenli ev de saklanmak için iyi bir yerdi.

"O resmi biliyorum. Kilise için özel olarak yapılmıştı o..."

"Pekâlâ, sanat konferansını boş ver şimdi. Şapelin ön sıralarından birinde bir paket bulacaksın. İstediklerin o pakette olacak, dostum."

İspanyol Merdivenlerinde şimdi birkaç delikanlı durmuş, basamaklardan yukarı tırmanmaya çalışan şişman, mini etekli bir kızı seyrediyorlardı. Kızın içinde çamaşır da olmayabilirdi. Lang kıza baktıktan sonra başını hafifçe salladı ve "O paketi benim otelime yollasaydın daha iyi olmaz mıydı, Şef?" dedi.

"Senin için daha kolay olurdu elbette, ama güvenli olmazdı. Oteline gönderirsek paketin eline geçip geçmediğinden emin olamayız. Ama orada senin paketi aldığını görebileceğiz. Şimdilik bu kadar, dostum."

Hat kesildi ama burada hat yoktu elbette, konuşma uydu kanalıyla oluyordu. Lang başını iki yana salladı ve gülümsedi. Teşkilatın bir sözü vardı: Gizlice yapabileceğin bir işi asla açık yapma derlerdi.

Pencere önünden çekilip koltuğa oturdu, bir süre bir zamanlar Budapeşte hakkında okuduğu bir haberi hatırlamaya çalıştı, ama ayrıntıları yine tam olarak hatırlayamadı. Koltuktan kalktı ve odadan çıktı.

Resepsiyon memuru onun ne istediğini öğrenince şaşırdı ve onu işadamlarının çalışmaları için ayrılmış olan odaya götürdü. Bu saatte de çalışma olur muydu yani? Bu Amerikalılar her zaman şaşırtırlardı onu zaten.

Lang üzerlerinde bilgisayar olan dört bölmeden birine oturdu ve klavyeye baktı. Klavyede Almanca, Fransızca, İspanyolca gibi birçok Avrupa diline uygun yazı işaretleri de vardı. Bilgisayarı açtı ve şifresi olarak kullanacağı oda numarasını girdi. Kısa bir araştırmadan sonra son yirmi dört aya ait *Atlanta Gazeteler Tüzüğü*'nü ekrana getirdi. Tam olarak *Times* değildi ama bunu bir gazetede okumuşsa, bir Atlanta gazetesinde okumuş olacaktı. Beysbol sezonunda Brave'ler hakkında en iyi ve ayrıntılı haberleri Atlanta gazetesi verirdi. Lang bazen o gazetede ilginç haberler okurdu.

Bilgisayarda "Macaristan" kelimesini denedi ve yüzden fazla referans buldu. "Macaristan" ve "1945"i denedi, otuz iki açıklama buldu, ama bu bile fazlaydı. Meselenin özü neydi?

Bu kez "Macaristan", "1945" ve "tren" kelimelerini yazdı.

Kısa bir araştırmadan sonra Hafta Sonu bölümünde gazete haberi şeklinde bir yazı çıktı karşısına.

Budapeşte (AP). Ölüm kamplarına gönderilen Yahudilerden alınmış olan sanat eserlerinin geri verilmesini Avusturya hükümetinden isteyen Yahudilere ve onları savunanlara Macar yetkiliber de katıldı. 1944 sonlarında Rus ordusu yaklaşırken çeşitli eşyalar, tablolar, heykeller ve hatta mücevherler bir trene yüklenmişti.

Avusturyalı yetkililere göre, o trene aynı nedenle Avusturyalılara ait pek çok sanat eseri de yüklenmişti.

Avrupa'da savaşın sona ermesinden birkaç gün sonra Müttefik askerleri tarafından durduruldu ama içindeki eşyalar ve sanat eserleri hiçbir zaman sayılmadı, bunların bir kısmı işgal kuvvetlerinin karargâhlarını donatmak için kullanıldı ve daha sonra da ortadan kayboldular.

Yahudi katliamı kurbanlarının yakınları, çocukları ve torunları, Avusturya hükümetinin, bu ülkeden alınan eşya ve sanat eserleri ile Yahudi ailelerden çalınanlar arasında hiçbir ayırım yapmadığını söylediler.

Aslında mihver kuvvetlerin bir üyesi olan Macaristan Rusya'ya teslim olmak üzereydi, ama Alman destekli bir darbe sonucunda hükümet düşürüldü ve onun yerine Nazi yanlısı yeni bir hükümet kuruldu.

Lang yazıyı bir kez daha okudu ama burada Skorzeny ile ilgili hiçbir şey yoktu. Skorzeny bu yazıda sözü edilen darbeye karışmıştı ama 1944 Aralık ve 1945 Ocak aylarında, Bulge Muharebesi sırasında Belçika'da bulunmuştu. Tekrar Macaristan'a gitmiş olabilir miydi acaba? Vatikan'daki nekropolis yazısının bu konuyla ne ilişkisi vardı?

Lang o anda bir şey bilmiyordu belki, ama kırk sekiz saat içinde ilk kesin cevabını almış olacaktı.

BÖLÜM KIRK DÖRT

Red Cloud Gölü, Minnesota
Mugwanee Bölge Mahkemesi
Ertesi sabah

Charlie Clough yüzündeki terleri buruşuk mendiliyle sildi. Hava çok sıcaktı ve o da yüz kilonun üzerinde olan koca gövdesiyle meydandan geçerken zor nefes alıyordu. Ama şimdiye kadar işler umduğundan daha iyi gitmişti. Birinci sınıf biletle nereye gitmişti o? Sioux City, Güney Dakota idi orası. Yoksa Kuzey Dakota mıydı? Ama Kuzey Dakota ona göre sadece haritalarda var olan bir eyaletti ve o halde o Güney Dakota'ya gitmişti. Kiraladığı araba da içine zor girdiği o pis şeylerden değil, gerçek bir arabaydı doğrusu. Tekrar yola çıktığında araba yolculuğu üç saat sürmüş, bu yolculuk sırasında bir kez benzin almak, iki kez de bir şeyler atıştırmak için durmuştu.

Kasabanın tek oteli olan Holiday Inn'e, restoranda akşam yemeği servisi bitmek üzereyken vardığı için şanslı sayılırdı. Resepsiyon memuruna göre son geniş yatağı ona vermişlerdi. Charlie'ye göre dünya onun gibi iri adamların yeri değildi, ufak tefek, zayıf insanlar daha rahat ediyorlardı bu dünyada.

Bu sabah iki üç kilometre mesafede olan kasabaya arabayla gitmeden önce güzel bir kahvaltıyla karnını iyice doyurdu Charlie. Burası küçük bir yerdi, buraya kasaba değil de köy demek daha doğru olacaktı. Arazi düzdü ve gördüğü en büyük yükseklik, okul yakınında, hızlı giden arabaları zıplatan bir tümsekti.

Suratına saldıran lanet sivrisinekleri kovarak küfretti onlara. Güney Georgia'da tatarcıklardan çok çekmiş, Florida'da ne olduklarını bilmediği bir sürü böcek tarafından ısırılmıştı ama sivrisineği bu kadar bol yer görmemişti şimdiye kadar. Bu namussuz sivrisinekler insanı bir saniye olsun rahat bırakmıyorlardı.

Mahkeme binasının içi adeta hamamı andırıyordu. Büyük kapıdan içeri girip terlerini sildi ve merdivene doğru yürüdü, duvardaki levha kayıtlar odasının alt katta olduğunu gösteriyordu.

Kayıtlar odasında bir saat kadar araştırma yaptı ama aradığı şeyi bulamadı Charlie. Oflaya puflaya tekrar yukarıya, zemin kata çıktı ve mahkeme kâtibinin odasına gitti.

Kırmızı yanaklı genç kadın elindeki *People* dergisini oturduğu masaya bıraktı ve Charlie'nin yine yüzünü silerek beklediği yere geldi.

Kadın ona ne istediğini sorunca Charlie, "Kayıtları aradım," diye cevap verdi. "1950'den önceki doğum ölüm kayıtlarıyla ilgili hiç bilgi bulamadım, Hanımefendi."

Kadın şaşkın bir ifadeyle ona baktı ve "Onlar kayıt odasında değil, bilgisayar odasında Beyefendi," diye cevap verdi.

Charlie başını iki yana salladı. "Biliyorum, ama ben gerçek kayıtları, kâğıda yazılı olanları arıyordum."

Kadın onun zor laf anlayan bir adam olduğunu anlamış gibi başını hafifçe yana salladı ve "Onlar arşivde muhafaza edilir efendim," dedi. "Onlar burada değil."

Charlie derin bir iç çekti, etrafına bakındı ve biraz geride duran bir sandalyeye çöktü. Bir saat kayıt odasında ayakta durup kayıt aramıştı ve şimdi de bu salak kadının karşısında dikilip duracak hali yoktu, kadın bilgisayar kayıtlarıyla gerçek yazılı belgelerin farkını bile anlamaz görünüyordu. Ayakları bütün o kiloları kaldıramayacak kadar yorulmuştu, ağrıyorlardı.

"Peki, nerede bulabilirim onları?"

Kadın ona sanki hemen oradaki bir yeri tarif ediyormuş gibi elini kaldırdı ve kapıyı göstererek, "Ana caddeden şehir sınırı işaretine kadar gidin, oradan ilk sola sapın," dedi. "Arşiv deposu oradadır."

Charlie ayağa kalktı, kapıya döndü ve "Teşekkür ederim," dedi.

"Bir dakika Beyefendi! O depo her zaman açık değildir. Biraz beklerseniz telefon ederek ne zaman açılacağını sorayım."

Charlie'nin canı sıkıldı ama yine de pek aldırmadı, en azından meydanın karşı tarafındaki kafeye gider ve erken bir öğle yemeği yiyebilirdi.

"Pekâlâ, ben biraz sonra dönerim, teşekkür ederim."

Kırk dakika sonra Charlie hesabı ödedi ve kafeden çıktı. Yemek pek lezzetli sayılmazdı ama kötü de diyemezdi, bazı yerlerde çok daha berbatlarını yemişti. Kaldırımda birkaç adım atarak köşeye geldi, meydanı kat ederek karşı tarafa geçmek için durup etrafına bakındı ve sokakta araç olmadığını görünce kaldırımdan indi. Ama henüz birkaç adım atmıştı ki bir motor sesi duydu ve başını çevirip bakar bakmaz koca bir kamyonun ön tarafıyla burun buruna geldi.

Son olarak kaçacak zamanı olmadığını anladı ve yapabileceği bir şey yoktu.

BÖLÜM KIRK BEŞ

Roma
Santa Maria della Concezione, Via Veneto 27
Ertesi gün öğleden sonra

Kilisenin öğle tatili için kapanma saati yaklaşana kadar bilerek bekledi Lang. İçeriye girdiğinde sıralar ve aradaki koridor tamamen boştu, sadece ilerde, mihraba yakın durmuş dua eden ve elindeki tespihin tanelerini şıkırdatan yaşlı bir rahibe vardı. Ama yan taraftaki ek bölmeden gelen sesleri duyunca, o bölümde, kilisedeki ünlü birkaç mezarı ve oradaki kemikleri görmek için gelmiş olan turistler olduğunu anladı. O bölümde eski lahitler ve cam bölmeler içinde sergilenen çeşitli insan kemikleri vardı.

St. Michael Kilisesi'nin ek bölümü olan şapel sağ tarafta küçük bir odaydı ve içerde, her birinde sadece beşer tahta sandalye olan üç sıra vardı. Şapelde kimse yoktu ve Lang sağ öndeki sandalyenin üstünde duran kahverengi kâğıt market torbasını hemen gördü. Onu gözetleyen varsa bile çok iyi gizlenmiş olacaklardı ya da Teşkilat yaşlı hemşireyi tehdit saymamış ve onun dışında kiliseyi tamamen temizlemişti.

Lang kesekâğıdını aldı ve kiliseden çıktı.

Kilise merdiveninden sokağa inmek üzere basamağa adımını attığı anda, son basamağın dibine çömelmiş olan genç Çingene kadını gördü. Lang iki üç dakika önce kiliseye girerken, aynı noktada dualar ederek dilenen yaşlı bir Çingene kadın oturuyordu. Kilise girişleri dilenciler için en uygun ve verimli noktalardı ve onlar bu yerler için her zaman birbirleriyle kavga ederlerdi. Ama buradaki yaşlı kadın gitmiş, yerini bir gence bırakmıştı. Garip olan bir başka şeyse, genç Çingenenin önündeki sadaka çanağında epey bozuk para olmasıydı. Genç Çingene ya çanağına o paraları kendi koymuştu, ya da iki üç dakika içinde kilise önünden geçenlerden bu kadar sadaka toplayabilecek kadar usta bir dilenciydi. Genç Çingene kadının uzun etekli entarisi de her zaman gördüğü gibi kirli ve yırtık değil, tertemiz ve sağlamdı. Lang onun ellerine dikkatli bakınca tırnaklarının da ojeli olduğunu gördü.

Lang cebinden birkaç bozuk para çıkarıp onun çanağına atarken genç Çingene kadın paralara değil de ona bakıyordu ki bu da onu ele veren bir başka belirtiydi.

Kadın hafifçe gülümseyerek, *"Grazie, signor,"* dedi.

Lang ona doğru hafifçe eğildi ve kaldırımdan geçenlerin duymaması için hafif bir sesle, "Bu parayla kendine oje temizleme ilacı al," dedi.

BÖLÜM KIRK ALTI

Roma
Hassler Oteli
O akşam

Lang o gün öğleden sonra vaktinin bir kısmını paketten çıkan aletleri tanımak, onlara alışmak için geçirdi. Fluoroskopun eski paralar üstündeki aşınmış, silinmek üzere olan rakam ve harfleri okuyabildiğini öğrenmişti. İnfraruj ışınlar da yıllarca terk edilip iyice solmuş duvar kâğıtlarındaki çiçek desenlerini bile eski canlı haline getirebiliyordu.

Fotoğraf makinesi dijitaldi, bir acemi bile kolayca kullanabiliyordu bunu ve aceleyle çekilmiş resimleri de geri çevirip istediği zaman görebiliyordu. Aletlerle yarım saat kadar oynadıktan sonra otelden çıktı ve bir süre yürüdükten sonra bulduğu bir fotoğrafçı dükkânına girerek çekilen fotoğrafların nasıl geriye çevrilerek görüldüğünü öğrendi.

Aslında Lang'a göre dijital aletler hiç de basit değildi. Sara ona bilgisayarda yazı yazmayı ve belge hazırlamayı öğretmişti ama bir yere mesaj göndermek hâlâ zor geliyordu Lang'a. Ba-

GREGG LOOMIS

zen iyice düşünerek bir haftada yazdığı bir mektup, korkunç elektronik aletle birkaç saniye içinde hedefine ulaşabiliyordu. Bilgisayarlar ve elektronik aletlerle ilgili broşürleri okuyup bir şeyler öğrenmeye de üşeniyordu Lang ve kendini bu bilgisayarlar, elektronikler dünyasında yalnız kalmış gibi hissediyordu.

Bir zamanlar her şey çok daha basitti, insan söylemek istediklerini bir kağıda dökerek mektubunu hemen yazıyor, sonra bir zarfa koyup adres de yazıp pullayarak postaya veriyor, işini hemen ve kolayca hallediyordu. Ama yeni kuşaklar her işi klavye tuşlarına ya da aletlerin düğmelerine basarak daha hızlı ve kolay çözdüklerini söylüyorlardı.

Fotoğrafçı dükkânında bu işin uzmanı olan ve iyi İngilizce bilen genç ona her şeyi yeni kamerasında uygulamalı olarak anlatırken Lang onu dikkatle dinledi ve yeni teknolojilerden geri kalmanın utanç verici bir şey olacağını anladı. Şarj edilmesi gereken aletlere şarj sistemlerinin bağlanması basitti ve Lang bunu zorluk çekmeden yapabiliyordu.

Lang otele döndü ve odasına çıkıp güneşin batışını bekledi. Roma'da güneş batarken soğuk mermer anıtları sanki altın yaldızla, binaları sanki içten aydınlatır gibi aşıboyası ile boyardı. Ama bu akşam renk cümbüşleriyle oyalanacak hali yoktu onun, önemli bir işi vardı ve onu düşünüyordu. Biraz daha bekledi, sonra rahip kıyafetini, cüppesini giydi ve birkaç gün önce aldığı aletlerle Reavers'ın gönderdiklerini eski bir deri çantaya koydu.

Birkaç dakika sonra, Vatikan'daki görevine gitmek için Roma sokaklarında acele adımlarla yürüyen rahiplerden biri olmuştu. Ama o şimdi, içeriye sızmak için aralarına karışabileceği bir grup bulup bulamayacağını düşünüyordu. Ayrıca o

anda Roma'da, yaklaşık iki bin yıl önce ölmüş dinsiz bir impa-
ratorla uğraşan tek rahip olmalıydı.

Tiber nehrine yaklaşırken cep telefonu iki kez çaldı ve sus-
tu. Sara ile kararlaştırdıkları sinyaldi bu.

Lang kendi cep telefonunun dinlenebileceğini bildiği için
çok geçmeden bir sokakta telefon kulübesi buldu. ABD, İn-
giltere, Kanada, Avustralya ve Yeni Zelanda tarafından ortak
olarak kullanılan RAPTOR uydu sisteminin dünyadaki bütün
telefon haberleşmelerini dinleyebildiğini biliyordu. Parlak bir
fikirdi bu ama uygulamada hatalar yapılıyordu. İngilizce ko-
nuşan ülkeler her şeyi dinliyorlar ama hangi konuşmaların
ilginç olduğunu kestiremiyorlardı. Bu nedenle şifreli konuş-
maların çözülebilmesi için çalışmalar yapılıyordu.

Lang'ın sekreteriyle konuşması da binlerce diğer konuş-
ma arasında doğal olarak kabul edilecek ve büyük olasılıkla
önemsenmeyecekti, ama yine de dinleyeceklerdi onu, bundan
emindi. Onu öldürmek isteyenler de bu sisteme girip dinle-
yebilirlerdi onu. Ama Lang bir sokak telefonu kullanırsa düş-
manları onun konuşmasını büyük ihtimalle izleyemezlerdi.
Ama yine de dikkatli olmalıydılar, adamlar doğrudan Lang'ın
ofisini de dinleyebilirlerdi.

Lang ABD ve bölge numarasından sonra kendi bürosunun
numarasını tuşladı ve hattın diğer ucunda önce birtakım cızır-
tılar, sonra da Sara'nın sesi duyuldu.

Sara hemen, "Lang," dedi. "Charlie Clough öldü."

Lang önce anlayamadı ve "Charlie mi? Nasıl öldü?" diye
sordu.

"Bu sabah gazetede gördüm haberi . . . kuzeyde bir yere
gitmişti..." Sara bir an durup önündeki gazeteye baktı ve son-

ra, "Red Cloud Lake, Minnesota," diye devam etti. "Gazetenin yazdığına göre bir iş için gitmiş oraya ve bir kamyonun çarpması sonucu ölmüş. Çok üzüldüm, Lang, iyi bir adamdı o..."

Aslında Sara'nın dediği kadar iyi bir adam değildi Charlie, ama Lang ona birkaç teselli edici söz söyledikten sonra kapadı telefonu.

O halde zavallı Charlie aradığı şeyi bulmuş olacaktı. Ama ne yazık ki Lang onun bulduğu bu şeyin ne olduğunu da bilemiyordu.

BÖLÜM KIRK YEDİ

Roma
St. Peter Meydanı
Yirmi dakika sonra

Lang bu kez, Vatikan'ın çok sayıda şapellerinden birinde, belki de Papa'nın kendisine konser verecek olan bir İtalyan çocuklar korosunun içine karıştı. Bu gürültülü çocuk grubu, iki asık suratlı rahibe ve birkaç rahip önderliğinde, İsviçre Muhafızlarının önünden iyi akşamlar dileyerek kolayca geçti. Çocuklar kimliklerini gösterirken Lang yine Georgia sürücü belgesini kullandı ve sorun yaşamadı. Kilise meydanı oldukça karanlıktı ki bu da Lang'ın çok işine yaradı, bir süre sonra geride, gürültülü çocuk grubunun arkasında kaldı ve televizyon kamerası ile gözetlenen kapıya varmadan biraz önce ayrıldı gruptan.

Hiçbir şeyin değişmediğinden emin olmak için, beş dakika kadar karanlık bir köşede hareketsiz durarak etrafı kontrol etti. Kameranın zamanlamasında, kilit şifresinde ya da hatırladığı konularda en küçük bir değişiklik, önceki ziyaretinin anlaşıldığı ve onun bilmediği başka önlemler alındığı anlamına gelecekti.

Yeraltı mezarlığına girişin önündeki sokakta araç trafiği normaldi, arabalar hızla gelip geçiyorlar ve etrafta şüpheli hiç kimse ve hareket görünmüyordu. Geçen arabaların farlarına yakalanmamak için biraz daha karanlığa girdi, gözetleme kamerasının zamanlamasında bir değişiklik yoktu. Sokak lambalarının, geçen arabaların farlarının ışıklarına ve kameranın hareket zamanlamasına göre davranarak kapının önüne vardı ve riski göze alarak el feneriyle kapının kilit mekanizmasını kontrol etti. Kilitte bir değişiklik yok gibi görünüyordu. Kapı eşiğinde yeni alarm sistemi uygulandığını gösteren bir belirti de yoktu.

Lang derin sulara dalacakmış gibi derin bir nefes aldı ve kilidin şifresini oluşturan rakamları mekanizmaya girdi.

BÖLÜM KIRK SEKİZ

Roma
St. Peter Meydanı
30 Nisan 1944

Sturmbahnfuhrer Otto Skorzeny sert adımlarla hedefine yürüyerek St. Peter Meydanını kat etti. Omuzlarına Schmiesser makineli tüfekleri asılı sekiz SS askeri onu izliyorlardı. Onların arkasından da, tabuttan biraz daha büyük bir sandık taşıyan iki Wehrmacht askeri geliyordu. Skorzeny ve İsviçreli Muhafız birbirlerine baktılar ama muhafız ses çıkarmadı ve çılgınca bir harekette bulunmadı. SS askerleri delice davranan gençleri hiç tereddüt etmeden öldürüyorlardı.

Fakat siyah üniformalı küçük birlik sütunların bittiği ve kiliseye girişin bulunduğu noktaya geldiğinde, oradaki diğer iki İsviçreli Muhafız baltalı kargılarını çapraz olarak birleştirip askerlerin yolunu kestiler.

Skorzeny İsviçrelilerin çoğunun Almanca konuştuğunu bildiği için onları selamladı ve *"Günaydın arkadaşlar!"* dedi. "İçerde yapılacak görevimiz var. Lütfen izin verin de geçelim."

Nöbetçilerden yaşı yirmi civarında gibi görünen genç biri, "Giriş izniniz var mı, efendim?" diye sordu.

Alman subayı içini çekti ve "Benim geçiş iznim şu gördüğün silahlar, genç adam!" diye konuştu. "Şimdi izin verin de geçelim."

Genç nöbetçinin gözlerinde korku ve kararsızlık değil, ama nefret ifadesi vardı. Skorzeny bu ifadeyi daha önce de, kazılmış mezarlar önünde kurşuna dizilmeyi bekleyen Rus partizanların gözlerinde de görmüştü.

Skorzeny yine içini çekti ve arkasında duran askerlere emrini verdi. Askerler silahlarını omuzlarından indirip emniyetlerini açtılar. SS subayı İsviçreli Muhafızın tepkisizliğine hem hayran kalmış, hem de acımıştı ona. Cesaret milliyeti aşıyor, milliyetle ölçülmüyordu.

Yaklaşık yirmi beş yaşında bir başka İsviçreli Muhafız onların yanına yaklaştı ve İsviçre Almancası ile bir şeyler söyledi. Skorzeny onun söylediğinin ancak yarısını anlayabilmişti. Bunun üzerine Almanları engelleyen iki muhafız kargılarını geri çektiler ve iki adım geri çekildiler ama dudaklarını büzdüler, yüzlerinde bir pişmanlık ifadesi vardı.

Skorzeny muhafızlara bakıp hafifçe gülümsedi ve "İşte bu kadar, arkadaşlar," dedi. "Şimdi kargılarınızı bırakır ve görevimizi yapmamıza izin verirseniz her şey yoluna girecektir."

Alman askerlerinden biri silahsız kalan ve yüzlerinden nefret okunan İsviçreli Muhafızları gözetlemek için dışarıda kalırken, diğerleri bir yan kapıdan kiliseye girdiler. Skorzeny ile birlikte diğer SS askerleri de el fenerlerini çıkardılar.

SS komutana göre şimdi işin zor kısmına gelmişlerdi.

Skorzeny bir gün önce Rahip Kaas'ın ona yaptırdığı turu hatırlamak zorundaydı. Skorzeny birkaç adım attıktan sonra bir kapıyı açtı ve zifiri karanlıkla karşılaştı. Askerler toz ve rutubetli toprak kokan serin bir hava akımı hissettiler. Skorzeny askerlerin çekingen tavırlarına aldırmadan karanlığın içine daldı.

Skorzeny el fenerinin ışığında etrafta önce toz toprak ve kaya parçalarından başka bir şey göremedi. Gözleri el fenerinin loş ışığında etrafa alışınca, önünde yokuş yukarı çıkan dar bir yol ve onun kenarlarında da küçük evlere benzer yapılar olduğunu fark etti.

Askerlerine, "Dikkatli olun," diye uyarıda bulundu, "Yol bozuk, taş toprak dolu, dikkatli yürüyün."

Küçük birlik birkaç dakika, yerdeki kaya parçalarına ve toprak yığınlarına basmamaya gayret ederek yokuş yukarı ağır adımlarla yürüdü. Yol kenarındaki küçük evlerin kapıları ve pencereleri bomboş görünüyordu ama bazı kapılarda okunamayan yazılar vardı. Bazı kapılarda üzerleri toz toprakla sıvanmış insan ve hayvan resimleri görülüyordu. Bazı evlerin aralarında kazılmamış toprak yığınları vardı. Bir süre sonra, etrafı toprak kümeleriyle çevrilmiş daire şeklinde bir meydana geldiler. Etrafta kazma ve kürekler vardı ve yerde, üzerine kovalar bağlı bir halat duruyordu, kazılan taş ve topraklar bununla atılıyor olmalıydı. Komutan ve askerler şimdiki kazıların yapıldığı yere gelmiş olacaklardı.

Skorzeny el fenerini yukarı kaldırdı ve Vatikan'ın bodrum katının ya da yeraltı salonunun döşemesi olacak yere baktı. Çıktıkları yokuşun bir kısmı başlarının üstündeki taşa değiyordu. Toprak zeminin bir noktasında küçük bir çukur kazılmıştı.

Bir gün önce rahibin Skorzeny'ye gösterdiği yer işte burasıydı. Komutan tabut benzeri sandığı taşıyan iki askere kendini izlemelerini işaret ederek tepenin yan kısmına doğru yürüdü ve toprak zeminin bu kadar sert olmasına şaşırdı. Ama burada toprağın sert olması doğaldı, çünkü üç yüz yıl önce papalık sarayı yapıldığından bu yana buralara hiç dokunulmamıştı.

Skorzeny sandığı getiren adamların peşinden geldiğine emin olduktan sonra fenerini önündeki fazla derin olmayan çukura tuttu. Önce sadece taşlar gördü, ilerdeki binanın temeli olacaktı bunlar. Fenerini sağa sola gezdirince belirli aralıklarla dizilmiş, her biri yaklaşık bir metre genişliğinde taş sütunlar gördü. Daha dikkatli bakınca bunlardan birinin dibinde renk bozulması ya da değişikliği fark etti. Evet, bu sütunun dip tarafı diğerlerinden farklıydı.

Onun yanına gitti, cebinden bir fırça çıkardı ve sütunun dibindeki çamurları, tozları fırçalayarak temizledi. Çok geçmeden kare şeklindeki sütunun dip kısmında çok zor görülen bir çizgi fark etti, destek sütunun dip kısmı kesilmiş ve yerine başka bir taş parçası konmuş, değiştirilmiş. Sütunun yeni dip kısmında keskiyle silinmeye çalışılmış bazı harfler fark ediliyordu.

SS subayı taşın üstündeki harflerle ilgilenmedi. Montsegur'da da bunlardan yeterince görmüştü ve ne anlama geldiklerini az çok biliyordu.

El feneriyle sandığı taşıyan askerlere işaret etti ve sandık içindeki aletleri getirmelerini emretti. Askerler birkaç dakika sonra ellerindeki keskiler ve kapı demirleriyle sütunun yeni dip kısmını ana gövdeden ayırmak için çalışmaya başladılar. Kenarda duran SS askerleri ise sanki bütün Vatikan tepelerine yıkılacakmış gibi, korkulu gözlerle iki askerin çalışmalarını seyrediyorlardı. Papa Julius II, Vatikan'ı 1506'da yeniden inşa ederken Constantine'in papalık sarayını muhafaza etmek istemişti ama sonradan o ve sonraki yüz yıl içinde gelen halefleri bu fikirden vazgeçmişlerdi. Orijinal St. Peter'in tek parçası buradaydı ve bunlar da artık ağırlık taşımayan eski destek sütunlarıydı.

Askerler on dakika kadar uğraştıktan sonra, ellerindeki kol demirlerini sütunun eski üst kısmı ile sonradan konmuş alt kısmı arasına sokmayı başardılar. Birkaç dakika daha uğraştıktan sonra iki taşın birbirine sürtmesinden oluşan taş gıcırtıları duyuldu.

Skorzeny sütunun dibine çömeldi ve üst kısım biraz kaydırıldıktan sonra değiştirilmiş olan alt kısmın yüzeyini el feneriyle inceledi. Değiştirilen alt kısmın yüzeyi sanki çamurla sıvanmış gibiydi. Sütun yukarda bir yere destek vermediği için onu iyice kaldırıp yana çektiler ve dip kısmın çamurla sıvanmış ve bir kapak gibi görünen üst kısmını temizlediler. Sütunun alt kısmında değiştirilen taşın içi boştu ve orada büyük, vazoya benzer bir küp vardı.

Askerler sütun dibinin oyuk olan iç kısmına saklanmış olan büyük küpü oradan çekip çıkardılar. Boyun kısmında iki de kulpu olan Yunan amforalarına benziyordu bu toprak küp ve yaklaşık bir insan boyundaydı.

Skorzeny adamlarının küpü temizlemelerini bekledi ve sonra yanına yaklaşarak yakından inceledi onu. Küpün ağzı sıkıca kapalıydı ve Skorzeny yüzyıllar önce mühürlenmiş kapağın üzerindeki yazıyı görebiliyordu. Ellerini arkasında kenetleyerek insan boyu küpün etrafında bir tur attı ve onu burada açıp açmamayı düşündü.

Sonunda açmamasının daha iyi olacağına karar verdi.

Aslında zeytinyağı ya da şarap küpüydü bu, ama bunun içinde bu tür şeyler olacağını hiç sanmıyordu Skorzeny. Yiyecek, içeçeklerin böyle çok özel bir yerde saklanması hiç de doğal değildi. İçindekilerin havadan ve ışıktan korunması için küpün ağzını bile sıkıca, hava geçirmeyecek şekilde kapamış ve mühürlemişlerdi. Bunun içinde değerli belgeler olabilirdi. Montsegur'daki yazıların, götürüldüğünden söz ettiği belgeler de olabilirdi bunlar... Latin profesörün kullandığı ifade neydi? Tek Tanrının Sarayı mı demişti profesör?

Küpün içinde her ne varsa, Skorzeny onları burada ortaya çıkarma riskini göze alamazdı. Bu küp başkalarının da bulunduğu bir yerde açılmalı ve bir hasar meydana gelirse bunun için o değil, başkaları suçlanmalıydı. Eğer Skorzeny'nin tahminleri doğru çıkarsa Der Fuhrer çok sevinecekti, eğer...

O bunları düşünürken askerlerden biri, "Komutanım!" diye bağırdı. "Bu boşlukta bir küp daha var, efendim."

Skorzeny deliğin yanına koştu ve eğilerek sütun alt kısmının oyuğuna baktı. Birinci küp çıktıktan sonra aşağıda kalan bölümde aynı boyda ikinci bir küp olduğu rahatça görülebiliyordu.

Ortada bir sorun vardı şimdi: İki askerin buraya getirdiği tabuttan biraz büyük sandık birinci küpü bile zor alacaktı. Bu işi gizli yapmaları gerekiyordu ve insan büyüklüğünde bir küpü kimseye göstermeden Vatikan'dan çıkarmaları mümkün değildi.

Skorzeny biraz düşündü ve meselenin çok da önemli olmadığına karar verdi. Papa Pius XII birkaç gün, en fazla bir hafta sonra kaçırılacak ve bütün Vatikan hazinesi fidye olarak ödendikten sonra serbest bırakılacaktı, o zaman burada kalan ikinci küpü de rahatça alabileceklerdi.

BÖLÜM KIRK DOKUZ

Vatikan

St. Peter Kilisesi altı

Şimdiki Zaman

Lang bu kez ne yapacağını çok daha iyi biliyordu. Değiştirilmiş sütunun önünde diz çökmeden önce toprağın üstüne bir plastik tabaka serdi. Fluoroskopu çalıştırdı ve pembe ışığın silinmiş yazıları ne kadar çabuk ortaya çıkardığını görünce bir kez daha şaşırdı.

"*Accusatio... rebellis...*" diye okudu. Montsegur'da gördüğü ifadelerden birine benziyordu bu da, ama . . . el fenerinin ışığını hafifçe oynattı. Fakat gerçek suçlama büyük ihtimalle daha içerde olacaktı.

Fakat bunun, Skorzeny'nin istediğiyle ne ilişkisi olabilirdi ki?

Bunu öğrenmek üzereydi işte. Ayağa kalktı, iki adım geriledi ve el fenerini sütunun üzerine tuttu. Daha önce dikkat ettiği nokta sütunun büyük parçasının dip kısmıydı. Sütunun bir buçuğa bir metre boyutunda bir kısmı kesilmiş ve değiştirilmişti, bu alınan parçanın yerine içi boş bir parça konmuş ve bunun içine de bir şey saklanmış olacaktı. Cüppesinin altına sakladığı kol demirini çıkardı ve sütunun eski ve yeni parçaları arasına ne kadar kolay girdiğini görünce şaşırdı. Sanki Julian bu sütunu on altı yüzyıl önce kesip yapıştırdıktan sonra, birisi gelip bu iki parçayı ayırmak ve burayı açmak istemişti. Birisi, belki de Skorzeny bunu yapmış da olabilirdi.

Ama burada birçok belki, birçok ihtimal vardı. Don Huff'ın CD'sinde Alman subayı Skorzeny Vatikan önünde görülüyordu. Ama o da buraya sadece turist olarak gelmiş olamazdı herhalde.

Fakat burada hiçbir şey olmayabilirdi de. Onun aradığı ipucu buradan alınmışsa yine eli boş, hiçbir şey öğrenemeden dönecekti buradan. Lang birden bir ses duyar gibi oldu, elindeki demir çubuğu yavaşça yere bıraktı, el fenerini söndürdü ve etrafı dinledi. Fakat hiçbir ses duyamadı, her yer derin bir sessizlik içindeydi.

Duyduğu sesin ne olduğunu da bilemiyordu. Belki yine buralara kadar gelmiş olan fareler dolaşıyordu etrafta. Ama duyduğu sesin fare gürültüsünden daha farklı bir şey olduğunu sanıyordu Lang.

Zifiri karanlığın içinde hiç kımıldamadan birkaç dakika bekledi, etrafı dinledi. Diğer tarafta, şeffaf plastik bölmenin diğer yanında nekropolis turu yapan bir grubun sesini duymuş olabilir miydi acaba? Ama bu turlar için bilet satan gişenin akşam saat altıda kapandığını bir yerde okumuştu.

O anda, birkaç euro kazanma peşinde olan yaşlı Çingene kadınına saldırmak istediği akşamı hatırladı. Teşkilat ajanlarının çoğu gibi o da paranoyak olmuştu ve bu da az kalsın yaşlı Çingene kadınına pahalıya mal olacaktı. Şimdi de aynı şey mi oluyordu yoksa yine paranoyak mı olmuştu acaba?

Devamlı karanlık olan tarihi bir mezarlığa izinsiz girmişti ve burada her türlü saldırıya açık, yalnız başınaydı. Bir insanın burada korkması, endişe içinde olması çok doğaldı elbette.

Ama buraya bu saatte ondan başka birinin girmiş olacağını sanmıyordu. Şu anda burada sadece o ve bin yıldır ölü olan Romalıların ruhları vardı. Bu ruhlar da kendilerine sadaka vermeyenlere küfür etmiyorlardı elbette. Hiç kuşkusuz yankesicilik de yapmıyorlardı.

Lang tekrar el fenerini yaktı ve tepesi boşlukta olan sütunu, değiştirilmiş olan alt kısmından ayırmaya çalıştı. Kol demiriyle bir süre zorladıktan sonra iki taş düzeyin sürtüşmesinden doğan gıcırtıyı duydu ve sütunun üst kısmı yerinden çıkıp yere düştü. Lang alt kısmın üzerine eğildi ve el feneriyle kontrol etti sütun dibini.

Karşısında kaldığı otellerin tuvaletlerinden daha geniş bir boşluk duruyordu ve bu boşluğun içinde de bir amfora vardı. Lang kısa bir şaşkınlık sürecinden sonra deliğin içine uzandı ve boşluğun üst kısmında yine benzer bir küp tarafından bırakılmış gibi duran lekeler gördü. Oldukça zorlandı ama boynun iki yanındaki kulplardan kancalarla tutarak küpü oradan çıkarmayı başardı.

Demek gördüğü küpün üstünde bir tane daha vardı ve onu belki de Skorzeny çıkarıp almıştı. Peki ama neden bu ikinciyi de çıkarmamışlardı acaba?

Bunu ancak bu küpün içine baktıktan sonra anlayabilirdi herhalde. Küpü hafifçe yana yatırdı ve ağzındaki mühre baktı, kapakta bir yazı vardı. Julian'ın imparatorluk mührü olabilir miydi bu? Küpü öne arkaya doğru sallayarak içinde ne olduğunu anlamaya çalıştı ama bir şey anlayamadı. Küp çok hafifti ve ağzı mühürlü olmasa onun boş olduğunu düşünecekti, ama insanlar boş küplerin ağızlarını iyice kapayıp mühürlemezlerdi, değil mi?

Belki de küpün içindekiler dışarı sızmış ya da buharlaşmıştı. Onu üst kısmından tutup çevirdi, kontrol etti ama üzerinde hiçbir çatlak ya da delik göremedi. İçine konanlar hâlâ orada duruyor olmalıydı.

Küpü yere yatırdı, cebinden çakısını çıkarıp açtı. Uzun yıllar boyunca iyice kurumuş olan mühür mumu hemen kırılıp açıldı ve Lang küpün içinde gelen soğuk küf kokusunu aldı, sonsuzluğun kokusu da böyle olmalıydı. El fenerini küpün içine tutunca, dibinde kefen gibi bir beze sarılı bir şey olduğunu gördü. El fenerini dişlerinin arasına sıkıştırdı, yere yatırdığı küpün yokuştan aşağı yuvarlanmaması için bir eliyle onu tutarken, bir elini de içine, o eski beze sarılı cisme doğru uzattı.

Eli sanki örümcek ağına değmiş gibi oldu ve bezin parmaklarının ucunda dağıldığını hem hissetti, hem de gördü. Fener hâlâ dişlerinin arasında olduğu halde doğrulup kalktı ve küpü ters çevirip içindekinin yere düşmesi için salladı onu.

Rengi beyaza yakın ve dağılmakta olan bez yere değince sanki eridi. Yok olmak üzere olan bezin içinden iki tahta çubuğa sarılmış bir parşömen tomarı çıktı, bir devlet yetkilisi tarafından halka okunan bir fermana benziyordu bu. Ama parşömen üzerinde koparak kaybolmuş kısımlar, delikler vardı ve bu bölümlerde bulunan yazılar yok olmuştu. Fakat Lang yine de şanslı olduğuna inanıyordu. Ölü Deniz Parşömenleri, Oxyrhynchus Papirüsü gibi çok eski belgeler de böyle toprak küpler içinde bulunmuştu ama çok küçük binlerce parça halindeydiler ve bilim adamları yaklaşık elli yıldır bunları bir araya getirmek için çalışmalar yapıyorlardı. O da bu kadar eski bir belgeye dokunmanın tehlikeli olacağını, onu dağıtacağını bildiği için elleri ve dizleri üzerine çöktü ve dikkatle baktı ona. Yazılar Latince, İbranice ve tanımadığı başka bir dilde yazılmıştı ki bu dil Hz. İsa zamanında Ortadoğu halklarının ortak olarak kullandığı Aramaik dili olabilirdi.

Ruloyu tekrar küpün içine koymayı düşündü ama sonra vazgeçti. Bu kadar eski bir yazılı belgeyi korumak için mümkün olan her şeyi yapması gerektiğinin bilincindeydi, Hz. İsa'nın varlığını, yaşamış olduğunu kanıtlayacak bir belgeydi bu. Belgeye zarar verdiği ve bu da öğrenildiği takdirde bütün bilim dünyası lanetlerdi onu. Ama bu akademisyen, arkeolog ve tarihçi bilim adamlarından da hiç kimseyi tanımıyordu.

Ayrıca bu küpün içindeki bilgiler ona Gurt'un katili ile ilgili bir ipucu da verebilirdi. İki ruloyu birbirinden ayırdı ve parşömenlerin üzerindeki yazıları okumaya çalıştı. Ama bunları anlaması mümkün değildi. Yasa sözcükleri Latince yazılmıştı ama bunları anlayacak kadar iyi değildi Latincesi.

Romalılar yasalardaki şaşırtmacaları modern hukukçulardan çok daha önce geliştirmiş ve mükemmel hale getirmişlerdi.

Önünde duran ruloda Sezar'ın topladığı vergilerle ilgili bilgiler olduğunu pek sanmıyordu. Bu yazılarda bazı yetkililere gıda maddeleri dağıtımıyla ilgili bazı suçlamalar olduğunu da sanıyordu Lang. Sezar'ın ilahi vasfını reddeden ve sadece İbranilerin tanrısına ibadet edilmesi gerektiğini söyleyen ifadeler de vardı belgede.

Lang bu belgelerde Roma'da yapılan suçlamalarla ilgili çok sayıda ifade bulacağını sanıyordu ve bu suçlarla suçlananların hepsi de hiç kuşkusuz çarmıha gerilerek ölüm cezası almışlardı.

Lang toprağın üstüne oturdu ve bir süre düşündü. Elindeki belgeler Hz. İsa'nın varlığının kanıtıydı ama o şimdi Hz. İsa'yı Kutsal Kitaplarda yazıldığından da farklı bir şekilde görür gibiydi. Emory profesörü Leb Greenberg Hz. İsa'nın Gandi'den ziyade Lenin'e benzediğini söylemişti ki haklı gibi görünüyordu. Profesöre göre, Kutsal Kitaplar Yahudileri Roma'nın bir düşmanının ölümünden de sorumlu tutarak tarihin bilinen en büyük düzeltmesini yapmışlardı. Kilise herhalde bunu bilmek istemezdi.

Modern Katolik Kilisesi önündeki bilgilerin gün ışığına çıkmasını hiçbir zaman istememişti ve Lang bunun nedenini anlayabiliyordu. Aslında bu ruloların buradan alınıp tahrip edilmemesi ya da sadece Papa ve yardımcılarının girebildiği gizli arşive konmamış olması şaşırtmıştı Lang'ı. Ama bunun da mantıklı bir cevabı vardı; burada kazılar başlayana kadar bu küplerin burada bulunduğunu kimse bilmiyordu. Kazıların yapılmaya başlandığı zamana kadar, St. Peter Kilisesi destek sütunlarının durumunu ve yapılan değişikliği kimse öğrenememişti.

Kilise Julian'ın sırrını bilmiş olsaydı bile bulunabileceğini asla düşünemezdi. Vatikan Montsegur'daki belgeleri öğrenmiş miydi acaba?

Bunu bilmesi mümkün değildi.

Ortaçağ Kilisesi ve Engizisyon durumu bilseydi Julian'ın sırrını ve onu bilen herkesi ortadan kaldırırdı. Fakat bugün de aynı şeyi yaparlar mıydı acaba? Bu sırrın bilinmesini önlemek için insan öldürür müydü bu adamlar? Ne de olsa Kilise Galileo, Luther ve Darwin'den sonra da baki kalmıştı.

Hatta Dan Brown'dan sonra bile devam ediyordu.

Parşömenler Papa Pius'un neden sessiz kaldığını açıkla-yacaklardı, Papa hiç kuşkusuz Nazilerin kötülüklerine karşı sessiz kalmıştı ve bu durum belki çok sayıda Nazi'nin Papalık pasaportlarıyla Güney Amerika'ya kaçışlarını da izah edi-yordu. Papalık onlara bu pasaportları Julian sırrının ortaya çıkmaması için vermiş olacaktı. Fakat bugün durum otuzlu ve kırklı yıllardan farklıydı. Kürtaj serbestti, kök hücre araştır-maları yapılıyordu, eşcinsel hakları korunuyordu, yani Kilise yasalarına karşı gelenler öldürülmüyordu.

Hatta sosyal açıdan bilinçli olup da devrimci Hz. İsa'yı kendilerine uysal Hz. İsa'dan daha yakın hisseden ruhlar da olabilirdi. Din değiştirip kiliseye gidenler de çıkabilir ya da ki-lise cemaatlerinde artışlar görülebilirdi.

Bu konular iki bin yıldan beri tartışılıyordu. Ama Kilisede farklı olaylar da yaşanıyordu. Franz Blucher Nazilerin kaçma-larına yardımcı olan organizasyona Die Spine, yani örümcek demişti.

Fakat yaşlı Naziler kilise dogmasını tahrip etmekle pek ilgilenmezlerdi herhalde, onlar sadece kendilerini korumaya uğraşıyorlardı.

Örneğin Skorzeny de onlardan biriydi ama ölmüştü o, de-ğil mi?

Lang bir süre karanlıklara bakarak düşündü. Julian, Skor-zeny ve...

Kafasının içinde bir kargaşa var gibiydi, çok önceden ka-fasına yerleşmiş olan ifadeler, kelimeler, yüzler, yerler hep birbirine karışıyordu. Yeni bilgilerin peşinde koşarken eski bildiklerini bir süre için unutmuş gibiydi ama şimdi onları da hatırlamaya başlamıştı.

Berlin'de görev yaparken hayatta kalan birinin vurul- masına üzüldüm, demişti Reavers, ama Don Huff'ın vurul- duğunu kimse söylememişti ona. Aslında Avrupa ülkelerinin çoğunda ajanların silah taşımaları yasaktı ve eski bir Teşkilat mensubunun vurularak öldürülmesi ihtimali de çok düşüktü. Sadece polis ya da başka bir hükümet ajanı kullanmış olabilir- di ateşli silahı.

Federal suçluların yattığı bir cezaevinde silahlı saldırı ve bunu kayıt dışı bir mahkûmun gerçekleştirmesi.

Bir tren dolusu değerli eşyaların çoğunun ortadan kaybol- ması.

Kâğıt Pensi Operasyonu.

TV ekranında görülen tanıdık ama sonradan hatırlana- mayan bir politikacının yüzü. Yara izi olmadığı için hatırlan- mazdı o yüz. ABD'ye sürekli olarak ve Madrid yoluyla giren bir politikacı olabilirdi bu.

Ya da İspanya'da görülmüş birisi.

Amerikan politikasını destekleyen ama bu arada istihba- rat toplumuna da destek veren bir politikacı.

Onun köprüden geçeceğini bilen katiller.

Herculaeneum'da bir keskin nişancı.

Bütün bunları nasıl unutabilirdi Lang?

Bunları düşündükten sonra Reavers'ın verdiği haberleş- me cihazını çıkarıp baktı ve kapalı olduğunu gördü. Onu açtı- ğını hatırlamıyordu zaten. Bu cihaza ihtiyacı olmamıştı.

Onu bir sütuna vurarak parçaladı, rahatladı, ama cihazın içinde minik bir kırmızı ışığın yanıp söndüğünü görünce hiç şaşırmadı. Işık yayan bir LED lambasıydı bu ve cihaz açık da olsa, kapalı da olsa her zaman çalışır durumda olurdu.

Uydu kanalıyla çalışan cep telefonları GPS (Yer Pozisyon Sistemi) tarafından izlenebilirdi ama bu sadece onlar kullanıldığı zaman mümkündü.

Reavers'ın ona verdiği cep telefonlu cihazda da GPS vardı ama bu sistem sadece telefon kullanılırken değil, her zaman çalışıyordu. Reavers ona sağladığı sahte kimlikle bütün yolculuklarını takip etmekle kalmıyor, bu cihaz sayesinde bulunduğu her yeri her an birkaç metre mesafe farkıyla biliyordu.

Lang ayağa kalktı ama öfkeden bacakları titriyordu. Aptal gibi her zaman yakından izlenmiş ve Hıristiyanlıkla ilgili araştırmaları Gurt'un da hayatına mal olmuştu. Onu geri getiremezdi ama intikamını mutlaka alacaktı.

Şimdi ne yapması gerektiğini düşünüyordu ki bulunduğu yer birden pırıl pırıl aydınlandı, sanki Vatikan tepesinde iki bin yıldan beri ilk kez güneş doğmuştu. Lang elini gözlerine siper yaparak yavaşça döndü.

Tanıdık bir ses Teksas aksanıyla, "Sakin ol, dostum," diye seslendi. "Oyunun bu kadar ileri bir aşamasında vurulursan yazık olur, üzülürüm doğrusu."

Lang ellerini aşağıya sarkıttı ve silahsız olduğunu gösterdi. Reavers ışığın altında, on metre kadar ilerde duruyordu. Ayaklarındaki yılan derisi botlar, koca kemer tokası ve geniş kenarlı şapkasıyla tam bir kovboy görünümündeydi. Bir tek Colt Peacemaker .44 tabancası eksikti.

Ama onun yerine, sağ elinde bir Sig Sauer P 229 9mm tabanca parlıyordu ki bu da çağdaş Teşkilat silahıydı.

Lang'ın da böyle bir silahı vardı ama ne yazık ki Atlanta'da, yatak odasındaki dolabın çekmecesinde duruyordu.

Lang, Reavers'ın yanında en azından iki kişi daha olduğunu sanıyordu ve parlak ışıkta iyi göremiyordu ama adamların ellerinde tabancadan daha iri bir şeyler var gibiydi.

Lang, "Demek beni ve Gurt'u sürekli olarak izliyordun, ha!" diye homurdandı.

"Elbette."

Eğitiminin ilk günlerinde öğrendiği gibi, vakit kazanmaya çalışmalıydı Lang. Sürekli konuşması ve düşmanının dikkatini dağıtması gerekiyordu. Reavers da aynı eğitimi almıştı elbette, ama adam şimdi kazandığı zaferin etkisiyle belki de boş verecekti buna.

Lang ellerini aşağıda, vücudunun yan tarafında tutarak ve dikkat çekmemeye çalışarak sağa sola baktı, yakınlarında silah olarak kullanabileceği bir şey aradı. Reavers'ın uzun süre konuşmadığını görünce, "Ne istiyorsun sen, Reavers?" diye sordu.

CIA istasyon şefi Lang'ın parıltıdan göremediği bir yere dayanıyormuş gibi hafifçe kımıldadı ve "Ne istediğimi sanırım biliyorsun, dostum," dedi.

Lang hafifçe kımıldayınca ayağı bir cisme değdi ve başını hafifçe eğerek bakınca kol demirinin ayakucuna yakın durduğunu gördü. "Herhalde bu amforanın içinde olan eski parşömen belgeyi istiyorsun," diye konuştu. "Bu belgede yazılı olanlar halka açıklanırsa sanırım Kilise çok zor durumda kalacaktır, değil mi, Şef?"

Reavers kaşlarını çattı ve başını iki yana salladı. "Boş ver şimdi benimle dalga geçmeyi, Lang. Benim ne istediğimi çok iyi biliyorsun sen, dostum."

"Benim susmamı istiyorsun elbette, değil mi?"

Reavers yana doğru biraz daha eğildi, bir yere dayandığı

belliydi ve sırıtarak, sanki basit bir konudan söz eder gibi, "Bak işte ne istediğimi anlamışsın, ortak," dedi. "Özür dilerim."

Lang ayakucunu kol demirine biraz daha yaklaştırdı ve "Dur bakalım anlamış mıyım?" diye konuştu. "Her halde en azından bana bunu söyleyebilirsin, değil mi?"

Reavers hafifçe gülümseyerek başını salladı ve "Elbette, bunu yapabilirim, dostum," dedi. "Ama seni uyarıyorum, şunu da bil, bir oyun oynamaya kalkarsan bu arkadaşım hiç beklemeden ateş edecektir sana. Onun için sakin ol ve ne söyleyeceksen söyle, dinlerim seni."

Lang ayağının ucuyla yerdeki kol demirine dokundu ve "Skorzeny 1945'te Budapeşte'den kalkan ve içinde çok değerli şeyler olan o trenle ilgiliydi, değil mi?" diye sordu.

Reavers güldü ve "Seni bazı konularda çok takdir ederim, Lang," diye konuştu. "Sen diğer harfleri hiç dikkate almadan A'dan Z'ye bir hat çekme konusunda oldukça ustasın."

Lang karşısındakilerin dikkatini çekmeyecek kadar küçük bir hareketle ayağını birkaç santim oynattı ve "Skorzeny trendeki bu hazinenin bir kısmına da rahatça el koydu tabii," diye devam etti konuşmasına. "Macaristan'daki hükümet darbesini planladığı zamandan beri bu hazinenin varlığını biliyordu o."

"Şimdiye kadar söylediklerin çok doğru, Lang. Lanet olsun, bütün cevapları biliyor gibisin, bana ne ihtiyacın vardı ki?"

"Bana karşı biraz daha hoşgörülü olmalısın Şef. O zamanki adı OSS olan Teşkilat en azından yararlı olacak Von Braun gibi Nazileri Amerika'ya getirmek istiyordu. Skorzeny de bunlardan biriydi, çünkü tren hazinesinin geriye kalan kısmının nerede olduğunu biliyordu ve bir savaş suçluları mahkemesinden ceza beklediği için bunu kimseye söylemek istemiyordu."

Reavers yine güldü ve bu kez, "Bunlar sadece senin tahminlerin," dedi.

"Evet, elbette tahminlerim, ama doğru tahminler bunlar, değil mi?"

"Her neyse, devam et bakalım, seni dinliyorum."

"Eminim Skorzeny sana bu konudan hiç söz etmedi ve birisi de onu geri göndermeye karar verdi."

Reavers başını salladı. Lang, "Ama sen onu hemen bir uçağa ya da gemiye bindirip gönderemezdin elbette. Kolay bir iş değildi bu," diye ekledi. Sonra kaşınmaya başladı ve "Bu lanet rahip cüppesi terletti beni, çıkarmama izin verir misin?" dedi.

Reavers elindeki silahı sallayarak, "İstediğin kadar soyunabilirsin," dedi. "Ama üzerinde bir silah gördüğüm anda kurşunu yersin, bunu da aklından çıkarma sakın."

"Teşekkür ederim."

Lang üzerindeki rahip cüppesini sıyırıp çıkardı ve yere koymak için eğildi ve biraz karanlıkta kalan eliyle demir çubuğu kavradı ama karşısındaki otomatik silahlı adamlara karşı bununla ne yapabileceğini bilemiyordu. Demir çubuğu kolunun arkasına gizleyerek, "Bu durumda Teşkilat onu Faşist Franco'nun yönetiminde olan İspanya'ya göndermek istedi ama bu konuda da karşılarına hiç beklenmeyen bir sorun çıktı."

Reavers sanki bunu bilmiyormuş gibi meraklı bir ifadeyle, "Ne oldu?" diye sordu.

"Skorzeny Amerika'ya gittiği zaman bir çocuğu oldu, onu yanına almak istedi ama çocuk Amerikan vatandaşı olduğu için annesi gitmesine izin vermedi."

Reavers dayanamadı ve dişlerinin arasından, "Kaltak!" diye söylendi. "Onunla tanışmadım ve bir araba kazası geçirdikten sonra girdi işin içine. Ama aç gözlü bir kadındı ve her zaman para isterdi."

Lang parlak ışıklara doğru baktığı için onların durduğu noktayı net olarak seçemiyordu. "Skorzeny'nin oğlu biraz büyüyünce, 1960'dan sonra, on beş yaşından sonra hemen her yıl İspanya'daki babasını ziyaret etmek istedi ve Skorzeny 1974'te ölene kadar yaptı bunu," diye devam etti. "Öğrendiğime göre Skorzeny 1974'te öldü ve oğlu da ondan sonra İspanya'ya gitmedi."

Reavers yüzünü buruşturdu ve "Çocuğun ne yaptığını bilemezdin," dedi. "Bunu ancak..."

Lang zaman kazanmak için doğru tahminlerde bulunmaya çalışıyor, kendini zorluyordu. "Bunu ancak Harold Straight'in, Skorzeny'nin evlilik dışı oğlu olduğunu öğrendikten sonra bilebilirdim, değil mi? O adamın sağ yanağına bir yara izi koy, Skorzeny'nin oğlu olduğu hemen anlaşılır, Reavers. Siz ona yeni bir kimlik ayarladınız ama İspanya'ya gidişlerinde Göçmenlik ve Vatandaşlık kayıtlarını ihmal ettiniz. Ona sağladığınız sahte kimlik de pek güvenli değildi. Medya onun kimliğini bilgisayar yardımıyla öğrenmiş olmalıydı. Bazı kişiler onunla ilgili doğum ve okul kayıtları gibi bilgileri öğrenmek üzereyken onu öldürdünüz, ama bu bir hataydı, Reavers."

Reavers başını salladı ve Lang onu net olarak görememesine karşın sıkıntılı olduğunu anladı. Reavers, "Evet, Skorzeny'nin ölüm tarihinde ben şu Kâğıt Pensi operasyonuna katılmıştım." dedi. "Benden önceki arkadaşlar Minnesota'da bu sahte kimlik konusunda çok ustaydılar. Sonunda belgelerin sahte oldukları belki de meydana çıkacaktı ama o zamana kadar işleri idare etmiş olacaktık. Aslında Almanlarla ilgili durumu 74'e kadar idare ettik ama sonra Kongre'den can sıkıcı sorular gelmeye başladı. Başımızın derde girmesini istemedik elbette. O zamana kadar Skorzeny'nin oğlu bir sıkıntı doğurmamıştı ve yaşı büyüyünce onu Washington'a gönderip bir yere memur olarak yerleştirmeyi düşündük. Babası Skorzeny esrarengiz bir adamdı, pek resmi yoktu elimizde, onu Straight ile karşılaştırıp aralarındaki benzerliği göremedik. Huff'ı da bunun için öldürmek zorunda kaldık. Üzgünüm."

"Evet, Rusların Lublyanka'da esirlere yaptıkları gibi, siz de onu ensesinden vurdunuz. Skorzeny'nin oğlunu öğrenmesine az kalmıştı. İşin peşini bırakmayacak ve çocuğun yaşadığını öğrenecekti. O zaman da Straight'in sizin adamınız olduğu meydana çıkacaktı. Lang parlak ışık kaynağının iki adamın elindeki güçlü fenerler olduğunu sanıyordu. İki ışığı birden etkisiz kılabilecek miydi acaba? En azından bunu denemek zorundaydı.

Lang, "Straight'i daha sonra Beyaz Saray'da bir göreve yerleştirecek ve ondan yararlanacaktınız, değil mi?" diye devam etti. "Ondan aldığınız bilgilerle dünyanın her yerinde etkili olabilecektiniz. Fransız ekonomisine sabotaj, Türkmenistan seçimlerini etkileme gibi işler kolaylaşacaktı sizin için. Straight sizin her dediğinizi yapmak zorunda kalacaktı. Benim bunu öğrenmemi engellemek için peşime düştünüz."

Reavers başını salladı ve sert bir sesle, "Akıllı çocuksun sen, Lang!" diye konuştu. "İyi tahminler bunlar, ama biz bunu da başaracağız. Özellikle 11 Eylül terörist saldırısından sonra elimiz güçlenecek. Bizim de Straight'e ihtiyacımız var, tıpkı..."

"Almanya'nın 1933'te Hitler'e ihtiyacı olduğu gibi, değil mi?" Lang bunu söylerken onlara hissettirmeden gerildi, kol demirini fırlatmaya hazırlandı. Fakat Reavers onun ne yapmak istediğini hemen anladı ve "Yerinde olsam bunu yapmaya kalkmazdım," diye bağırdı. "Canın yanabilir, dostum. Şimdi sakin ol ve o kol demirini yere at."

Lang demir çubuğu her şeye rağmen fırlatmaya kararlıydı, fener tutan adamlardan birine isabet ettirirse, birkaç saniyelik karmaşadan yararlanarak kendini bir taş toprak yığınının ya da sütunun arkasına atabilirdi.

Reavers onun niyetini anladı ve "Sakın yapma!" diye bağırırken tabancasını kaldırdı.

Ama aynı anda bir kadın sesinin, "Hayır, sen dur bakalım!" diye bağırdığı duyuldu. "O ışıkları da sakın kımıldatmayın!"

Lang o anda bir hayalet gördüğünü düşündü, belki de kısa süre önce aklına gelen Romalı ruhlardan biri yardımına gelmişti. Fakat hayaletler, özellikle de Romalı hayaletler rahibeler gibi giyinmezlerdi herhalde. Yüzü gölgede kalan bu uzun boylu hayalet durduğu yerde, ışıklardan rahatsız olmadan Reavers ve iki adamını rahatça görebiliyordu. Lang onun sadece belden yukarısını gördü, gerisi karanlıktaydı ve sanki havada uçuyor gibi görünüyordu.

Reavers önce donmuş gibi olduğu yerde kaldı, ama kendini çabuk toparladı ve "Bak kızım, sen karışma bu işe!" diye konuştu. "Canının yanmasını istemiyorsan çek git buradan. Hemen arkanı dön ve geldiğin yoldan çek git, tamam mı?"

Karanlıklar içinde duran kadın yerinden kımıldamadı ve "Hemen silahlarınızı bırakın ve ellerinizi havaya kaldırın!" diye bağırdı.

Gerçekten de bir hayaletti bu. Lang bu sesi, ifadeyi ve konuşma tarzını çok iyi tanıyordu.

Reavers da tanımıştı bu sesi ve "Lanet olsun!" diye bağırdı. "Fuchs, Alman orospu! Hastaneye gönderdiğim o salak herif..."

Reavers şimdi görev verdiği yardımcıdan şikâyet ediyordu, ama birden hafifçe döndü ve tabancasını hedefe doğrulttu.

Ama büyük hataydı bu ve onun son hatası olacaktı.

Karanlıklar içinden fışkıran alevi hepsi gördüler ve susturuculu tabancanın namlusundan çıkan boğuk silah sesini duydular. Lang ise adeta ağır çekim bir film seyreder gibiydi.

Reavers ayak parmaklarının ucunda yükselir gibi oldu, sonra tek ayağının ucunda döndü ve yüzündeki öfkeli ifade yerini şaşkınlığa bıraktı. Gözleri sanki burnunun üstündeki kurşun yarasını görecekmiş gibi şaşılaştı.

Reavers dizlerinin üzerine çökerken Lang yıldırım gibi fırlayıp onun yanına gitti, gevşeyen parmakları arasındaki tabancayı çekip aldı ve karanlıkların içine daldı. Şimdi her taraf zifiri karanlık ve sessizdi.

Ortada tam bir mezar sessizliği vardı ve bu sessizlik saniyeler, dakikalar, belki de saatler sürdü. Sonra bir erkek sesi, "Pekâlâ, şimdi berabere sayılırız!" diye bağırdı. "Buradan önce biz çıkarız, sonra da siz. Başka kimsenin canı yanmasın!"

Yarı karanlıkta ve kapalı yerin yankılanmasında sesin tam olarak nerden geldiği belli değildi ama uzakta olmadığı kolayca anlaşılıyordu. Lang bir şey söylemek istedi ama vazgeçti, sesini çıkarmadı. İçerdeki yankılanma seslerin kaynağının belirlenmesini zorlaştırıyordu ama konuşmamak yine de daha iyiydi. Reavers'ın adamları çatışmaya girmeden çıkıp gitmek istiyorlardı.

Biraz önce konuşan adam, "Anlaştık mı?" diye bağırdı.

Lang bu sefer konuştu ve "Elbette," diye cevap verdi. "Ama ışığınızı yakın ki gittiğinizi görelim."

Adam, "Ne yazık ki fenerim kırıldı," dedi.

Lang şimdi adamın durduğu yeri tahmin etmişti. Reavers'ın tabancasını sıkıca tuttu ve diğer elini yandaki duvara uzattı, dokundu ona. Eliyle duvarı yoklayarak ağır adımlarla yokuş yukarı yürüdü ve lahitlerin ev gibi görünmesini sağlayan bir pencere boşluğuna geldi.

Mezarlıkta koridorlar çok dardı ve karanlıkta bir koridordan diğerine geçmek çok zordu. Lahitlerin üstü sadece bir yandan açılabiliyordu. Lang, Reavers'ın adamlarının da onunla aynı yöne gittiklerini sanıyordu. Ama o daha önce tepenin biraz daha yukarısında olduğundan, adamlar şimdi onun biraz daha aşağısında olmalıydılar. Ama o anda Gurt'un nerede olduğunu bilemiyordu. Sadece onun da aynı koridorda olmasını ve aynı yöne ilerlemesini umuyordu.

Aynı adam, "Bekliyoruz," diye seslendi. "Başka birinin ölmesi gerekmiyor."

Lang adamın sesinde bir umutsuzluk sezer gibi oldu ama bunun üzerinde durmadı. Sig Sauer tabancayı beline soktu ve ilerlemeye devam etti. Bir süre sonra parmakları bir lahdin arka duvarında bir oyuk hissetti. Elini biraz daha kaldırınca orada baş ve omuzlardan oluşan bir Romalı büstü olduğunu anladı.

Büstü kucağına aldı ve bir süre daha ilerledikten sonra sokağa çıkan kapının ne tarafta olduğunu hatırladı. O tarafa doğru yürüdü ve biraz ilerde bir lahdin duvarına dayanıp dinlendi, büstü de oraya koydu. Karşılaştıkları adamların ellerinde otomatik silahlar olduğuna emindi. Adamlar en küçük bir tedirginlik anında silahlarını, görmeseler bile, rasgele bir hedefin üstüne boşaltırlardı.

Gurt'un da dikkatli olmasını ve onun bulunduğu yöne doğru yürümesini istiyordu. Birden aklına bir şey geldi ve Gurt'un oyunu hatırlayacağından emin olarak, "Yap şunu, Gurt!" diye bağırdı. Aynı zamanda elindeki feneri büstün üzerine tuttu ve birkaç kez yakıp söndürdü.

Normal koşullarda insanlar mermer bir büstü canlı insan başıyla ve omuzlarıyla karıştırmazlardı elbette, ama burada koşullar çok farklıydı, etraf karanlıktı ve herkes adeta panik halindeydi.

Düşündüğü gibi adamların tepkisi gecikmedi, yakındaki bir lahitten otomatik silahlarla ateş açılırken Lang kendini yanda kapağı açık olan lahdin içine attı. Silah sesleri muazzam yeraltı mezarlığında çınladı ama her taraf iyice kapalı olduğu için bu seslerin dışardan duyulması ihtimali zayıftı. Lang kemikleri toprak altında olan açık kapaklı lahdin içinden, dış duvara vuran mermilerin parçaladığı mermerin sesini duydu.

Otomatik silahlar susmadan biraz önce yakınlardan bir başka silah sesi daha duyuldu. Adamlar çok yakınında olmalıydı, Lang barut kokusunu bile duydu, ama buradan bir an önce çıkmak isteyen adamlar telaş içindeydiler ve rasgele ateş açmışlardı.

Silah sesleri kulaklarını çınlatmıştı ama şimdi etrafta yine derin bir sessizlik vardı. Lang silah seslerinin geldiği yeri saptamıştı ama karanlık nedeniyle onlarla arasındaki mesafeyi tam olarak kestiremiyordu. Ama adamlar beş altı metre kadar yakınında olmalıydılar. Reavers'ın tabancası elinde olduğu halde, adamların olduğunu tahmin ettiği noktaya doğru elleri ve dizleri üstünde santim santim sürünerek yaklaşmaya başladı.

Çok yavaş ilerliyordu Lang ve birkaç dakika sonra adamların bulunduğunu tahmin ettiği lahdin yakınına geldi ve nefesini tutarak onların hareketini duymaya çalıştı, ama hiçbir şey duyamadı. Orada kalamazdı, adamlar fener yakarlarsa onu hemen görebilirlerdi.

Elini yere uzattı, birkaç küçük taş parçası aldı ve onların bulunduğu noktaya doğru attı. Adamlar bu kez ateş etmediler, ama kulağına gelen seslerden orada sadece bir kişinin bulunduğunu ve harekete geçtiğini anladı Lang. Tabancayı hafifçe kaldırdı, sesin geldiği yere doğru iki el ateş ederken kendini yana doğru attı.

Beklediği gibi, oradaki adam ona hemen otomatik ateşle cevap verdi. Kısa bir yaylım ateşi oldu bu ama yeterliydi. Koridorun karşı tarafından iki alev parlaması göründü ve çok yakından gelir gibi bir bağırış duyuldu, sonra her yer yine karardı ve derin bir sessizliğe gömüldü.

Lang yan tarafındaki bir taş duvara dokundu ve onu destek alarak yavaşça doğruldu, ayağa kalktı. Beline soktuğu el fenerini çekip çıkardı, tabancayı sağ, feneri de sol eline alarak duvar boyunca birkaç adım attı. Tabancanın namlusunu ileriye doğru uzattı ve el fenerini yaktı.

El fenerinin camı kırılmış ve ışığı oldukça zayıflamıştı ama o yine de çatışmanın sona ermiş olduğunu görebildi. Adamlardan biri sırtüstü yerde yatıyor, boş gözlerle yukarıya bakıyordu, ölmüştü ama görünen bir yerinde kan yoktu, nereden vurulduğu belli değildi. Diğeri sırtını lahdin duvarına dayamış, bacaklarını ileriye doğru uzatmış, küçük bir kan gölünün ortasında oturuyor ve bir eliyle de boğazından akan kanları durdurmaya çalışıyordu, ama çaresizdi. Lang onun yanına gidip yanında duran otomatik M 16 silahı ayağıyla ileriye atarken adam ona bakmadı bile. Reavers silahlara gece nişangâh sistemi takmayı nasılsa ihmal etmiş ve bu da Lang'ın işine yaramıştı.

Yerde oturan adam hırıltıya benzer bir ses çıkardı ve yana doğru devrildi. Artık o da nefes almıyordu, ölmüştü.

O anda Gurt onun arkasında beliriverdi ve "Beni gördüğüne sevindin, değil mi, sevgilim?" dedi. "Bakıyorum da oldukça silahlanmışsın."

Lang aniden döndü ve onu kollarına alıp iyice sıktı. "Şu anda ne hissettiğimi sana anlatabilmem hiç de kolay değil, Gurt..."

Genç kadın onun kollarından sıyrıldı ve gülerek, "Aşk sahnesini sonraya bırakalım, olur mu?" dedi. "Şimdi şu berbat yerden hemen çıkıp gidelim, silah seslerini dışardan duymuşlardır mutlaka."

Lang nekropolisin klima sistemi olan ve belirli gruplara açılan kısmını düşündü. "Olabilir ama sanmam. Buradaki yalıtım çok iyi, seslerin dışardan duyulmuş olacağını pek sanmam."

Gurt elindeki feneri ölen iki adama tuttu ve "Ya bunlar ne olacak?" diye sordu.

"Burası zaten mezarlık ve onları başka mezarlığa götürmek saçmalık olur, değil mi?"

Gurt başını kaldırıp yokuşun üst kısmına baktı. "Ya Reavers?"

"O da zaten mezarlıkta. Bırakalım onu da Teşkilat arayıp bulsun, bizim yapacağımız bir şey yok onun için."

Lang yere bıraktığı rahip cüppesini almak için yukarı, yokuşun üst kısmına çıktı ve onu alıp giydi.

Birkaç dakika sonra bir rahiple uzun boylu bir rahibe St. Peter Meydanında karşıya geçiyorlardı. Hallerinde olağanüstü bir görünüş yoktu ama dikkatli bakan biri, onların birbirleriyle gereğinden fazla samimi ve yakın olduklarını görerek şaşırabilirdi.

Rahip ve rahibe sürekli olarak fısıldaşıyor ve gülüşüyorlardı.

BÖLÜM ELLİ

Amalfi Sahilleri, Ravello
Palumbo Oteli
İki gün sonra

İtalya'nın Amalfi sahillerinde dağlara tırmanan yollar bir buçuk araba genişliğindeydi ve insanların daha çok bisiklet ve bu keskin virajlı dağ yollarında minik arabalar kullandıkları devirden kalmış, genişletilmemişti. Bugün ise turist otobüsleri yolun deniz tarafındaki duvarlarla diğer yandaki kayalar arasından zorla sıyrılarak geçmeye çalışıyorlardı. Bu yollardan koca otobüsler zorlukla geçmeye çalışırken trafik tıkanır ve diğer araçlar yol açılana kadar durmadan korna çalarlardı.

Ravello'da bazı sokaklar minik Fiat arabaların bile geçemeyeceği kadar dardı ve Lang bu nedenle seçmişti burayı. Via S. Giovann del Toro boyunca sıralanmış eski taş binaların Akdeniz'deki ilginç Arap etkisi taşımaktan başka özellikleri yoktu. Otelin tabelası bile dikkat çekmeyecek kadar küçüktü ve otel sahibi sanki oraya sadece tanıyan müşterilerin gelmesini istiyor gibiydi. Ona göre, yeni ve muhtemelen Amerikalı müşteriler kasabanın diğer tarafında, tepede bulunan ve Amerikan film ve TV yıldızlarının tercih ettiği diğer otelde kalabilirlerdi.

Lang'ın Palumbo Otelini seçmesinin en büyük nedeni de buydu işte.

Sokaktan bakıldığında kimsenin ilgisini çekmeyen bu otele ilk kez gelenler, resepsiyondakiler tarafından pek sıcak karşılanmadıkları için geri dönmeseler bile, şaşkın gözlerle etrafa bakınır ve hiç kuşkusuz kendi kendilerine, "Aman Tanrım!" diye mırıldanırlardı.

Otelin arka pencereleri uçurumun dibindeki altın kumlu sahile ve onun gerisindeki kayalıklara bakıyordu. Denizde, oldukça açıkta ağlarını atmış balıkçı tekneleri görünüyordu. Otel çalışanları sessiz, konuşmayan ve çağırılmadan müşteriye sokulmayan insanlardı.

Lang lobiye yakın, zemin katta ve arkadaki manzarayı gören bir oda istemişti. Gurt'la sabah yürüyüşleri yapıyor, öğleye doğru otelin büyük havuzunda yüzüyor, yemeklerini kasabanın birahanelerinde yiyor ve sevişiyorlardı.

Akşam yemeklerini otelin kemerli restoranında değil de, kilisenin önünde ayrılan iki dar sokaktan birindeki bir restoranda yiyorlardı. Kasabadaki pek çok yer gibi bu restoran da çok iyi ışıklandırılmıştı. İtalyanlar loş yerlerde romantik bir ortamda yemekten ziyade, parlak ışıklar altında yemek ve ne yediklerini iyi görmek istiyorlardı. Gurt'a göre bu âdet, orta çağda, loş mum ışıklarında zehirlenmekten korkan insanlardan kalmıştı.

Gittikleri restoranın sahibi yaşlı bir kadındı, her akşam çıplak ayaklarla masaların arasında dolaşıyor ve tabağında yemek bırakan müşterilere yemeği beğenip beğenmediğini soruyordu.

Orada yedikleri üçüncü akşam yemeğinden sonra Lang ve Gurt mideleri lezzetli İtalyan yemekleriyle dolu olarak yokuş yukarı ağır adımlarla yürümeye başladılar. Hafif yokuşun biraz ilerisinde küçük bir meydana geldiklerinde Lang durdu ve sağ taraftaki antikacı dükkânına baktı. Karşı tarafta kilise vardı ve meydanın diğer iki yanı boştu. Gurt'un yüzüne baktı ve "Peki, nasıl öğrendin?" diye sordu.

Nekropoliste yaşanan olayı şimdiye kadar pek konuşmamışlar, rahat olmaya çalışmışlardı ama sonunda bu konunun açılacağını ikisi de çok iyi biliyordu. Genç İtalyan kadınların çok sevdiği deri pantolon ve köylü gömleği giymiş olan Gurt birkaç saniye düşündü. Sonra Lang'ı kolundan tuttu ve yokuşun başındaki otele doğru çekip yürümeye başlarken, başına gelenleri, yani hatırladıklarını, hastanede yaşadıklarını ve kulaklarının önce sağır olup sonra açıldığını anlattı.

Gurt, "Bulduğum bilet parçası her şeyi hatırlattı bana," diye devam etti. "Frankfurt'u, Teşkilatı hatırlattı. Beni öldürmeye çalışan adamda Frankfurt tren bileti olduğuna göre, onun Frankfurt'ta bulunmuş olması gerekiyordu. Adam oradan geldiyse işin içinde Teşkilat da olabilir diye düşündüm. Beni kim öldürmek isteyebilirdi ki? Seni arayıp uyarmak istedim ama Teşkilatın malı olan cep telefonu patlamada kaybolmuştu. Ayrıca işin içinde Teşkilat varsa senin konuşmalarını da dinleyebilirlerdi."

Lang otelin kapısını açıp onun girmesini bekledi ve arkasından lobiye girince, "İyi düşünmüşsün," dedi. "Hergelenin bana verdiği cihazda beni izleme sistemi de varmış."

"Yani eğer ben Sara'yı araşaydım..."

"O hattı da mutlaka dinliyorlardı. Senin söylediklerini de dinleyeceklerdi."

Lang durup pencereden tepenin aşağı tarafına baktı, aşağıdaki küçük meydan şimdi ağaçların tepelerinden görünmüyordu. "Peki, Die Spine denen ve eski Nazileri koruyan şu organizasyona ne diyorsun?"

Gurt onun koluna hafifçe vurdu ve gülümsedi. "Sen her yatağın üstünde Nazi görmeye başlamıştın," dedi.

"Haklısın, ama *her yatağın altında* denir. Sen ve Blucher benim teorime pek inanmadınız, değil mi?"

Gurt bunu duyunca birden durdu ve şaşkın bir ifadeyle onun yüzüne baktı. "Evet, budala kadın bu kez haklı mı çıktı yani?"

Lang güldü ve "Budala kadın bir kez daha benim kıçımı kurtardı," dedi.

Gurt ona baktı ve gülerek göz kırptı. "Benim kurtarmak istediğim senin kıçın değildi, budala!"

Zemin katta, arka taraftaki odalarına doğru yürürlerken Lang birden durdu ve "Peki ama Vatikan'ın altındaki nekropolisi nasıl öğrendin sen?" diye sordu.

Gurt ona vereceği cevabı düşünürken Lang odalarının kilidini açtı ama kapıyı açmadan önce, "Ee, söylesene?" dedi.

Gurt hınzırca bir sırıtışla onun yüzüne baktı ve "Sen kadınların sezgilerine inanmaz mısın?" dedi.

"Hayır."

Gurt rol yapar gibi içini çekti. "Pekâlâ, benim hayallerimi, sezgilerimi kabul etme bakalım sen."

Lang inadı tutmuş ve onu odaya sokmak istemiyormuş gibi kapının önünde durarak, "Gurt..." dedi ve sustu.

Gurt fazla direnemedi ve "Skorzeny'nin savaş sonrası Amerika'ya götürüldüğünü ve Straight denen adamın Skorzeny'nin oğlu olduğunu tahmin etmiştin," dedi. "Ve sen bu tahminlerini Reavers'a anlatırken duydum sizin konuşmanızı. Bunları tahmin ettiğine göre, benim bunu nasıl anladığımı da tahmin edebilirsin herhalde, değil mi?"

Lang bu konuşmalarının koridordan geçebilecek başkaları tarafından duyulmasını istemediği için onu kolundan tutarak odanın içine çekti ve kapıyı kapadı. Yatağın kenarına oturdular ve Lang, "Pekâlâ," dedi. "Benim tahminime göre olay şöyle gelişti. Skorzeny'nin Montsegur'dan aldıklarını merak ettiğimi ve bu konunun üstüne gideceğimi biliyordun. O helikopter tepemize gelmeden önce elimizde ipucu olarak sadece Julian'ın yazıları vardı, hani şu, tek tanrı sarayından söz eden yazı."

Gurt saçlarını karıştırdı ve "Şimdiye kadar hiç fena değil," diyerek gülümsedi. "Helikopter gelmeden önce sen gerçekten de Julian ve bir tür saraydan söz ediyordun."

Lang omuzlarını silkti ve "Pekâlâ, benden bu kadar," dedi. "Gerisini sen anlat bakalım."

"Benden duyacakların hoşuna gitmeyebilir."

"Buna dayanmaya çalışırım, hayatım."

Bu kez de Gurt omuz silkti ve "Tek tanrı sarayı Vatikan'dan başka ne olabilirdi ki?" dedi.

"Yani sen tek tanrı sarayını duyduktan sonra Julian'ın ne söylemek istediğini hemen anladın mı?"

"Ben de oradaydım, öyle değil mi?"

Lang başını hafifçe salladı ve onun söylediklerini anlamaya çalıştı. "Ben ve Francis bunu anlayana kadar oldukça uzun süre düşünmek zorunda kaldık, ama sen bunu hemen anladın, öyle mi?"

Gurt güldü ve elini çantasına atarak sigara paketini çıkardı, bir sigara yaktı ve "Söyleyeceklerimden hoşlanmayacaksın dedim sana, değil mi?" diye devam etti. "Her neyse, Roma istasyonundaki bir arkadaşımı aradım."

"O hatların güvenli olduğunu biliyordun, değil mi?"

"Elbette, bu arkadaşıma Reavers'ın o sırada nerede olduğunu sordum, çünkü doğru tahmin ediyorsam, o namussuz seni de öldürmeye çalışacaktı."

"Evet, ama bu tür bilgiler gizlidir, biliyorsun."

"Dediğim gibi, bunu iyi bir arkadaşıma sordum."

"Eski bir sevgiliye demek istiyorsun herhalde."

"Anlatacaklarımdan hoşlanmayacaksın dedim sana. Ama artık kızmana gerek yok. Sen geçen yıl Roma'ya gelmeden önce onunla ilişkimiz dostça sona ermişti."

Lang on yıl önce Gurt'la ilişkisini bitirip Dawn'la evlenmişti ve şimdi o yıllarda onun yaşadığı ilişkiler konusunda hiçbir şey söylemeye hakkı yoktu. Ama yine de onu kıskanmaktan alamıyordu kendini. Kıskançlığını belli etmemeye çalışarak, "Yani Reavers'ın Roma'da olduğunu öğrendin," dedi. "Sonra ne yaptın peki?"

"Ne mi yaptım? Bir rahibe kıyafeti buldum ve Roma istasyonu etrafında dolaşmaya başladım."

"Yani CIA Roma istasyonunu gözetlemeye başladın ve kimse de farkına varmadı bunun, öyle mi?"

"Ben de daha önce Roma'da görev yaptım, hatırlasana. Gizli kameraların nerede olduklarını, nasıl çalıştıklarını iyi biliyordum. Ayrıca nazik bir adam buldum ve birkaç gün için oraya yakın bir oda kiraladım ondan."

Lang'ın kıskançlık damarları yine kabardı ve "Yakışıklı mıydı bu adam bari?" diye sormaktan alamadı kendini.

Gurt canı sıkılmış gibi başını iki yana salladı ve "Tanrım!" diye homurdandı. "En azından yetmiş yaşındaydı adam. Beni sorguya çekmek mi istiyorsun, yoksa anlattıklarımı dinleyecek misin, karar ver artık?"

Lang kıskançlık krizi için özür dilemeyi düşündü ama vazgeçti ve "Pekâlâ, devam et bakalım," dedi.

"Evet, işte istasyonu gözetlerken Reavers'in binadan çıktığını gördüm ve peşine düştüm onun."

Lang duyduğuna inanamıyormuş gibi, gözlerini açarak ona baktı ve "Yani sen istasyon şefini takip mi ettin?" diye sordu.

"Bu o kadar da zor olmadı hayatım, Reavers bu işte o kadar uzun zamandır çalışıyor ki, Teşkilatta artık kadınların da çalıştığını unutmuş olmalı."

CIA'da kadın ajanların çalışması konusu Kongre'de bir zamanlar tartışma konusu olmuştu.

"Her neyse, ben onu takip ederken o da bir rahibi izliyordu ve bu da sendin. Ama seninle temas kuramadım, çünkü beni de izliyor olabilirlerdi. Oteline telefon etmekten de korktum. Sadece Reavers ve adamlarının senin peşinden Vatikan'ın altına girmelerini bekledim."

Lang onu dinledikten sonra başını salladı ve "Peki ama bu silahı nereden buldun?" diye sordu.

"Söyledim ya sana, Frankfurt ofisinde arkadaşım var dedim."

Lang onun bu arkadaşının pek çok kuralı bozacak ve ona silah sağlayacak kadar yakın olduğunu düşündü. Ona bu iyiliği yapan adam yakalanırsa ya işinden atılır, ya da arka odalardan birinde yazıcı olarak çalışabilirdi. Ama yine kıskançlık yapmamaya karar verdi ve "Sana nasıl teşekkür edeceğimi bilemiyorum, hayatım," dedi.

Gurt ayağa kalktı ve bluzunun düğmelerini açarken, "Vakit geç oldu ve sen de bugün ölümden döndün," dedi. "Gel de seni biraz rahatlatayım bari."

Gerçeğin çirkin yüzü ancak ertesi gün öğleden sonra gösterdi kendini. Sara Lang'a telefon ederek vakıf için verilmesi gereken kararlar olduğunu ve müvekkillerinin durmadan onu aradıklarını bildirdi, adamlar avukatlarını görmek istiyorlardı.

Eve dönme zamanı gelmişti.

Lang telefonu kulağından çekerek, "Napoli-Paris-Atlanta uçabiliriz," dedi. "Ya da arabayla Roma'ya gider oradan direkt olarak uçarız."

Gurt başını hafifçe iki yana salladı ve "Ben Roma'da kalacağım," dedi.

Lang bir anda uçak biletlerini de otel hesabını da unuttu ve "Ne? Ne dedin sen?" diye sordu.

Gurt telefonu onun elinden alıp kapadı ve hafifçe yanağını okşayarak, "Ömrümün sonuna kadar sana yük olarak yaşayamam hayatım," dedi.

"Fakat bana yük olmayacaksın ki sen, Gurt. Senin bir işin var, sonra Almanca öğretmenliği yapabilirsin..."

Gurt elini sallayarak onu susturdu ve "Son on beş yıl bu işte çalıştıktan sonra zengin aile çocuklarına Almanca dersi vermek hoşuma mı gidecek sanıyorsun sen?" dedi.

Lang onun karar vermek için çok düşündüğünü ve karar verdikten sonra da caydırılmasının çok güç olduğunu bilecek kadar iyi tanıyordu onu. Bir süre önce onun öldüğünü ve onu kaybettiğini sanmıştı ama bu kez gerçekten kaybetmek üzereydi. Yüzündeki üzgün ifadeyi ona göstermemek için tuvalete gidip tıraş takımını, saç ve diş fırçasını toplamaya başlarken, "Ne yapalım, seni çok özleyeceğim ama sen kararını vermişsin," dedi.

Lang banyodan çıktığı zaman Gurt gitmişti.

SONSÖZ

Berlin
Aynı yılın Mayıs ayı

D r. Joachim Stern şaşkındı. Üniversitede bir sınıfa arkeo-
loji dersi verirken onu çağırmışlar ve bazı çok eski ve il-
ginç çömlek parçalarını incelemesini istemişlerdi. Kırık çöm-
lek parçaları bulundukları yer açısından çok ilginçti. Aslında
Roma yeraltı treni için yeni yollar açılırken ya da Kahire'de
yeni kanalizasyon çalışmaları yapılırken bu tür çanak çöm-
leğin bulunması çok doğaldı. Dr. Stern daha önce de klasik
Yunan-Roma eserleri konusunda birçok şehirde danışmanlık
yapmıştı zaten.

Fakat Berlin'de böyle eski eserler ve kalıntılar pek çıkmaz-
dı.

Doktorun bildiği kadarıyla, Yunanlılar ve Romalılar Al-
man başkentinin bulunduğu bölgeye hiç gitmemişlerdi. As-
lında Alman kabileleri Roma'nın birkaç yenilgisinden birine
neden olmuşlar, birinci yüzyılda Augustus Sezar'ın ordusunu

Teutoburg Ormanında bozguna uğratmışlardı. Bunun sonucu olarak Romalılar da yeni topraklar kazanmak ve ticaret yapmak için başka bölgelere yönelmişlerdi.

O halde Dr. Stern'in o anda toprağa çömelmiş olarak elinde tuttuğu ve meraklı gözlerle baktığı bu çanak çömlek parçaları da ne oluyordu? Bunların çok eski olduğu belliydi, Yunan amforalarına ait parçalar olabilirlerdi. Belki de zeytinyağı ya da şarap konan büyük küplerden birinin parçalarıydı bunlar.

Dr. Stern Berlin yeraltı tren hattında yeni açılan yolun kazısına baktı. Hitler'in yeraltı sığınağının bulunduğu yerdi burası galiba, ama bilim adamı bundan pek emin de değildi. Ruslar büyük bir öfkeyle Fuhrer'in her şeyini tahrip ederek sığınağını da doldurmuşlar, o bölgeye bir de park yapmışlardı ve Hitler'in son saatlerini nerede geçirdiği kesin olarak bilinmiyordu. Belki de Rusların Doğu Berlin için inşa ettikleri tek yeşil alan da burasıydı ve şimdi çok değerli bir yerdi burası.

O halde bir Yunan ya da Roma küpünün ne işi vardı buralarda?

Stern'in bildiği kadarıyla, Hitler eski tarihle pek ilgilenmemişti. Fakat bu çömlek parçaları kazı yapan işçilerin toprak altında Nazi üniforması düğmeleri, ev eşyası parçaları ve benzeri parçalar buldukları düzeyde bulunmuştu ki, bu da bu toprak kap parçalarının buraya savaş zamanında getirilmiş olduğunu gösteriyordu.

Arkeolog çömlek parçalarını plastik bir torbaya koydu ve ayağa kalktı. II. Dünya Savaşının birçok sırrı gibi, bu amfora parçalarının sırrı da herhalde kısa zamanda çözülemeyecekti. Aslında Alman tarihinin o bölümü unutulsa daha iyi olacaktı herhalde.

En azından Almanlar tarafından unutulmalıydı.

Atlanta, Georgia
Park Place, 2660 Peachtree Yolu

Grumps hiç de iyi bir arkadaş değildi aslında. Küçük mutfağın köşesinden gelen geğirme seslerine ve horuldamalara bakılırsa, koca köpek akşam yemeğini çok sevmiş ve tıka basa yedikten sonra da her zamanki gibi uykuya dalmıştı.

Lang başını kaldırıp mutfakla salonu ayıran bara baktı ve "Bu kadar yakışıklı olmasan seni burada tutmam zaten koca köpek," diyerek gülümsedi.

Sonra başını çevirip tekrar televizyon ekranına baktı. Bu akşamın haberleri çok önemliydi, partisinin başkanlık seçimlerinde aday gösterdiği Harold Straight hiç beklenmedik bir zamanda seçim kampanyasından çekilmişti. Adam gelecek birkaç yıl süresince ailesinin kendisine ihtiyacı olduğunu, bu nedenle hem seçimlerde aday olmaktan ve hem de politikadan çekildiğini açıklamıştı. Çeşitli çevrelerde bunun nedeni olarak, AIDS'den alkolizme, skandallı bir boşanma ihtimaline, adamın bazı yolsuzluklarla suçlanabileceğine kadar çeşitli söylentiler duyuluyordu.

Liberal politikacılar ve medya bunun Amerika için olumlu sonuçlar vereceğini söylüyorlardı ki, Newt Gingrich'in Kongre seçimlerinden çekildiğinden beri soldan böyle bir şey duyulmamıştı. Sağ kanat her zamanki gibi yine daha zayıf bir medya dikkati çekiyordu ama kimse neler olduğunu tam olarak bilemiyordu.

Lang bu haberleri sonuna kadar ve gülümseyerek dinledi, tatmin olmuştu.

Fakat onun tatmin olduğu konu sadece buydu. İki ay önce Avrupa'dan döndüğünden beri kendini tamamen işe vermişti, vakfın işlerine öylesine müdahale ediyordu ki, üst derece yöneticilerinden bazıları kendilerine başka yerlerde iş aramaya başlamışlardı. Sara bile onun davranışlarından sıkılmış ve insanlara karşı nasıl davranacağını bilmediğini söyleyerek birkaç gün işe gelmemişti. Lang eski dostluklarından söz ederek, yaz sonunda uzun bir tatile göndereceğini ve ona bazı avantajlar sağlayacağını söyleyerek ofise geri getirebilmişti onu.

Bütün bunlar olurken, Alman işgalinde Roma ve çok az da olsa, Otto Skorzeny ile ilgili yazı ve kitapları bularak okuyabilmişti Lang. Kitap ve yazılarda ikisi arasında bir ilişki görünmese de Lang, Huff'ın CD'sinden, SS subayının oraya gitmiş olduğunu biliyordu. Bu konu üzerinde uzun süre düşünmüş ve bir sorunun cevabını bulmuştu. Skorzeny neden sadece bir amforayı almış da ikinciyi almak için geri gelmemişti? Bunun cevabı basitti ve zamandı. 1944 Nisan sonunda Müttefikler zırhlı araçlar ve kamyonlarla Roma'ya doğru yola çıkmışlardı. Skorzeny bu durumda sadece sütun boşluğunun üst kısmındaki birinci küpü alarak oradan kaçmak zorunda kalmış ve Lang altmış yıldan fazla bir zaman sonra orayı bulduğu zaman, o ilk küpün izlerini de sütun deliğinde, ikincinin üst kısmında görmüştü.

Ama bu durumda daha ilginç bir soru vardı ortada: İlk küpün içinde ne vardı?

Lang bu konuda bir tahminde dahi bulunamıyordu. Gurt yanında olsaydı onunla tahmin oyunu oynar, birlikte bu soruya bir cevap bulmaya çalışırlardı. Gurt'u özlemesinin nedenlerinden biri de buydu işte.

Onun Avrupa'dan yanında Gurt olmadan, yalnız başına dönmüş olması kısa zamanda herkes tarafından öğrenilmişti. Gökdelende yaşayan bekâr kadınların çoğu akşam saatlerinde kapısını çalarak ona kendi pişirdiklerini söyledikleri ama hiç kuşkusuz bir restorandan getirttikleri nefis yemeklerden bir kap getirip ikramda bulunuyorlardı.

Şimdiye kadar kendisine yapılan yemek ve kokteyl parti davetlerine hep teşekkür etmiş ve gelemeyeceğini söylemişti.

Bu koca gökdelendeki yalnız kadınları çok iyi tanıyordu o, bu kadınlar ormandaki vahşi hayvanlardan bile daha beterdiler, kendilerine rahat bir yaşam sağlayabilecek genç ve zengin bir erkek bulmak için yapmayacakları yoktu. O da bu tür erkeklerin başında geliyordu.

Dawn'la olan sakin evlilik yaşamında bile erkeklerin korumacı, kadınların ise yenileyici olduklarını öğrenmişti. Bir erkek sevdiği kadını olduğu gibi kabul eder, değiştirmeye kalkmazdı. Kadın ise sevdiği erkeği kendi zevkine göre yoğurmak, şekillendirmek isterdi. Erkek de eski halinde kalmaya gayret eder, değişmemek için elinden geleni yapardı.

Lang bunlardan hep kaçınmıştı.

Kendisini bir kadına teslim ederse, bu rahat yaşamının, bu küçük ve sakin apartman dairesinin ve hatta şu koca köpek Grumps'ın bile çok geçmeden hayal olacağını biliyordu.

Avukat, doktor ve benzerleri gibi, kendilerine yeten kadınlarla bekârlıklarında tanışması şimdiye kadar mümkün olmamış, onları hep erkekleriyle bir arada görüp tanımıştı. Bir gün bir kadın savcıyla tanışmış, bu ufak tefek kızıl saçlıdan hoşlanmıştı, ona arkadaşlık teklif etmek üzereydi ama onu mahkeme salonunda görüp çirkin konuşmasını duyunca bundan hemen vazgeçmişti.

O akşam da bunları düşünerek yemek saatinin gelmesini bekliyordu Lang ve kapı zilinin çaldığını duyunca yine komşu hanımlardan birinin kendisine bir şeyler ikram edeceğini sanarak yüzünü buruşturdu.

Kapının bu saatlerde çalınmasına alışık olan Grumps gözlerini açarak kulaklarını diker, ama hemen sonra yine başını indirip yarım kalan uykusuna geri dönerdi. Fakat koca köpek bu kez uykuya geri dönmedi ve birden havaya zıplayarak havlamaya başladı. Sonra kapıya koştu, kılları iyice uzamış ön ayaklarını kaldırıp kapıya dayadı ve cilalı tahtayı tırmalamaya başladı.

Kadın komşulardan biri herhalde Grumps'a hoşuna gideceği yiyecek bir şeyler getirmişti ve onunla dostluk kurarak Lang'a yaklaşmayı deneyecekti.

Lang çılgına dönerek durmadan kapıyı tırmalayan hayvana sinirlendi, kaşlarını çatarak baktı ve "Hain hayvan!" diye homurdandı.

Lang kapıdaki misafiri fazla bekletmemek için istemeyerek yerinden kalktı, kapıyı biraz araladı ama Grumps onu beklemedi bile, başını uzatarak kapıyı sonuna kadar açtı ve koridora fırlayıp kapı önünde duran Gurt'un ayakları dibinde çılgın gibi dönmeye, dans etmeye başladı.

Gurt elindeki küçük valizi yere bıraktı, yere diz çöktü ve kahkahalar atarak köpeği okşamaya başladı.

Lang şaşkındı, dilsiz gibi sessizce olanlara bakıyordu, ancak Gurt başını kaldırıp gülerek ona bakınca kendini toparladı.

Gurt kahkaha atmaya devam ederken, "Langford, kapa

JULIAN SIRRI

şu ağzını!" diye bağırdı. "Ağzın aptallar gibi açık olunca çirkin görünüyorsun!"

Lang başını salladı ve sırıtarak, "Grumps sana mektup yazıp gelmeni istedi herhalde, öyle mi?" dedi.

Genç kadın köpeği sevmeye devam ederken başıyla yerde duran valizini işaret etti ve "Nasıl centilmensin sen öyle?" dedi. "Valizimi bana mı taşıttıracaksın yani?"

Lang şaşkınlıktan henüz tam olarak kurtulmamış gibiydi, hayal görmediğinden emin olmak için gözlerini ovaladı ve sonra eğilip yerde duran valizi aldı. "Unuttuğun bir şeyi almaya mı geldin yoksa?"

Gurt doğruldu ve ellerindeki köpek tüylerini temizlerken, yine gülerek, "Bak bu mümkündür," diye cevap verdi.

"Nasıl yani?"

Gurt şehvetli bir ifadeyle gözlerini onun vücudu üzerinde gezdirirken, "Yakında anlarsın," dedi.

İkisi de bir anda daha fazla dayanamayacaklarını anladılar, boş yere fazla konuşmuşlardı. Lang valizi alıp yere koyduktan sonra, onu içeri çekip kollarına alırken kapıyı da gürültüyle kapadı. Grumps ise havlayarak sıçramaya ve dans etmeye devam ediyordu.

Lang onu kollarından bırakmadan küçük balkona götürdü, bir süre şehrin manzarasını seyrettiler ve Lang, "Gurt, kararını verdin..." derken genç kadın parmağını onun dudaklarına uzatıp susturdu onu.

"Avrupa'da potansiyel teröristleri kovalamak yerine, senin yanında kalmak ve zengin çocuklarına Almanca öğretmek herhalde daha akıllıca olur diye düşündüm, Lang."

"Yani şimdi sen temelli..."

"Ne dediğimi duydun işte, artık fazla konuşma da bunun-la tatmin olmaya çalış, tamam mı?"

Lang da zaten hazırdı buna.